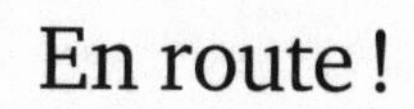

En route !

Adam Rex

En route !

Traduit de l'anglais (États-Unis)
par Éric Betsch

Titre original
The True Meaning of Smekday

Première publication en langue originale
par Disney-Hyperion Books, une filiale de Disney Book Group

118, avenue Achille-Peretti
CS70024-92521-Neuilly-sur-Seine Cedex
www.lire-en-serie.com

Pour Steve Malk
Et pour Mme Jennifer Lopez

Maman et moi : printemps 2011

Rédaction : **La véritable signification de Smekday**

Qu'est-ce que le jour férié nommé *Smekday* ? En quoi a-t-il changé dans l'année qui a suivi le départ des extraterrestres ? Vous êtes libre de faire appel à votre expérience personnelle de l'invasion extraterrestre pour argumenter votre propos. N'hésitez pas à y ajouter des dessins ou des photos.

Les rédactions seront toutes envoyées au Comité de la Capsule temporelle nationale, à Washington. L'une d'entre elles sera choisie et enterrée avec la Capsule temporelle nationale, qui sera déterrée dans cent ans.

Longueur de la rédaction : cinq pages minimum.

Gratuity Tucci
4e
Collège Daniel-Landry

LA VÉRITABLE SIGNIFICATION DE SMEKDAY

C'était le jour du Déménagement.

Faut-il mettre une majuscule à « Déménagement » ? Jamais je n'aurais eu l'idée de le faire, autrefois, mais le jour du Déménagement est à présent férié dans tout le pays, avec tout ce que ça implique. Alors oui, je pense qu'il le faut.

Mettre une majuscule.

Enfin, bref.

C'était le jour du Déménagement, donc, et tout le monde était devenu fou. Vous vous rappelez. C'était le chaos, les gens couraient dans tous les sens, les bras chargés de leur vaisselle de famille en porcelaine et d'albums photo. Ils portaient aussi de la nourriture et de l'eau, ainsi que leurs chiens et leurs enfants, car ils avaient oublié que ceux-ci étaient capables de se déplacer tout seuls. La folie.

Je me souviens d'une femme qui emportait un miroir. Quelle drôle d'idée de vouloir sauver un miroir ! Elle descendait la rue à toutes jambes en le tenant à deux mains, les bras tendus en avant comme si elle chassait des vampires. J'ai également vu une bande de types habillés comme des Indiens, alors que c'étaient des Blancs, qui allumaient des feux et lançaient des sachets de thé dans des bouches d'égout. Il y avait aussi un homme qui tenait un échiquier au-dessus de sa tête, comme un serveur de café brandissant son plateau, et qui regardait partout autour de lui sur la chaussée.

– Personne n'aurait vu un fou noir ? criait-il sans cesse.

Je revois encore Apocalypse Hal, au coin de la rue, près de la laverie automatique. Hal était un prêcheur de rue du quartier et travaillait chez le marchand de poisson et de fruits de mer tout proche. Il avait enfilé son double panneau d'homme-sandwich, sur lequel il avait pour habitude d'écrire des versets de la Bible. Il aimait crier furieusement sur les passants des choses telles que « La fin des temps est proche ! » et « Sélection de fruits de mer pour 5,99 dollars ! ». Ce jour-là, il avait inscrit JE VOUS L'AVAIS BIEN DIT !, et rien d'autre, et avait l'air plus angoissé que furieux.

– J'avais raison, dit-il quand il me vit passer devant lui.

– À propos des poissons ou de l'Apocalypse ?

– Des deux, me répondit-il en marchant à côté de moi. Ça devrait jouer en ma faveur, non ? Le fait que j'aie eu raison ?

– Je ne sais pas.

Hal (avant l'invasion)

– Je n'imaginais pas que ce seraient des extraterrestres, marmonna-t-il. Je voyais plutôt des anges armés d'épées enflammées, quelque chose comme ça. Hé ! Mais ce sont peut-être bien des anges ! On en trouve des descriptions assez bizarres dans la Bible. Dans le Livre de la Révélation, par exemple, il y a un ange qui a trois têtes et des roulettes.

– Je crois que ce sont simplement des extraterrestres, Hal. Désolée.

Apocalypse Hal s'arrêta, tandis que je continuais d'avancer. Il laissa passer quelques secondes et s'écria :

– Hé ! Tu veux que je t'aide à porter des choses, ma petite ? Où est ta jolie maman ?

– Je vais la rejoindre, justement ! lui criai-je sans me retourner.

– Ça fait longtemps que je ne l'ai pas vue !

– Ça ira, je vais la retrouver !

C'était un mensonge.

J'étais toute seule, parce que maman avait déjà reçu l'instruction de se rendre aux vaisseaux spatiaux par des signaux transmis via le grain de beauté qu'elle portait sur la nuque. J'étais toute seule avec mon chat, et je dois vous dire que je ne l'aimais pas trop. Je l'avais porté un moment, mais j'avais fini par le poser par terre, car il gigotait comme un poisson hors de l'eau. Il me suivait, sursautant chaque fois que quelqu'un passait en courant ou donnait un coup de Klaxon, c'est-à-dire sans arrêt. Un pas, un pas, un sursaut. Un pas, un pas, un sursaut. On aurait dit qu'il dansait la conga. Au bout d'un moment, je finis par me retourner, puis regardai dans toutes les directions. Il avait disparu.

– Tant mieux. Tchao, Porky.

Et c'est tout.

Mon chat s'appelle Porky, au fait. J'aurais sans doute dû le préciser.

Ce qu'il y a de bizarre, quand on écrit pour des lecteurs du futur, c'est qu'on ne sait pas ce qu'il faut expliquer ou pas. Avez-vous encore des animaux de compagnie, à votre époque ? Avez-vous encore des chats ? Je ne vous demande pas si les chats existent encore – ici, nous en avons tant que nous ne savons plus quoi en faire. Cela dit, je n'écris pas vraiment pour des lecteurs, pour le moment.

C'est vrai ; si quelqu'un d'autre que mon professeur lit ces lignes, ça voudra dire que j'ai remporté le concours et que cette rédaction a été enterrée dans la capsule temporelle, avec les photos et les journaux, puis déterrée cent ans plus tard. Et en ce moment, vous êtes en train de la lire, installé dans, disons, un fauteuil à cinq pieds, tout en prenant un casse-croûte sur votre planète surchauffée. J'ai tendance à penser que vous devez déjà tout savoir de mon époque, mais pour ma part je ne sais presque rien à propos de *1913*. Alors il serait peut-être bon que je précise certaines choses. Cette histoire commence en juin 2013, environ six mois après l'arrivée – et la prise de contrôle de toute la Terre – des extraterrestres Boovs, et une semaine après qu'ils eurent décidé que la race humaine serait probablement plus heureuse si tous ses représentants s'installaient dans un minuscule État isolé, où ils seraient à l'abri des ennuis. À l'époque, j'habitais en Pennsylvanie, un État situé sur la côte est des États-Unis. Les États-Unis étaient cet immense pays où tout le monde portait des tee-shirts rigolos et mangeait trop.

Je vivais seule depuis le départ de maman, mais je ne voulais pas que ça se sache. J'avais réussi à conduire notre voiture sur de courtes distances, en fixant des boîtes de conserve de maïs sur mes chaussures pour atteindre les pédales. Je faisais beaucoup de bêtises, au début, et si par hasard vous vous trouviez le 3 mars 2013 sur le trottoir à l'angle de la 49e Rue et de Pine Avenue après la tombée de la nuit, je vous dois des excuses.

Mais j'ai fini par très bien me débrouiller. Comme une vraie pilote de course de la NASCAR. C'est pour ça que quand la plupart des gens ont embarqué dans les fusées booviennes pour être transportés en Floride, je me suis dit que je me rendrais là-bas en voiture, sans aucune aide. J'ai trouvé un itinéraire sur Internet, ce qui n'a pas été simple, surtout par rapport à ce qu'on avait connu précédemment, car les Boovs avaient commencé à fermer la Toile. La route semblait facile à suivre. D'après le site Web, il fallait trois jours pour parvenir à destination, mais les automobilistes n'avaient pour la plupart pas mon talent, sans compter qu'ils ne mangeaient pas du glaçage pour gâteau tout en conduisant, pour ne pas s'arrêter. Me faufilant entre des grappes de personnes, je doublai une femme qui portait un bébé dans un saladier à punch en cristal et un homme chargé de cartons abîmés qui laissaient échapper des cartes de joueurs de base-ball partout dans la rue. Enfin, j'atteignis les courts de tennis communaux, où j'avais laissé la voiture. C'était une petite voiture de la taille et de la couleur d'un réfrigérateur, et à peine deux fois plus rapide. Mais elle ne consommait pas trop d'essence, et je n'avais pas beaucoup d'argent. J'avais vidé notre compte en banque et trouvé moins de billets que prévu dans la réserve en cas de coups durs que maman gardait au fond d'un tiroir à sous-vêtements, dans une de ses boîtes à collants, qu'elle avait étiquetée ARAIGNÉES MORTES. Comme si je n'avais pas su depuis toujours ce qu'il y avait dedans. Comme si je n'aurais pas voulu jeter un coup d'œil sur des araignées mortes.

Après avoir lancé la sacoche de l'appareil photo et les sacs à dos sur la banquette arrière, je ressentis soudain comme un poids sur le ventre, ainsi qu'une immense solitude. Tournant la tête ici et là, je regardai par-delà des gens affolés, comme cet homme muni de gants de cuisine et portant une marmite remplie de rôti, nom d'un chien ! (Pardon pour mon langage.) Je ne sais pas qui ou quoi j'espérais trouver en scrutant ainsi la foule, certainement pas le chat, pourtant c'est bien lui que je m'entendis appeler.

– Porky ! PORKYYYYYYYYY !

En temps normal, crier « Porky » en pleine rue attire quelque peu l'attention. Ce jour-là, personne ne se tourna vers moi. En fait, à mon troisième « Porky », un homme se baissa, comme pour esquiver un coup, mais je ne sais pas vraiment si c'était à cause de moi.

Quoi qu'il en soit, à l'instant où j'allais me glisser dans la voiture, le gros chat traversa la rue à toute allure et bondit sur le tableau de bord. Puis il fit demi-tour sur lui-même et tendit la joue, réclamant une caresse.

– Bon, d'accord, tu peux venir, mais tu devras attendre les pauses pour faire tes besoins.

Porky se mit à ronronner.

Quant à moi, je me disais qu'il serait agréable d'avoir un peu de compagnie, surtout que je ne m'attendais pas à voir quiconque avant deux jours. La quasi-totalité de la population se dirigeant vers les fusées, j'estimais que les autoroutes seraient désertes, voyez-vous.

J'avais à la fois raison et tort.

Porky

Savez-vous que les chats ont horreur de voyager en voiture ? Eh bien je vous le confirme, en tout cas en ce qui concerne le mien. Comme j'avais remis le compteur kilométrique à zéro avant notre départ, je peux vous dire que Porky a passé les trente-six premiers kilomètres à regarder par la lunette arrière en feulant, accroché à l'appuie-tête du siège passager comme une décoration de Halloween, en faisant le gros dos, les poils hérissés.

– Calme-toi ! lui criai-je, esquivant les voitures abandonnées sur l'autoroute. Je suis une bonne conductrice, je t'assure !

Il cessa alors de feuler pour se mettre à gronder, ou quelque chose comme ça. Vous savez comment les chats grondent, un peu comme un pigeon qui fume trop.

– J'aurais pu te laisser à la maison, traître. Tu aurais pu t'installer avec tes chers Boovs.

Regarder un chat et conduire en même temps ne me pose aucun problème mais, je ne sais pas pourquoi, la voiture sauta soudain sur un morceau de pneu qui traînait sur la chaussée. Porky poussa un couinement et fit deux cabrioles sur la banquette arrière, puis il fonça vers le levier de vitesse, pour finir par se rouler en boule sous la pédale de frein.

– Oh-oh…

J'appuyai doucement sur la pédale, pour que Porky s'en aille, mais il feula et donna un coup de patte sur la boîte de maïs fixée sous ma chaussure.

Je levai un instant les yeux sur la route, le temps d'éviter une moto sans conducteur, puis m'intéressai de nouveau à ce qui se passait à mes pieds.

– Allez, Porky, dis-je de ma voix la plus rassurante (et en braquant pour contourner un minibus). Sors de là… (Un camion-citerne.) Je te donnerai un bonbon ! (Une voiture de sport. Mais pourquoi tout le monde avait abandonné son véhicule ?)

– Mrrr ? me répondit Porky.

– Oui ! Tu veux un bonbon ? chantonnai-je, comme un petit oiseau. Un bonbon ? Un bonbon ?

Porky ne bougeait toujours pas, mais j'avais une longue portion de chaussée déserte devant moi. Je gardais tout de même un œil sur un gros camion, assez loin sur la gauche, quand je vis quelque chose bouger. En suspension dans l'air, à la verticale de la remorque du camion, un drôle d'objet flottait paresseusement de haut en bas et de bas en haut. On aurait dit une masse de bulles, de bulles de savon, peut-être, mais grosses comme des balles de tennis, et même comme des ballons de basket, pour certaines. Collées les unes aux autres, elle formaient comme une étoile, de la taille d'une machine à laver. Comme ceci :

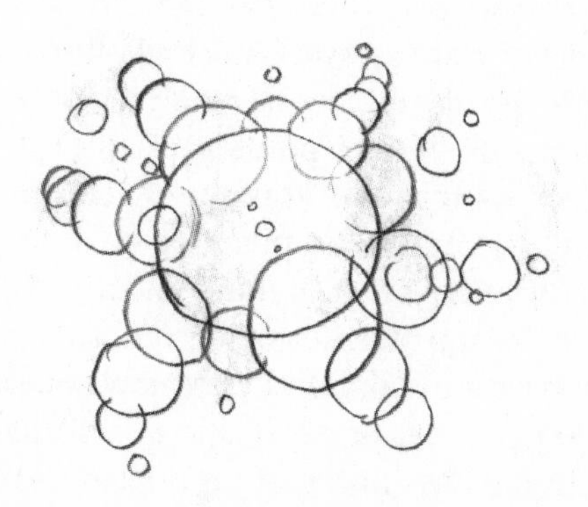

Le vent semblait incapable de les faire dériver ; elles se contentaient de monter et de descendre légèrement, comme si elles étaient attachées par une corde invisible au gros tuyau d'échappement du camion. En baissant les yeux le long de ce tuyau, je découvris autre chose. Ou plutôt *quelqu'un*, sur la route.

– Il y a quelqu'un, là-bas, on dirait ! dis-je, m'adressant autant à moi-même qu'à Porky.

L'homme ou la femme, ou je ne sais quoi, portait une combinaison de sécurité orange vif et peut-être une sorte de casque avec visière. *Une combinaison antiradiation ?* Puis, en nous en approchant, je compris que c'était l'un d'eux. *Un Boov.*

– Bon, d'accord…

Je décalai la voiture au maximum sur la droite de la chaussée sans heurter le rail de sécurité.

Ayant remarqué mon approche, le Boov tourna son drôle de corps vers moi. Les reflets du soleil sur son casque m'éblouissaient mais je crus le voir lever la main, paume vers moi, signe qui voulait sans doute dire « Stop ! » dans toute la Galaxie, même s'il m'était difficile d'en être certaine – ces créatures ont de si petits bras…

Je ne pouvais pas freiner mais je pouvais encore retirer le pied de l'accélérateur. Je perdis donc peu à peu de la vitesse sur la bande d'arrêt d'urgence, tout en récitant à mi-voix des *Je vous salue Marie*.

Nous étions tout près de lui, maintenant, assez près pour voir l'affreux méli-mélo de jambes qui portait son corps, ainsi que son énorme tête plate, dans son casque. Il refit le même geste de la main, avec davantage de fermeté. C'était un « Stop », aucun doute. Je lui répondis d'un signe de la main, moi aussi, souriante mais sans quitter la route des yeux, car je ne voulais plus le regarder. Je fus ainsi à deux doigts de ne pas le voir baisser l'autre bras le long du corps et aussitôt le relever, avec quelque chose dans la main. Je reconnus immédiatement cet objet, que j'avais déjà aperçu à la télévision : c'était un de ces terribles pistolets, qu'on voyait beaucoup à l'époque où nous tentions encore de résister. Ces armes ne faisaient aucun bruit et n'émettaient pas de lumière. Les Boovs les pointaient sur quelqu'un et la moitié de son corps disparaissait, aussi simplement que ça.

Il me restait toujours la possibilité d'appuyer sur l'accélérateur. Je me baissai et écrasai la pédale. La voiture fit un bond en avant, hélas pas assez vite, loin de là, et heurta le rail de sécurité dans une gerbe d'étincelles digne de la Fête nationale.

Le Boov cria quelque chose que je n'entendis pas, ou ne compris pas. Je fis de mon mieux pour me faire aussi difficile que possible à atteindre, zigzaguant de tous côtés et levant la tête juste à temps pour éviter un 4 × 4. En tournant la tête, je m'aperçus que mon rétroviseur droit avait été arraché lors du choc contre le rail de sécurité. Le rétroviseur central me permit de voir que le 4 × 4 s'était presque entièrement volatilisé ; un énorme morceau en avait été retiré, aussi nettement qu'une cuillerée de glace. Quand je voulus jeter un coup d'œil dans mon rétroviseur gauche, je constatai qu'il avait lui aussi disparu. D'un regard pardessus mon épaule, je vis la silhouette du Boov diminuer à mesure que la distance qui nous séparait augmentait. Il ne s'était pas lancé à ma poursuite.

– Eh ben dis donc, Porky… dis-je à mi-voix.

Porky sortit en rampant de sous la pédale de frein, comme si de rien n'était.

Une minute plus tard, j'immobilisai la voiture sur le côté de la route et sortis pour en faire le tour. Le pistolet du Boov avait désintégré mon rétroviseur, et il y avait un trou dans la vitre arrière gauche, par où était entré le rayon. J'en vis un autre, encore plus gros, dans la lunette arrière, par lequel le rayon était ressorti. Chaque trou était d'une netteté parfaite, comme ceux que font les emporte-pièce dans la pâte, quand on prépare des sablés.

– Je les déteste, dis-je. Je les déteste ! On a vraiment eu de la chance, Porky.

Porky ne m'entendit pas ; il dormait, allongé de tout son long sur le siège passager.

Pourquoi le Boov avait-il tiré ? C'était un mystère pour moi ; après tout, je me rendais en Floride, comme ils l'avaient exigé. Au kilomètre 75, je compris pourquoi l'autoroute était vide : il n'y avait plus de chaussée.

En abordant une courbe, la voiture sauta sur un nid-de-poule. Ma ceinture de sécurité se tendit lorsque je fus projetée en avant puis en arrière, ce qui me fit mal au cou. Porky tomba de son siège, se réveilla brièvement et se rendormit sur place. J'esquivai quelques gros morceaux d'asphalte et contournai un trou qui ressemblait moins à un nid-de-poule qu'à une piscine vide. Après une nouvelle courbe, je découvris que la route avait disparu. Ma petite voiture tomba de la chaussée dans un cratère rempli de terre et de goudron. Tout en malmenant le volant, j'écrasai mon pied prolongé de la boîte de maïs sur la pédale de frein. La voiture dérapa et défonça des ornements métalliques qui avaient dû être une barrière, puis elle glissa jusqu'au pied du talus, pour s'immobiliser avec rudesse sur le parking d'une supérette MoPo.

Autour de nous, l'air était orange de poussière. Je m'accrochais au volant comme à une bouée de sauvetage. Porky, lui, était étalé dans le creux où se rejoignent le pare-brise et le tableau de bord. Il me lança un petit feulement lorsque nos regards se croisèrent.

C'était donc ça. Personne ne prenait sa voiture car les Boovs avaient détruit les autoroutes. Évidemment.

Je détachai ma ceinture de sécurité avec lassitude et sortis de la voiture. Porky fit de même, s'étira et se lança à la poursuite d'un insecte.

Je vomis presque. Puis-je donner ce genre de détail dans un devoir de classe ? Pour être franche, quand je dis « presque », je pense « plusieurs fois ».

Alors que j'étais penchée en avant, je me rendis compte que nous avions un pneu crevé. Je n'étais pas certaine qu'il y eût une roue de secours dans le coffre, ce qui n'avait de toute façon aucune importance puisque je ne savais pas changer une roue. Concernant la conduite, maman ne m'avait rien appris d'autre que le numéro de téléphone d'une dépanneuse, au cas où la voiture refuserait d'avancer.

Même si ça n'avait que peu de chances de donner quelque chose, je me dis que je pouvais toujours tenter d'appeler quelqu'un. On ne me répondrait sans doute pas, mais nous nous étions trop éloignés de chez nous pour rentrer à pied. J'ouvris la boîte à gants et en sortis le portable de secours qui n'avait qu'une heure de forfait et n'était PAS UN JOUET. Je l'ouvris et l'allumai ; il s'éveilla aussitôt à la vie. D'étranges voix baragouinaient entre elles dans l'écouteur.

– Je n'ai même pas encore composé de numéro, marmonnai-je. (Les voix se turent.) Allô ?

Les voix se remirent à parler, en un mélange de bêlements et de claquements, un peu comme si un agneau marchait sur du papier bulle. Elles se firent de plus en plus fortes, de plus en plus agitées.

Aussitôt, j'éteignis et refermai le portable, qui me faisait l'effet d'un objet extraterrestre et dégoûtant, puis je le remis dans la boîte à gants, calé sous le manuel d'utilisation de la voiture.

Le manuel d'utilisation de la voiture... Peut-être y expliquait-on comment changer une roue ? Non. Plus tard. Ça pouvait attendre.

Je m'assis et considérai le ciel de nouveau dégagé, tout bleu. Dans le lointain se dessinait une petite ville inconnue, dont le plus haut bâtiment était une vieille église en pierre. Le clocher avait d'ailleurs perdu un morceau, nettement découpé. Non loin de nous, des poteaux téléphoniques brisés pendaient à leurs fils, comme des marionnettes. Il était temps que je me lève.

– Il y a peut-être encore de la nourriture au MoPo, dis-je joyeusement, tout en cherchant Porky.

Pour vous autres lecteurs du futur, MoPo est une chaîne de supérettes, le genre de petit magasin dans lequel le soda est commodément situé entre les donuts et les tickets de loterie. Ceux qui veulent mieux comprendre comment la race humaine a été si facilement conquise doivent absolument s'intéresser à ces supérettes. Les produits qu'on y trouve sont presque tous bourrés de sucre, de fromage ou de conseils pour perdre du poids.

L'intérieur du magasin était plongé dans l'obscurité, ce qui ne m'étonna pas. Porky me suivit jusqu'à la porte, qui fit tinter une petite clochette lorsque je l'ouvris, puis nous entrâmes. Les rayons étaient tous presque vides, sans doute avaient-ils été pillés, à l'exception de celui où étaient rangées les barres NutriZone Extrême FitnessPlus avec calcium. Il restait également un sachet et quelques boîtes de nourriture pour chat, ce qui était une bonne chose. Je m'assis sur le sol froid en linoleum et avalai une de ces barres énergétiques roses, tandis que Porky vidait une boîte de pâtée au poisson.

– Je crois que nous n'atteindrons pas la Floride.

– *Miaou ?*

– La Floride. C'est là que nous sommes censés aller. Un grand État plein d'oranges.

Porky retournant à son repas, je mordis une nouvelle fois dans ce qui me faisait de plus en plus l'effet d'une gomme géante.

– Nous pourrions peut-être rester ici. Cet endroit est situé assez loin de la ville. Les Boovs ne nous remarqueront peut-être pas.

– *Miaou.*

– Bien sûr que c'est possible. Nous nous installerions dans une maison. Ou un hôtel. On trouve probablement plein de boîtes de conserve dans cette ville.

– *Miaou miaou ?*

– Très bien, puisque tu es si malin, donne-moi une seule raison pour laquelle ça ne marcherait pas.

– *Miaou.*

– Tu parles, tu dis ça à propos de tout.

Porky se mit à ronronner et s'installa pour faire une sieste. Je m'adossai quant à moi contre un distributeur automatique et fermai les yeux, éblouie par le soleil couchant. Je ne me rappelle pas m'être endormie, mais il faisait nuit lorsque j'ouvris les yeux, la tête posée sur une miche de pain, réveillée par la clochette de la porte d'entrée.

Le souffle court, je filai me cacher sous un rayon, puis j'eus une pensée un peu tardive pour Porky, qui avait disparu.

Quelque chose marchait dans le magasin abandonné ; ses pas traînants faisaient penser à un roulement de batterie.

Va-t'en, va-t'en ! suppliai-je dans ma tête, tant j'étais certaine d'avoir affaire à un Boov. La chose passa devant le rayon sous lequel j'étais terrée. J'aperçus ses nombreuses petites pattes éléphantesques, recouvertes d'une combinaison bleu clair en caoutchouc. Un Boov. Certainement envoyé pour me récupérer.

Soudain, le bruit de roulement de batterie cessa.

– Oh ! Bonjour, petit chat ! dit une voix humide et nasillarde.

Porky.

– Comment tu as fait pour entrer dans le magasin ?

J'entendis Porky ronronner bruyamment, le traître. Il était sûrement en train de se frotter contre les huit pattes du Boov.

– Est-ce que quelqu'un… t'a fait entrer, hmm ?

Mon cœur fit un bond. Comme si Porky pouvait répondre : « Oui, c'est Gratuity. Elle se cache sous le rayon numéro cinq. »

– Tu as faim, peut-être ? poursuivit le Boov, qui s'adressait toujours à Porky. Tu aimerais partager un flacon de sirop contre la toux avec moi ?

Le bruit de roulement de batterie reprit. Ils s'étaient remis en marche. Je sortis le cou de ma cachette juste à temps pour les voir franchir une porte sur laquelle était inscrit PRIVÉ.

Bondissant de mon trou, je me précipitai sans réfléchir vers la porte d'entrée, que je poussai sans m'arrêter, déclenchant au passage un petit bruit cristallin. *Ah oui, la clochette !* Après un dernier regard en arrière, je repris ma course jusqu'à la voiture, où je récupérai mon sac. Puis je fonçai vers la haie qui bordait le parking. Une fois en sécurité de l'autre côté, je me plaçai à hauteur d'une percée dans le feuillage, juste à temps pour voir le Boov sortir de la supérette. Il – ou ça – balaya le parking du regard, se demandant quel être avait été assez stupide pour oublier que l'ouverture de la porte faisait tinter la clochette. Il sursauta lorsqu'il aperçut ma voiture, puis il se retourna et sourit à Porky, dressé de l'autre côté de la porte, les pattes avant appuyées sur le panneau de verre.

– Il y a quelqu'un, hmm ? cria le Boov, qui, considérant l'autoroute détruite, émit un sifflement par le nez.

De mon côté, je me faisais aussi petite que possible et j'essayais d'empêcher mon cœur de battre à tout rompre et le sang de marteler mes oreilles. Le Boov avança à petits pas en direction de quelque chose que je n'avais pas encore remarqué.

Dans un coin du parking, il y avait un objet très bizarre, comme une énorme bobine de fil surmontée d'une ramure de cerf. Faite d'une matière qui ressemblait à du plastique bleu, elle était en suspension dans les airs, à environ quinze centimètres du sol.

– Je ne vous désire aucun mal ! cria le Boov. Si vous êtes d'accord pour être mon invité, il y a assez de sirop contre la toux et de boudoirs pour tout le monde !

Il, ou ça… enfin bref, fit sauter son corps trapu sur la grosse bobine et se campa sur ses petites pattes d'éléphant disposées tout autour de lui, près du bord de l'engin. Puis il leva ses minuscules bras de grenouille et empoigna les bois de cerf. La chose en plastique bleu s'éleva de trente centimètres et, en quelques virages serrés et brusques accélérations, remonta en voguant dans les airs la pente herbue jonchée de morceaux d'asphalte, jusqu'à l'autoroute.

– Ohé ! cria-t-il en s'éloignant. Il n'y a pas de quoi être peur ! Les Boovs ne dégustent plus les humains !

Quand la drôle de mobylette du Boov eut disparu de l'autre côté de la crête, je me ruai vers la supérette… mais pour quoi faire ? Pour récupérer Porky ? Il aurait sans doute préféré rester avec le Boov. Mais je n'avais que lui et, avec son pneu crevé, la voiture n'irait pas plus loin. Je n'avais qu'une idée en tête : disparaître dans cette petite ville, en espérant que le Boov ne s'acharne pas trop à me chercher.

– Il est temps de filer, Porky, dis-je en faisant irruption dans le magasin, l'estomac aussi remué qu'une clochette de porte.

Il tenta de se glisser par l'ouverture, afin de courir après l'extraterrestre, j'imagine, mais je réussis à l'attraper au passage.

– Idiot de chat !

Après avoir fourré toute la nourriture pour chat et les barres énergétiques dans mon sac, je courus jusqu'à la voiture. Je fis une dernière fois le tour de l'habitacle avant de partir, pour m'assurer que je n'oubliais rien. Le téléphone portable me revint à l'esprit alors que j'inspectais la portière côté passager. Fallait-il que je l'emporte ? C'est à cet instant précis que j'eus une idée vachement chouette.

– *Wrooowr'ftt!* se plaignit Porky, qui se tortillait dans mes bras.

– Ne t'inquiète pas, dis-je en riant. Nous n'allons nulle part. Retournons dans le magasin et attendons que ton copain revienne.

Porky émit un petit feulement pour lui-même.

Voilà ce qui s'est passé, d'après moi : le Boov a dû voler un petit moment au-dessus de l'autoroute, *pom pom pom*, en se disant « J'espère bien trouver Gratuity, je vais la déguster, ou la donner à mes chefs, ou alors l'envoyer directement en Floride avec mon rayon ». Il fit probablement ensuite le tour de la supérette, et sans doute de ma voiture, pour se dire « Ho ! Hmm, je me fabrique des idées, pas de fille ni d'autre chose ici, j'ai vraiment bête », tout ça dans un grand bruit de bêlement et de papier bulle.

Il gara sa bobine à ramures et retourna dans le MoPo, en se demandant ou était passé Porky. Quand la clochette de la porte se tut, il entendit quelque chose.

– Quoi c'estça ? se demanda-t-il, avant de mener son enquête.

En approchant du rayon des surgelés, il comprit peut-être, malgré son immense stupidité, que ce bruit était en fait la voix d'un autre Boov. Il remarqua alors que la porte d'un congélateur était grande ouverte, ce qui n'était pas le cas lors de son premier passage. Il se dirigea droit dessus et en inspecta l'intérieur en bêlant. Peut-être remarqua-t-il alors que les étagères du congélateur étaient posées au fond, à côté de mon portable, mais peu importe. En effet, je surgis à cet instant précis et, d'un bon coup de pied dans ses fesses d'extraterrestre, je l'envoyai dans le congélateur, dont je refermai aussitôt la porte, que je bloquai avec un manche à balai.

Le Boov se retourna d'un bond. J'étais ravie de voir qu'il avait l'air très surpris, peut-être même effrayé. Il plaqua son gros visage contre la vitre pour mieux observer celle qui l'avait emprisonné. Je m'offris une petite danse de la victoire.

– Pourquoi tu as fabriqué ça ? dit-il.

Enfin, il me semble que c'est ce qu'il a dit. Je ne l'entendais pas très bien, à travers l'épaisseur de verre. Une pensée me vint soudain : allait-il finir par manquer d'air, là-dedans ? Cette perspective me mit mal à l'aise, si bien que je dus me forcer à me rappeler dans quelle situation j'étais fourrée.

– Tant mieux, murmurai-je. J'espère qu'il va étouffer.

J'aurais également aimé qu'il ait très froid, dans ce congélateur, malheureusement l'électricité avait été coupée.

– Quoi ? dit le Boov, d'une voix qui me parvint à peine. Quoi tu dis ?

Il regardait de tous les côtés, très vite, comme les petits poissons, tandis que ses doigts de grenouille tapotaient la porte vitrée.

– Je disais que tu n'as que ce que tu mérites ! Vous m'avez volé ma maman, alors je kidnappe un Boov !

– Quoi ?

– Vous m'avez volé ma maman !

– Mamaman ?

– MA... MAMAN !

Le Boov donna l'impression de réfléchir un moment, puis son regard s'illumina.

– Ah ! « Ma maman » ! s'exclama-t-il joyeusement. Elle est où donc, maintenant ?

Je lui répondis par un cri et en donnant un coup de pied dans la porte du congélateur.

– Aha, dit le Boov, en hochant la tête, comme si j'avais dit quelque chose d'important. Je peux aller dans le dehors, maintenant, alors… ?

– Non ! hurlai-je. Tu ne peux pas aller dans le dehors ! Tu n'iras plus jamais dans le dehors !

Apparemment complètement surpris, le Boov se mit à paniquer.

– Mais alors… mais alors… je vais devoir tirer avec mon pistolet !

Je fis un bond en arrière, les mains levées. J'étais tellement emballée par mon idée que j'avais oublié ce détail. Je baissai les yeux sur l'endroit que j'imaginais être ses hanches, puis fronçai les sourcils.

– Tu n'as même pas de pistolet !

– Oui, OUI ! s'écria-t-il, hochant vigoureusement la tête, comme s'il venait de me démontrer qu'il avait raison. PAS DE PISTOLET ! Alors je vais devoir… je vais devoir…

Il tremblait de tout son corps.

– … TIRER SUR TOI DES RAYONS LASERS AVEC MES YEUX !

Je m'effondrai sur les étagères d'un rayon. C'était nouveau, ça !

– Tirer des rayons lasers ?

– TIRER DES RAYONS LASERS !

– Tu sais faire ça ?

Le Boov hésita un instant, les yeux agités, puis répondit :

– Oui…

Je plissai les yeux et lançai à mon tour :

– Si tu tires des rayons lasers avec les yeux, je serai obligée de… TE FAIRE EXPLOSER LA TÊTE !

– Les humains ne peuvent pas expl…

– Si, on peut ! Nous aussi, on a des pouvoirs ! Mais on ne le fait pas souvent, parce que c'est impoli.

Le Boov prit un moment pour méditer sur cette information.

– Alors... nous devons... conclure une trêve. Tu n'exploses pas ma tête, et je ne tire pas mes LASERS DÉVASTATEURS PAR LES YEUX.

– D'accord. Une trêve.

– Une trêve.

Quelques instants s'écoulèrent dans le silence total qui régnait dans le magasin.

– Alooors... je peux sortir dans le dehors, mainten...

– Non !

Le Boov tapota de nouveau sur la vitre, désignant un point au-dessus de ma tête.

– Je peux guérir ta voiture. J'ai vu qu'elle était cassée.

– Qu'est-ce qu'un Boov peut bien y connaître en mécanique automobile ? dis-je, les bras croisés.

– Je suis agent principal de maintenance boov ! s'écria-t-il, vexé. Je peux guérir n'importe quoi ! Je peux sûrement guérir une voiture humaine primitive.

Je me serais bien passée de ces bêtises sur ma voiture, mais bon, il fallait que je trouve un moyen de la faire réparer.

– Qu'est-ce qui me prouve que tu vas le faire ? Tu vas plutôt appeler tes copains et m'expédier en Floride, je parie !

Des rides se formèrent sur ce qui était peut-être le front du Boov.

– Tu ne veux pas aller en Floride ? Ton peuple doit aller là-bas. Tous les humains ont décidé d'aller en Floride.

– Hé ! Nous n'avons pas décidé grand-chose, il me semble.

– Si ! insista le Boov. La Floride !

Je fis quelques pas dans l'allée en soupirant, puis, m'étant retournée vers le congélateur, je vis le Boov ramasser mon portable.

– Je peux leur parler, dit-il, l'air sérieux. Je peux leur parler tout de suite.

Et c'était vrai. Il pouvait tout à fait prévenir ses copains.

Je retirai le manche à balai et ouvris la porte du congélateur. Le Boov se jeta en avant, ce qui me fit aussitôt regretter mon geste. Sauf qu'il n'était pas en train de m'attaquer ; c'était plutôt comme s'il me prenait dans ses bras, je ne vois pas d'autre explication.

– Tu vois ? dit-il. Boov et humains peuvent êtres amis. Je dis toujours ça !

Je lui donnai prudemment une petite tape amicale.

Ça paraît fou, je le sais bien, mais peu de temps après j'étais en train de fouiller la petite ville à la recherche de provisions, pendant que le Boov trifouillait ma voiture. Inutile de préciser que Porky était resté avec lui.

Enchaînant cinq magasins abandonnés, je dénichai des biscuits, des milk-shakes allégés, des bouteilles d'eau, des bagels durs comme du bois, des céréales au miel, de la sauce tomate, des pâtes, un seau de TUB ! – je ne savais pas du tout ce que c'était – fourni avec une cuiller, ainsi que des Boud' Fruits Chocovanille Super Lège, ne respectant donc pas cette fois ma règle de ne jamais manger d'aliments dont le nom était mal orthographié. Le Boov m'ayant dit ce qu'il aimait, je pris également un panier de pastilles à la menthe pour l'haleine, de l'amidon de maïs, de la levure, des bouillons en cube, du fil dentaire à la menthe et une ramette de papier.

– Hé, le Boov ! criai-je à mon retour.

Il était sous la voiture, en train de taper sur quelque chose. Il faut que je vous précise que la voiture comportait à présent trois antennes supplémentaires et que les vitres n'étaient plus trouées. Il y avait aussi des tubes et des tuyaux, qui reliaient certaines parties de la voiture à d'autres, ainsi que quelques petits ailerons, je ne vois pas comment les appeler autrement. Ceux-ci étaient visiblement faits de métal que le Boov avait récupéré dans la supérette. En effet, l'un d'eux était orné de la photo d'une boisson glacée, avec le mot « Fraîchissime ».

Une boîte à outils était ouverte, ses éléments, tous bizarres, dispersés un peu partout.

– Ça fait beaucoup de remue-ménage pour un pneu crevé ! commentai-je.

Le Boov sortit la tête de sous la voiture.

– Pneu crevé ?

Je restai sans rien dire une seconde, puis je fis le tour de la voiture. Le pneu était toujours crevé.

– La voiture devrait beaucoup mieux flotter, maintenant ! s'écria-t-il gaiement.

– Flotter ? Mieux flotter ? Mais elle ne flottait pas du tout, avant !

– Hmm, dit le Boov, qui baissa les yeux. C'est donc pour ça que les roues sont si sales.

– Oui, probablement.

– Alors donc, elle roulait ?

– Oui ! confirmai-je, un peu agacée. Elle roulait. Sur le sol.

Le Boov prit de longues secondes pour réfléchir à ma réponse.

– Mais… comment elle roulait, avec ce pneu crevé ?

Je lâchai mon panier et m'assis par terre.

– Laisse tomber, dis-je.

– En tout cas, elle va vachement bien flotter, maintenant ! J'ai pris des morceaux de mon véhicule.

L'entendre employer le mot « vachement » me surprit. Je ne m'attendais pas à ce qu'il le connaisse. C'était du langage parlé, et même pas à la mode, qui plus est. Plus personne ne disait ça, à part ma mère et parfois moi. J'imagine que ça m'a fait penser à maman, et donc que ça m'a un peu mise en colère.

– Avale ton fil dentaire, le Boov, lâchai-je en lui lançant le panier d'un coup de pied.

Sans réfléchir une seconde, il se mit à sucer le fil dentaire, comme des spaghettis.

– Tu ne le prononces pas comme il faut, finit-il par me dire.

– Quoi donc ?

– « Boov ». Tu le parles trop vite. Il faut le faire durer, comme une longue respiration. « Bo-o-ov ».

Oh examine l'appareil photo

Ravalant ma colère, je fis une tentative :

– Booov.

– Non. Bo-o-ov.

– Bo-o-o-o-ov.

– On dirait un mouton, là, dit-il en fronçant les sourcils.

Je secouai la tête.

– Bon, comment tu t'appelles ? Je vais t'appeler par ton nom.

– Ah non, pour qu'une humaine prononce correctement mon nom, il lui faudrait deux têtes. J'ai pris un nom humain : J. Lo. Mais j'ai été donné le nom « Oh » par mes nombreux amis.

– Oh ? répétai-je, réprimant un rire. Sur la Terre, tu t'appelles Oh ?

– Ha, ha ! Pas « Terre », rectifia Oh. Mais « Smekland » !

– Comment ça, « Smekland » ?

– C'est comme ça que nous sommes appelé cette planète. Smekland. En hommage à notre glorieux chef, le capitaine Smek.

– Attends une minute, dis-je en secouant la tête. Vous n'avez pas le droit de changer le nom de la planète.

– Quand un peuple découvre une planète, il lui donne un nom.

– Mais elle en a déjà un ! C'est « la Terre ». Ça a toujours été « la Terre » !

Le sourire condescendant que me jeta Oh me donna envie de lui taper dessus.

– Vous, les humains, vous vivez trop dans le passé. Nous sommes atterris sur Smekland il y a longtemps déjà.

– Vous n'êtes là que depuis Noël dernier !

– Ha, ha ! Pas Noël, mais Smekday, le jour de Smek !

– Smekday ?

– Smekday.

***

C'est donc ainsi que j'ai appris la véritable signification de Smekday, grâce à ce Boov surnommé Oh. Comme ils n'aimaient pas que nous fêtions nos jours fériés, les Boovs les ont tous remplacés par de nouveaux. Noël a ainsi été rebaptisé d'après le capitaine Smek, leur chef, qui avait découvert ce Nouveau Monde, la Terre, donc, pour le compte des Boovs. Enfin, Smekland, plutôt.

Enfin, bref. Fin de l'histoire.

Gratuity,

Le style est dans l'ensemble intéressant, mais je crains que tu n'aies pas vraiment répondu à la question posée. Quand les juges du Comité de la Capsule temporelle nationale liront nos récits, ils voudront savoir ce que Smekday représente pour nous, pas pour les extraterrestres. N'oublie pas que la capsule va rester enterrée pendant cent ans ; les gens du futur ignoreront tout de notre mode de vie durant l'invasion. Si ta rédaction remporte le concours, c'est ce que voudront découvrir tes lecteurs du futur.

Peut-être pourrais-tu commencer avant l'arrivée des Boovs ? Il reste encore du temps avant la date d'envoi des rédactions pour le concours. Si tu souhaites compléter ta rédaction, je réviserai ta note.

Note : 12/20

Gratuity Tucci
4e
Collège Daniel-Landry

LA VÉRITABLE SIGNIFICATION DE *SMEKDAY*

Deuxième partie, ou : Comment j'ai cessé de m'inquiéter pour apprécier le Boov

Bon, reprenons avant l'arrivée des Boovs.

J'imagine qu'il faut que je remonte presque deux ans en arrière, à l'époque où ma mère a reçu son grain de beauté sur la nuque. C'est-à-dire au cours de son enlèvement.

Je n'ai rien vu, évidemment. C'est comme ça qu'ils se déroulaient. Personne ne se faisait kidnapper au stade pendant un match de football, ni à l'église ni même juste après que Kevin Frompky vous a fait lâcher tous vos livres entre deux cours, que tout le monde vous regarde en rigolant, et que vous n'avez pas d'autre choix que de lui coller une gifle.

Ou n'importe quoi d'autre dans ce genre.

Non, les gens se faisaient plutôt enlever quand ils roulaient tard le soir, sur des autoroutes désertes, ou dans leur chambre durant leur sommeil. Et ils étaient de retour sans que personne se soit rendu compte de leur disparition. Je le sais, j'en ai été témoin.

C'est comme ça que ça s'est passé pour ma mère. Un matin, elle a fait irruption dans ma chambre, les yeux écarquillés et les cheveux en bataille à faire peur, et m'a dit de regarder sur sa nuque.

Clignant des yeux de sommeil, je regardai à l'endroit qu'elle me désignait, sans poser de question car, à peine quelques jours plus tôt, elle m'avait déjà réveillée pour me dire que Tom Jones passait à la télé, ou qu'elle avait trouvé dans le journal un « bon de réduction vachement intéressant » pour des patchs anti-transpiration à fixer sur sa robe.

– Qu'est-ce que je dois regarder ? demandai-je, pas vraiment réveillée.

– Le grain de beauté, me répondit maman. Le grain de beauté !

Il y avait en effet un grain de beauté, marron et ridé, qui ressemblait à une bulle sur une pizza, pile au milieu de sa nuque, sur sa colonne vertébrale.

– Formidable... dis-je en bâillant. Joli grain de beauté.

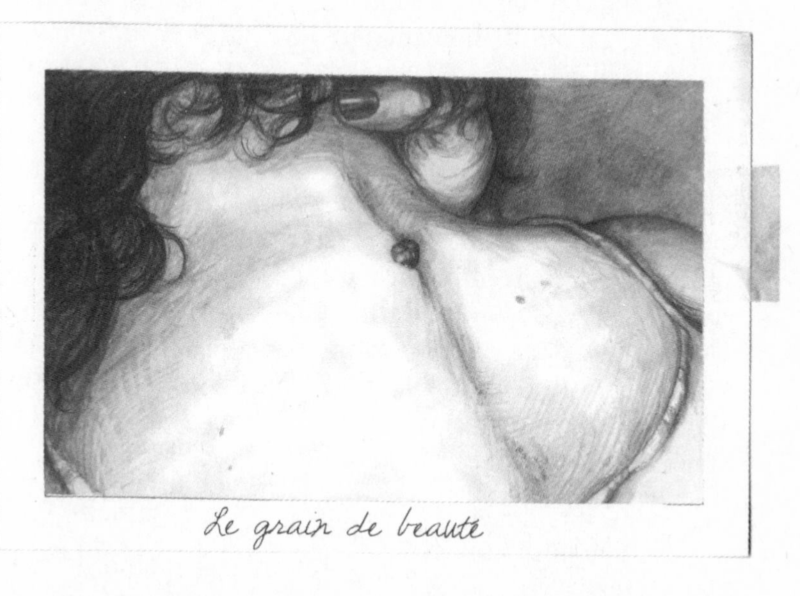

Le grain de beauté

– Non, tu n'as pas compris, dit-elle en se retournant, avec un regard qui me réveilla quelque peu. Il a été greffé ! Cette nuit !

Je clignai deux fois des yeux.

– Par les extraterrestres ! précisa-t-elle, au bord de la panique.

À présent complètement sortie du sommeil, je tapotai l'excroissance du bout du doigt.

– Je ne crois pas qu'on soit censé le toucher, dit aussitôt maman, qui s'éloigna d'un bond. J'ai la très, très nette sensation qu'il ne faut pas le toucher.

Maman avait soudain une voix bizarre, un peu trop plate.

– D'accord, désolée, dis-je. Mais… qu'est-ce que tu veux dire, exactement, quand tu parles d'« extraterrestres » ?

Maman se leva et fit quelques pas dans ma chambre. Retrouvant sa voix normale, quoiqu'un peu sur les nerfs, elle m'expliqua qu'ils l'avaient réveillée la nuit dernière – ils étaient deux – et lui avaient fait une piqûre dans le bras. Elle me montra l'intérieur de son coude droit où, en effet, on devinait nettement un point rouge. Elle se rappelait qu'ils l'avaient fait sortir, puis elle avait perdu conscience, pour reprendre connaissance dans une vaste pièce vivement éclairée.

– Attends, tu t'es endormie ? Comment as-tu fait pour t'endormir dans un moment pareil ?

– Je n'en sais rien, me répondit maman en secouant la tête. Je n'avais pas peur, ma Tortourse. Au contraire, je nageais dans le calme.

À mon avis, elle nageait dans autre chose, mais bon, je gardai mes pensées pour moi.

Elle m'expliqua ensuite que les extraterrestres, désormais très nombreux autour d'elle, l'avaient embarquée dans leur vaisseau spatial pour qu'elle y plie du linge. S'exprimant non pas par des mots mais par des gestes compliqués, ils lui avaient fait comprendre qu'ils étaient très impressionnés par ses talents en matière de pliage de linge. Ils l'avaient alors guidée vers une table surchargée de combinaisons brillantes en caoutchouc pourvues de minuscules manches et de beaucoup trop de jambes. Elle s'était donc mise au travail. Tandis qu'elle s'affairait, elle avait remarqué un autre humain, selon elle d'origine hispanique, qui, à l'autre bout de la salle, ouvrait des bocaux de cornichons. Alors qu'elle venait de renoncer à lui dire quelque chose, ne serait-ce que bonjour, car il y avait trop de combinaisons à plier, elle avait soudain senti une brûlure sur la nuque. Puis elle avait perdu conscience et ne s'était réveillée que le matin venu.

– Ils m'ont collé ça sur la nuque, dit-elle, hochant la tête pour elle-même. Avec une sorte de pistolet à grains de beauté.

– Mais… pourquoi ? Quelle race de… d'êtres intelligents traverserait la Galaxie dans le simple but de fixer des grains de beauté sur les gens ?

– Je n'en sais rien, moi ! se récria maman, visiblement un peu vexée. Comment pourrais-je le savoir ? Reconnais au moins que ce truc n'était pas là hier.

Je posai les yeux sur l'endroit en question, tâchant de me souvenir… mais qui se souvient d'un grain de beauté ?

– Tu me crois, au moins, ma Tortourse ?

Je vais vous dire ce que je n'ai pas dit. Je n'ai pas dit que tout ça n'était qu'un cauchemar. Je n'ai pas dit qu'elle travaillait trop et qu'elle mangeait trop de fromage juste avant de se coucher. Je ne lui ai pas dit pour la cinquantième fois que j'aurais bien aimé qu'elle n'avale pas ces cachets pour l'aider à dormir.

Je lui ai dit que je la croyais, parce que c'est comme ça que ça fonctionnait à la maison. Quand elle rentrait du magasin où elle travaillait avec un paquet de viande avariée récupéré dans la benne à ordures, je lui disais que ce serait délicieux. Puis je jetais la viande à la poubelle. Quand, en rentrant de l'école, je découvrais qu'elle avait dépensé huit cents dollars de nos économies pour un aspirateur proposé par un vendeur au porte-à-porte, je lui disais que c'était génial, puis je décrochais le téléphone pour récupérer notre argent. Concernant les extraterrestres, je lui dis donc que je la croyais.

– Merci, ma Tortourse, tu es une gentille petite fille, dit-elle en me serrant fort dans ses bras. Je savais que tu me croirais.

Je devrais peut-être dire deux mots à propos de « Tortourse ». C'est en fait un surnom familial qui, apparemment, date de très longtemps. Mon acte de naissance indique « Gratuity Tucci », mais maman m'a appelée « Tortourse » dès qu'elle a appris que « Gratuity » ne voulait pas dire « gratuité » en anglais, mais « pourboire ». Quant à mes amis, ils m'appellent « Tif », à cause de ma tignasse.

Je vous dis tout ça pour vous situer un peu ma mère. Quand on me demande de la décrire, je dis qu'elle est très jolie. Et quand on me demande si elle est aussi intelligente que moi, je réponds qu'elle est très jolie.

– Gentille petite fille, murmurait maman, en me berçant d'avant en arrière.

Je la serrai moi aussi dans mes bras, le visage à quelques centimètres de son grain de beauté.

Certaines entreprises prétendent proposer des cartes avec un petit mot pour chaque occasion. Si quelqu'un travaillant dans l'une d'elles lit ces lignes, qu'il sache que je n'ai pas trouvé de carte « Désolé(e) que tous tes amis t'aient lâché(e) après ton enlèvement par des extraterrestres » quand j'en aurais eu besoin.

Pauvre maman, incapable de tenir sa langue.

Elle raconta son histoire à tout le monde, au magasin. Et même le passage où elle pliait les combinaisons. Surtout cet épisode, d'ailleurs, comme si c'était un point capital du récit. Aujourd'hui, je me demande si les extraterrestres n'imposaient pas de telles corvées dans l'unique but de faire un peu plus passer les gens qu'ils enlevaient pour des fous.

« J'ai été kidnappée par des extraterrestres, qui m'ont forcée à plier du linge. »

« J'ai été enlevé par des extraterrestres, qui m'ont forcé à nettoyer leurs gouttières. »

Vous voyez ce que je veux dire ?

Les gens ont commencé à ne plus lui parler. Avec les autres vendeuses du magasin, elles avaient l'habitude de sortir ensemble le mercredi soir et de s'offrir de gigantesques margaritas servies dans des sombreros en céramique. L'une après l'autre, ses collègues trouvèrent des excuses pour ne plus venir, jusqu'au jour où maman se retrouva avec son mercredi libre. Un jour, elle me chargea de jouer les espionnes ; je me glissai discrètement le long de la façade du restaurant tex mex et jetai un coup d'œil à l'intérieur. Et bien sûr, les collègues de ma mère étaient là et vidaient leurs petits chapeaux mexicains en riant. Je serais prête à jurer qu'elles se moquaient de maman.

– Alors, elles sont là ? me demanda maman quand je l'eus rejointe dans la voiture. Tu ne les as pas vues, n'est-ce pas ?

– Non, pas vues, lâchai-je, me laissant tomber sur mon siège.

Un jour, encore un mercredi, je me rendis compte que le grain de beauté avait évolué. Je sais que c'était un mercredi car c'était une soirée biscuits-et-films-avec-des-mecs-qui-enlèvent-leur-chemise. Celles-ci avaient remplacé les soirées margaritas quand il était devenu évident que les collègues de maman auraient des rendez-vous chez le dentiste ou d'inexplicables urgences familiales chaque mercredi jusqu'à la fin du monde.

La fin du monde ne surviendrait que quelques mois plus tard, bien sûr, mais bon, ça fait tout de même beaucoup de rendez-vous chez le dentiste.

Enfin, peu importe.

Les biscuits sortaient tout juste du four, donc, et l'acteur principal venait d'enlever sa chemise pour aller nager. J'étais en train de jouer avec les cheveux de maman lorsque je le vis. Le grain de beauté. Il avait facilement doublé de volume et pris une teinte vaguement violette.

Je retins mon souffle un instant.

– Quand… quand est-ce que c'est arrivé ?

– Hmm ?

– Quand est-ce qu'il est devenu… comme ça ?

Maman tourna la tête vers moi.

– Quoi donc, ma Tortourse ?

– Ton grain de beauté. Il a grossi.

J'appuyai dessus, du bout du doigt.

Maman se leva d'un bond, les traits crispés.

– Tu ne dois pas y toucher, dit-elle d'une voix plate. Ce n'est pas un jouet.

– Je sais bien que ce n'est pas un jouet, dis-je, quelque peu vexée. Bien sûr que non. C'est dégoûtant. Qui voudrait d'un jouet dégoûtant ? Les garçons, peut-être, d'accord, mais pas moi.

– N'y touche pas, c'est tout ! lança sèchement maman, qui fila dans la cuisine.

C'est à cet instant précis, alors qu'elle s'éloignait, que je vis son grain de beauté… *briller.* À peine une seconde. D'un rouge vif, on aurait dit une lumière de Noël.

– Waouh ! m'écriai-je, avant de la rattraper en courant. Viens par ici une seconde !

Maman se retourna vers moi lorsque je fis irruption dans la cuisine.

– Ce n'est pas grave, mon bébé, dit-elle. Je ne suis pas vraiment en colère, c'est juste que…

– Tais-toi ! Il faut que je te dise que…

– Ne me dis pas de me taire ! Toi, tais-toi !

– Maman…

– Je n'apprécie pas ces manières. Tu te comportes très bizarrement… enfin, de façon très bizarre. Que doit-on dire ? « Bizarrement » ou « de façon bizarre » ?

– Il faut que tu te fasses retirer ce grain de beauté, maman !

– Quoi ? s'étonna maman, comme désorientée. Mais pourquoi ?

– Il a grossi et changé de couleur, expliquai-je. Or un grain de beauté qui grossit et change de couleur annonce à coup sûr un cancer.

Maman secoua vivement la tête.

– Je ne vais pas laisser un toubib me charcuter.

– Mais je viens de le voir briller, il y a un instant !

Un silence de plomb s'abattit dans la cuisine. Maman me regardait comme si j'avais des pieds qui me poussaient sur le crâne.

– Et les grains de beauté qui brillent sont cancéreux, c'est sûr, ajoutai-je.

J'étais à peu près certaine que c'était un mensonge, mais j'ai horreur de ne pas avoir raison.

Maman hésita un peu, puis elle leva le bras et effleura doucement son grain de beauté. Ce qu'elle palpa ne lui plut pas, j'imagine, car elle retira aussitôt la main. Elle se remit à secouer la tête, assez vigoureusement, comme si elle avait de l'eau dans les oreilles. Comme pour essayer de faire sortir une pensée de sa tête.

– C'est moi l'adulte, ici, et toi l'enfant, dit-elle enfin, avant de sortir de la cuisine.

Ainsi s'achevaient la plupart de nos disputes. Mais pas cette fois.

– On ne peut pas ignorer ce truc, insistai-je avec douceur. Il faut être courageuses et aller voir un médecin. Tu te souviens du Dr Philips ? Tu avais peur de le rencontrer, mais tout s'est très bien pa…

– Bon sang, Gratuity, arrête de me parler comme ça ! s'emporta maman, en me chassant d'un geste de la main. Ça va s'arranger tout seul.

– Ah oui ? Comme tout dans cette maison, c'est ça ? Oui, c'est vrai, tout s'arrange toujours tout seul, ici, et tu n'as jamais à t'inquiéter ou à faire quoi que ce soit. Mais là, c'est différent, et tu sais pourquoi ? Parce que cette fois, je ne peux rien faire !

– Oh ! Gra… Ma Tortourse, ne…

– Il faut que tu coopères, je ne suis pas encore médecin, je te signale. Je ne peux pas retirer ce grain de beauté pour le faire examiner, alors il faut que tu fasses ce que je te demande !

Maman resta un très long moment immobile, sur le pas d'une porte, en colère, puis elle me parut triste, avant de reprendre un air furieux.

– Nous en discuterons demain matin ! déclara-t-elle, avant de claquer la porte derrière elle.

Chez nous, les portes étaient fragiles, il était aussi facile de les faire claquer que de frapper dans une balle de ping-pong cabossée.

– Maman… soupirai-je. Maman, c'est ma…

La porte s'ouvrit de nouveau, puis maman me frôla pour gagner l'autre bout du couloir.

– Je savais que c'était ta chambre… bredouilla-t-elle.

La soirée film-avec-des-mecs-qui-enlèvent-leur-chemise étant évidemment fichue, maman et moi nous couchâmes de bonne heure. Je m'éveillai seulement trois heures plus tard, à cause des douze verres d'eau que j'avais bus avant de dormir. Quelques minutes après, j'étais assise devant l'ordinateur.

Je l'allumai, ayant complètement oublié que c'était un de ces modèles qui font un « Ahh » sonore, comme un chœur, quand on les met en marche.

– Chut ! sifflai-je, plaquant les mains sur les enceintes. Idiot d'ordinateur !

Je jetai un coup d'œil dans le couloir : pas de lumière, pas de bruit. Revenue sur ma chaise, j'ouvris le navigateur et me rendis sur Doc.com, un site web médical. La page d'accueil comprenait un article traitant de la coqueluche, une pub me suggérant de demander à mon médecin si le Chubusil me convenait et, enfin, un espace où je pouvais décrire les symptômes.

J'écrivis « grain de beauté change taille couleur », pour ensuite, après un moment de réflexion, ajouter « brille ». Puis j'appuyai sur la touche ENTRÉE.

Les résultats de la recherche me donnèrent quelque chose comme cent quarante articles, qui portaient des titres tels que « Ai-je le cancer ? », « Oh non ! Le cancer ? » et « OK, j'ai un cancer. Que faire ensuite ? ».

Déterminée, je cliquai sur le lien qui correspondait le mieux à ma demande, puis je me mis à lire l'article. *Il est peut-être normal que les grains de beauté brillent, après tout*, me dis-je. Le premier article ne dit pas un mot à ce sujet, pas davantage que le deuxième. J'en parcourus cinq avant de me rendre compte que ma recherche n'avait donné que des résultats pour les mots « grain de beauté », « change », « taille » et « couleur », à l'exception d'un seul, qui parlait de « peau qui brille de santé » au cours d'un essai de salons de bronzage. Pas un mot sur les grains de beauté brillants.

Vous avez certainement déjà lu des romans dans lesquels le personnage principal se dit : « Je parie que ce n'était pas un fantôme, finalement. J'ai simplement vu un drap. Qui portait des chaînes. Et qui flottait dans le cellier. Et qui a poussé un cri perçant. Non, c'était sûrement mon imagination. » Vous savez comme on déteste toujours les personnages qui pensent ce genre de choses, n'est-ce pas ? On les déteste et on sait qu'on ne serait jamais stupide au point de ne pas reconnaître un fantôme si on en croisait un, surtout quand le titre du roman est *Le Spectre hurlant*, nom d'un chien ! (Pardon pour mon langage.)

C'est à ce moment de l'histoire que je me trouvais.

Le problème, voyez-vous, c'est qu'on ne sait pas qu'on est dans une histoire ! On croit qu'on est une enfant comme les autres et on n'a pas envie de croire au grain de beauté, au fantôme ou à je ne sais quoi quand ça nous arrive.

Je décidai alors que le grain de beauté n'avait pas brillé. J'avais simplement été victime d'un jeu de lumière, d'une hallucination, de poudre aux yeux ou d'un de ces trucs qu'on dit et qui est censé expliquer les choses, alors que ce n'est pas le cas. Quoi qu'il en soit, je cessai à cet instant de croire que le grain de beauté avait brillé. Il le fallait.

Ce qui ne changea pas grand-chose, puisque je croyais toujours que ce truc avait grossi et changé de couleur, et c'était déjà assez effrayant comme ça. Après avoir éteint l'ordinateur, je me glissai sans un bruit dans le couloir, suivie par Porky, qui décrivait des 8 entre mes jambes en ronronnant. Croyant sans doute que j'allais lui donner un petit déjeuner très matinal, il se mit à miauler quand il comprit qu'il n'aurait rien.

L'espace d'un instant, je crus que j'allais être repérée, car maman avait dit quelque chose, dans sa chambre. Alors que j'étais clouée sur place, elle continua de parler : un mot, un silence, un mot, un silence, comme si elle jouait au bingo. Incapable de résister à ma curiosité, je m'approchai à pas de loup de la porte de sa chambre, qui était entrouverte, et glissai l'oreille dans l'entrebâillement.

– Tracteur, dit maman.

Tracteur ? Je jetai un coup d'œil dans la chambre.

– Gorille, poursuivit maman. *Arancia*… Domino… *Emendare*… Vision… Apparemment… Souris…

Allongée sur le dos dans son lit, elle parlait en dormant. En anglais et en italien. Et elle rêvait de la liste la plus bizarre qui soit.

Je restai un moment à l'écouter, imaginant qu'elle allait s'arrêter ou dire quelque chose de cohérent. Même si je ne connais pas beaucoup de mots italiens, j'en savais assez pour deviner qu'un dictionnaire italien-anglais ne m'aurait pas aidée à mieux comprendre ce que j'entendais.

– Lasagnes, dit maman.

– Bonne nuit, dis-je, avant de regagner mon lit.

Le lendemain, je pris rendez-vous chez le dermatologue pour maman. Au téléphone, la secrétaire me répondit que le docteur pouvait la recevoir un mois plus tard. Après une conversation animée, au cours de laquelle je me montrai… disons poliment grossière, elle me trouva un créneau pour la semaine suivante.

Je trouverai un moyen de la faire aller là-bas la semaine prochaine, me dis-je en raccrochant. J'étais ravie. Évidemment, je ne me doutais pas que maman disparaîtrait quatre jours plus tard.

Je vous épargne ces quatre jours, au cours desquels il ne s'est rien passé de particulier. Il y a surtout eu des repas, des nuits de sommeil et des disputes avec maman, comme si elle n'était pas sur le point d'être enlevée, comme si tout n'allait pas bientôt changer. Nous sommes allées faire du shopping, nous avons emballé nos cadeaux de Noël, nous sommes allées à la messe, nous avons installé le sapin en plastique blanc. Si ma vie était un film, vous auriez à présent droit à un montage de scènes sur fond musical, du genre qu'affectionnent les réalisateurs paresseux pour montrer que le temps passe. Il y aurait tout un tas de courtes séquences amusantes nous montrant, maman et moi, en train d'essayer des vêtements et des chapeaux rigolos dans les boutiques,

puis en train de faire du lait de poule, mais le couvercle du mixeur saute et son contenu nous éclabousse, ainsi que les murs. On éclate de rire.

Ensuite, on passe directement à nos chants de Noël, que nous interprétons devant une maison, mais… oups, ces gens sont des Juifs qui ne fêtent pas Noël !

Pendant que défilent ces moments, on entend quelque chose comme *Jingle Bell Rock*, sorte de version moderne de *Vive le vent*. Et d'un coup, on se retrouve quatre jours plus tard. C'était la veille de Noël, pour tout dire, mais je n'ai pas envie de m'attarder là-dessus. Cette histoire n'est pas un conte de Noël, mais de Smekday.

Il faisait nuit quand c'est arrivé. J'étais couchée mais je ne dormais pas. Allongée dans mon lit, j'écoutais le bruit des voitures et des gens qui parlaient trop fort dans la rue. Et je pensais, aussi. Je pensais sans doute à ce que j'allais recevoir le lendemain matin pour Noël, je l'avoue. Difficile de faire autrement. Même si maman *essayait* d'être discrète dans le salon, j'imagine, il était évident qu'elle était encore debout, occupée à remplir ma grosse chaussette de friandises, de CD et d'autres choses, ou peut-être à emballer un cadeau. Le silence revint au bout d'un moment, puis je m'assoupis, me semble-t-il. Je ne dormais pas depuis longtemps quand je fus réveillée en sursaut par un grand bruit, *scruuuup !* au-dessus de ma tête. Ça venait du toit. Pendant une seconde, je me suis demandé si c'était le Père Noël. (C'est bon, j'assume...)

Il faut dire que j'étais complètement dans l'ambiance « veille de Noël ». Je me précipitai en trébuchant à la fenêtre, pour voir ce qui s'était passé. C'est alors que j'eus mon premier aperçu des « autres ». Je découvris un énorme tuyau en accordéon, un peu comme celui de l'aspirateur, qui se balançait entre le toit et la nuit noire. Levant les yeux pour comprendre à quoi il était accroché, je ne vis qu'une immense masse noire, haut dans le ciel. Dans son sillage, toutes les alarmes de voiture du quartier hurlaient, et tous les chiens aboyaient.

– *Cannoli !* cria maman dans le salon. Écouteurs !

Je courus dans le couloir, jusqu'à la porte du salon.

– Fouet électrique !

Maman s'était endormie, mais vraiment endormie d'un coup, car elle avait encore le bras plongé jusqu'au coude dans ma chaussette, qu'elle devait être en train de remplir. Assise par terre, elle était calée contre le futon, entourée de bonbons et de rubans frisottés.

– Échiquier !

Elle continuait à réciter sa liste de mots, au détail près que maintenant elle criait, le visage écarlate et les yeux violemment fermés.

– *Granata !*

Le cœur battant, je m'approchai d'elle et considérai son grain de beauté avec la plus grande attention. Il clignotait, aucun doute là-dessus, alternativement violet, rouge, vert, violet, rouge… et ainsi de suite.

– Quelque peu !

– Maman… ?

– Cookies ! me répondit-elle.

– Maman ! Réveille-toi, maman !

– *Annunciare !*

Je lui secouai le bras, celui qui n'était pas fourré dans ma chaussette, mais elle n'ouvrit pas les yeux.

– Maman !

– Maman ! cria maman, simple coïncidence, à mon avis.

Je ne me souviens pas vraiment des autres mots qu'elle cria, mais il faut dire que j'étais loin de me douter qu'on me demanderait un jour d'en dresser la liste par écrit. Il y avait probablement des noms, des verbes et des choses. Elle cita également le nom d'un président, mais je ne me rappelle plus lequel, ainsi que la marque de shampooing qu'elle appréciait. En tout cas, je me souviens de son dernier mot :

– Zèbre !

Puis ce fut terminé. Plus aucun mot ne sortit de sa bouche. Elle resta tranquillement assise une minute, les yeux toujours fermés. Je la secouai de nouveau.

– Maman… maman…

Elle se leva, si vivement qu'elle m'entraîna avec elle dans son mouvement. À présent violet, son grain de beauté ne clignotait plus. Il brillait fixement, c'est tout. Je crois que je détesterai le violet jusqu'à la fin de ma vie.

Alors que je l'avais lâchée, maman traversa la cuisine, jusqu'à la porte du fond. Au moment où je me disais qu'elle allait la percuter, elle s'arrêta, ôta calmement la chaîne de sécurité et tourna le verrou, puis elle s'engagea dans l'escalier de secours. Je la suivis, regrettant de ne pas avoir enfilé des chaussures, car il faisait sacrément froid dehors.

– Où… Où allons-nous ? lui demandai-je, descendant les marches derrière elle.

Une fois dans la rue, je gardai un œil sur le trottoir et marchai prudemment entre des éclats de verre et des détritus. Maman ne me répondit pas, mais son grain de beauté me lança un regard méchant et violet.

Je ne sais plus à quel moment j'ai remarqué le bourdonnement. Je l'entendais sans doute depuis un certain temps, peut-être même alors que je dormais encore, mais c'était un de ces sons qui sont facilement couverts par autre chose, comme le bruit des cigales en été. Il se fit toutefois de plus en plus sonore, à mesure que nous avancions ; nous nous dirigions de toute évidence vers sa source.

– Allez, maman, rentrons à la maison ! C'est la n… nuit de Noël ! dis-je en serrant les dents, pour les empêcher de claquer. Si tu rentres avec moi, je te prépare un lait de poule spécial ! Avec du rhum. Ou… ou de la vodka. Ou avec ce qu'il y a dans la bouteille avec le pirate.

Nous progressions vers le cimetière de Oak Hill. C'était un bel endroit, cerné de hauts murs de pierre et pourvu de gros mausolées, d'obélisques et de statues d'anges tristes. En temps normal, jamais maman n'aurait mis les pieds en ce lieu.

Enfin, j'aperçus la chose. Elle était énorme, pour commencer, beaucoup plus grosse que vous ne pouvez l'imaginer, et même plus encore. Elle descendait très lentement dans les airs, comme une bulle de savon, une bulle avec des tentacules. On aurait dit une boule de neige de la taille d'un demi-terrain de football, et de laquelle pendaient des tuyaux. Soudain, elle s'illumina, mais pas comme un avion, avec des lumières clignotantes ; elle donna plutôt l'impression d'être remplie d'un gaz coloré de diverses nuances de jaune et de vert. Et de violet. L'intérieur de cette énorme boule était rempli de petites sphères et de plates-formes disposées sur de multiples niveaux. Et sur celles-ci… il y avait comme… de minuscules silhouettes, qui s'agitaient.

Non, ça ne va pas. Ma description ne rend pas compte du point auquel le vaisseau était effrayant, et ce n'est pas bien.

En vérité, il était terrifiant. Il incarnait le mal ! Le simple fait de le regarder m'emplit d'un sentiment de deuil. Cet immense monstre volant et bourdonnant annonçait la fin du monde.

Rien ne se passa comme prévu les jours suivants. Pas une fois je ne me coiffai, ni ne me brossai les dents. Je n'ouvris même pas mes cadeaux de Noël. À quoi bon ? Les extraterrestres étaient parmi nous. Je n'écoutais même plus de musique, car ça me faisait pleurer, tant tout me paraissait trop beau. Je ne parle pas seulement de Beethoven ou de ce genre de choses ; même mes albums de NSYNC me faisaient pleurer, tout comme le bruit de la camionnette du vendeur de glaces. J'étais incapable de rire, et entendre d'autres personnes rire me mettait en colère. J'étais devenue égoïste et folle, jusqu'à brûler des billets. Mais je vais trop vite.

Revenons au vaisseau, qui finit par se poser malgré son absence de train d'atterrissage. En fait, ses six tuyaux se déployèrent comme des jambes afin de soutenir son poids. Puis il se mit à… *marcher*. Je ne vois pas comment mieux le décrire. Cette énorme chose se mit à marcher sur ses pattes-tuyaux vers nous, comme un scarabée, se frayant un chemin parmi les monuments aux morts et les pierres tombales.

Je regardai autour de moi, à la recherche d'aide, malheureusement il n'y avait personne d'autre que nous dans le cimetière.

– Réveille-toi, maman ! hurlai-je. Réveille-toi, réveille-toi ! (Elle ne bougeait plus du tout. Je lui agrippai la jambe.) Maman ! Je t'aime ! Je suis désolée ! Rentrons à la maison !

Le vaisseau leva une patte et la tendit vers nous, comme un ver de terre. Et quand elle se rapprocha… je lâchai ma maman. Je la lâchai et courus me cacher derrière un mausolée. Car j'étais terrifiée. Je sais que je mérite ce à quoi vous pensez, pour avoir fait ça.

Le tuyau se plaça au-dessus de la tête de maman et l'avala à moitié, jusqu'à hauteur de hanches. Elle ne fit pas un geste, ne poussa pas un cri. Elle avait toujours ma chaussette de Noël enfilée sur un bras. Puis il y eut un drôle de bruit, une sorte de « foomp », et maman fut emportée dans les airs, aspirée comme du soda dans une paille par cette grosse tête bourdonnante.

Je ne sais pas si je peux décrire tout ce qui s'est passé ensuite. J'ai peur que ça laisse à penser que j'essaie de faire dans le sensationnel, alors que ce n'est pas du tout le cas. Sur le moment, je ne pensais à personne. Dans ce genre de situation, vous vous effondrez uniquement parce que vos jambes ne vous portent plus. Et vous ne tombez pas à genoux mais sur le cul, sur un carré d'herbe, comme l'Idiot de l'année. Vous appelez votre maman en criant, persuadé que ça va la faire revenir, et quand vous constatez qu'il n'en est rien, vous avez l'impression d'étouffer dans votre peau, d'avoir les poumons remplis de coton, si bien que vous seriez incapable de l'appeler une nouvelle fois si vous le vouliez. Vous ne vous levez même pas, vous êtes incapable d'imaginer une réaction intelligente, vous attendez simplement d'exploser comme un pétard et de mourir. Il n'y a rien d'autre à faire.

Et ce sera tout. Il s'est passé d'autres choses, mais je n'écrirai rien de plus. Vous m'avez demandé de décrire les jours précédant l'invasion, voici donc ma réponse, même si c'était une question un peu personnelle, que vous n'auriez peut-être pas dû me poser. Ce sera tout, donc.

Enfin, bref.

J'ai écrit « cul » un peu plus haut. Pardon pour mon langage.

Je suis restée un moment assise dans le cimetière. Je ne me rappelle pas m'être relevée ni être rentrée chez moi, pourtant j'ai bien dû le faire. Une fois de retour à la maison, je me préparai un sandwich, puis je m'assis sur une chaise. J'avais oublié comment respirer. Je ne savais pas que c'était possible. De temps à autre, je me rendais compte que mes poumons étaient vides et que j'avais la tête qui tournait ; je prenais alors une longue inspiration, comme un poisson en train de mourir, jusqu'à être de nouveau pleine d'air. Puis je retombais dans l'immobilité, le regard dans le vague, sans penser à rien. À rien du tout. Je finis par m'ennuyer, d'autant que mon estomac commençait à gargouiller. Au fait, n'y avait-il pas un sandwich qui m'attendait ? Je retournai dans la cuisine, où je le retrouvai sur la paillasse, avec un cafard juché dessus, en plein milieu, comme un joueur de base-ball sur sa base.

C'est alors que je me mis enfin à élaborer des plans, hélas tous stupides. Je crois qu'il y a une partie du cerveau, sans doute quelque part dans le fond, qui ne cessera jamais de croire à la magie. C'est ce qui faisait croire aux hommes préhistoriques que le seul fait de dessiner un élan sur une paroi rocheuse leur assurerait une bonne chasse le lendemain. Ce morceau de cerveau continue de souffler des bêtises, de vous faire penser que certaines paires de chaussettes portent bonheur ou que les dates d'anniversaire de vos enfants vous feront gagner au Loto. Quant à moi, il me laissa imaginer que je pourrais interrompre le cours du temps dans ce cimetière d'un simple geste de la main, ou faire apparaître maman à mon côté en l'appelant. En fait, il était très occupé à réfléchir au moyen de remonter dans le passé et à la réaction qu'il me faudrait adopter quand ce serait chose faite.

Les vaisseaux extraterrestres, à propos, n'étaient pas restés discrets bien longtemps. On les voyait à présent sur toutes les chaînes de télévision, sauf la 56, qui enchaînait les rediffusions d'épisodes de la série *The Jeffersons*.

On parlait beaucoup des vaisseaux dans les journaux, ainsi que des réactions des gens. Certains étaient ravis, ce qui me donnait envie de vomir. Il y en avait même un peu partout qui tiraient des coups de feu en l'air pour fêter l'événement. Cela dit, la plupart paniquaient. Certains pillaient des magasins, sans doute parce qu'ils imaginaient qu'avec l'arrivée d'extraterrestres ils allaient avoir un besoin urgent de nouveaux lecteurs de DVD. Je suppose que les gens n'avaient pas encore compris que l'arrivée des Boovs était une mauvaise nouvelle, car ils n'avaient pas vu leur mère aspirée par un tuyau. J'aurais pu sortir dans la rue et les prévenir, mais j'étais malade. Apparemment, il n'est pas possible de marcher pieds nus et sans manteau jusqu'au cimetière par une nuit de décembre sans passer les jours suivants à transpirer, frissonner et s'agenouiller devant la cuvette des toilettes. Je tentai bien d'appeler les urgences, le FBI, la Maison-Blanche, toute personne à qui je pourrais dire que maman avait été enlevée, mais les lignes téléphoniques ne fonctionnaient quasiment plus. À mon avis, beaucoup de gens appelaient leurs amis et leur famille :

– Tu as écouté les informations ? À propos des extraterrestres ?

– Quels extraterrestres ? leur répondait-on.

– Allume ta télévision !

– Quelle chaîne ?

– N'importe laquelle, sauf la 56.

Je ne pouvais donc prévenir personne. Mais bon, ils s'en rendraient compte assez vite.

En fait, le vaisseau qui avait aspiré maman était un petit modèle. Il y en avait d'autres de la taille de l'État de Rhode Island au-dessus de ma ville, ainsi que de New York, Los Angeles, Chicago, Dallas, sans parler de Londres, Tel-Aviv, Moscou et environ une centaine d'autres endroits. Ils restèrent dans un premier temps dans les airs, flottant comme des méduses, puis ils se mirent à aspirer des morceaux de toutes sortes de choses.

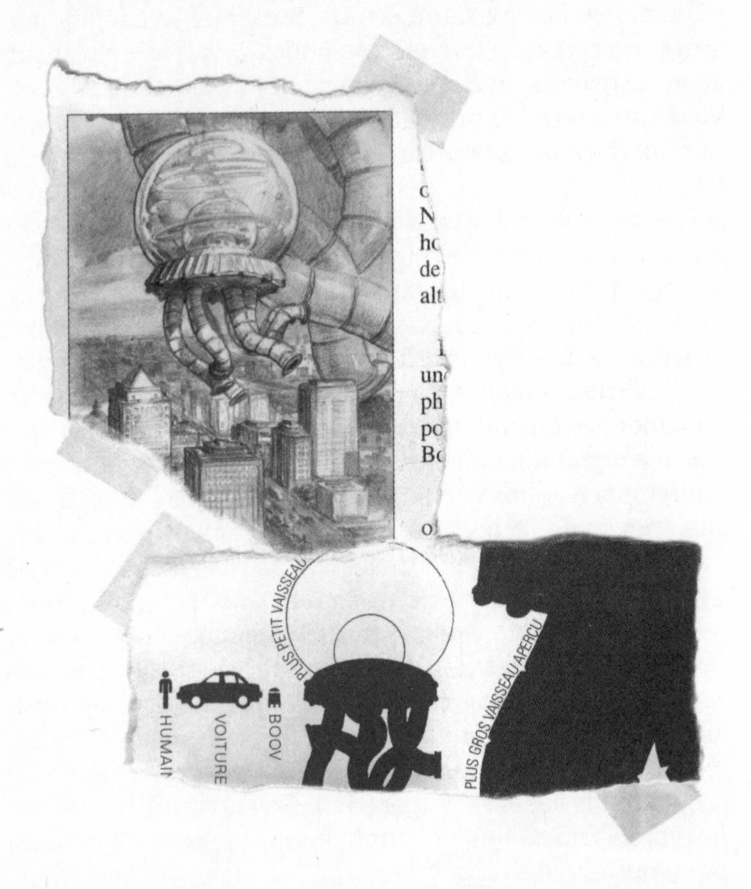

Personne n'y a rien compris, au début. Pas moi, en tout cas. À ce moment, nous n'avions pas encore vu leurs pistolets, ces armes complètement dingues qui n'émettent ni lumière ni bruit. On avait seulement remarqué que la statue de la Liberté n'avait plus de tête et que le dôme du Capitole avait disparu, ainsi que le sommet de Big Ben. Et regardez, la tour penchée de Pise est maintenant le Moignon on ne peut plus banal de Pise. Et la Grande Muraille de Chine est devenue le Grand Ralentisseur. Les vaisseaux étaient équipés de gros canons, et les Boovs avaient le chic pour bien choisir leurs cibles. Ils nous provoquaient.

***

Il faut que je vous parle de quelque chose que je n'arrive pas à me sortir de la tête. Vous autres, lecteurs du futur, vous ne vous souvenez probablement pas de l'invasion. Vous n'étiez même pas nés. Il est vrai qu'il s'est peut-être produit quelque chose de très grave depuis. Cent ans, c'est long, tout de même.

Et quand c'est arrivé, je suis sûre que vous vous êtes sentis très mal. Vous avez dû être apeurés, tristes, et vous vouliez que ça s'arrête. C'est exactement ce que j'ai éprouvé pendant l'invasion, comme tout le monde, j'imagine. Mais n'avez-vous pas également été un peu excités ? Juste un peu ? N'étiez-vous pas sur le bord de votre fauteuil à vous demander ce qui allait se passer ensuite ?

Je me demande même si vous n'avez pas éprouvé un peu de fierté à vivre un événement important, que vous pourriez plus tard raconter à vos petits-enfants. Vous êtes-vous regardé planté devant la télévision, prenant soin d'avoir l'air courageux, stoïque et juste assez triste ?

Il me semble que d'autres personnes se sont comportées de cette façon. Pendant longtemps après cette nuit, à la radio, à la télévision et dans la rue, on ne cessait de dire : « Tout a changé, le monde ne sera plus jamais le même, les extraterrestres ont tout changé. »

Et c'était le cas, évidemment. Cela aurait dû être une évidence. Pourtant, nous continuions à le dire, si bien qu'au bout d'un moment ces mots firent l'effet d'une petite tape dans le dos. Tout avait changé, mais nous avions survécu ; il fallait être fort. À chaque nouvelle catastrophique, à chaque édition spéciale des journaux, nous nous disions que nous avions désormais quelque chose à raconter.

Désolée, oubliez tout ça. J'ignore complètement ce que pensaient les autres. Ce n'était que moi. Je suis vraiment affreuse.

***

Quand il n'y avait aucune nouvelle à annoncer, les chaînes d'information passaient les mêmes images en boucle. Les statues décapitées, les bâtiments disparus. Ces absences étaient très étranges ; on les sentait encore, comme des membres amputés. Je dois rappeler que des gens s'étaient également volatilisés aussi proprement que les visages sculptés dans la roche du mont Rushmore. Des touristes visitaient la statue de la Liberté lorsqu'elle avait perdu sa tête. Même chose sur la Grande Muraille de Chine. Ces gens avaient été effacés ! C'est grâce à eux que je crois au paradis. J'ai envie de les imaginer se matérialisant aux portes du ciel, clignant des yeux et l'esprit embrouillé, comme des voyageurs s'éveillant après une longue sieste dans le train. Je veux qu'il existe un endroit où un inconnu plein de bonté leur a expliqué ce qui s'était passé.

Cela étant, je mentirais si je prétendais que je pensais à eux à ce moment. J'étais incapable de me concentrer sur toutes ces disparitions, pas même sur celle de maman. J'avais la tête engourdie par les nombreuses images, le cerveau surchargé de photos, qu'il classait dans un coin pour les ressortir plus tard. J'étais impatiente qu'il se passe quelque chose, j'imagine.

Ce vandalisme intergalactique finit par mobiliser les armées du monde entier, qui contre-attaquèrent. Je n'ai pas grand-chose à dire à ce propos. Personne ne m'a donné un pistolet en m'ordonnant d'aller combattre. J'étais de toute façon occupée à ne pas trop me déshydrater, tant j'étais malade. Je suivis tout de même tous les événements à la télévision, comme un film. Avec de bons effets spéciaux, ça aurait presque pu passer pour une comédie.

Voici ce qui s'est passé : nous avons sorti nos chars, nos avions de chasse, nos soldats armés, et même les véhicules de combat Bradley. Je ne sais pas ce que sont ces trucs mais il y en avait énormément. Il y avait également des hélicoptères, des avions de transport de troupes, ainsi qu'un millier de missiles mortels, prêts à surgir de leur terrier, guettant leurs proies tels des yeux monstrueux. Ce dispositif aurait pu être impressionnant si les vaisseaux booviens qui flottaient au-dessus des nuages, comme de nouvelles lunes, n'avaient pas été si imposants. Au bout du compte, la taille des armes ne fut pas le facteur déterminant. Les Boovs nous réservaient une surprise, à laquelle on donna assez vite le nom d'« abeilles ». Ces choses volantes, pour la plupart de la taille d'un bourdon, faisaient comme un bruit d'insectes quand elles nous frôlaient. Couvertes de fils très fins qui ressemblaient à des antennes ou à des pattes, elles étaient argentées et dépourvues d'ailes, tandis que leurs grosses têtes étaient constellées d'yeux placés un peu n'importe comment. S'il n'y en avait eu qu'une seule, elle aurait été parfaite sur un porte-clés.

fig. 3a : Abeilles

Elles s'élancèrent depuis les vaisseaux, formant des nuages très denses, puis elles se dispersèrent par groupes, suivant un plan secret. Certaines étaient aussi grosses que des cornichons, mais d'autres, à en croire les journaux télévisés, étaient trop minuscules pour être visibles à l'œil nu.

Nos soldats leur tirèrent bêtement dessus. Ils auraient aussi bien pu chasser des colibris. Ils tentèrent également de les disperser en les bombardant de grenades. Enfin, je *crois* qu'ils ont fait tout ça. Excusez-moi, j'essaie de vous raconter le plus fidèlement possible ce qui s'est passé, mais ce n'est pas vraiment mon domaine. Mais que voulez-vous, mes professeurs ne me demandent jamais de rédaction sur le jazz ou sur ma collection de chaussures…

Mais bon, passons.

Le point important est que les abeilles ne s'en prirent pas aux humains mais à nos objets. Elles se précipitèrent dans les canons des chars et des pistolets, se glissèrent dans les moteurs et se faufilèrent dans des fissures pour atteindre nos ordinateurs. Les paraboles en étaient toutes recouvertes, comme de vraies abeilles sur un tournesol, et j'imagine qu'elles s'en prirent également aux fameux véhicules de combat Bradley.

Puis, faisant appel à toute leur énergie, elles firent toutes en même temps sauter leur carapace ; on aurait dit du popcorn. Incandescentes au moment de cette explosion collective, elles se muèrent en refroidissant en de petits noyaux de métal fondu. Chaque arme, chaque ordinateur, chaque appareil de communication dont nous avions besoin pour combattre les extraterrestres fut soudain englué dans de gros morceaux de métal informe qui ressemblaient à des crottes brillantes. (Pardon pour mon langage.)

J'aime me dire que nous aurions alors pu ramasser des pierres ou des bâtons et faire autre chose, mais c'est à ce moment que les Boovs se décidèrent enfin à parler. Ils envoyèrent un message à toutes les chaînes de télévision et de radio qui fonctionnaient encore. Ce fut une longue communication, dans un anglais assez correct, avec évidemment le même ton plaintif que Oh.

Je vous en épargne les détails, mais en voici les points essentiels :

A. Les Boovs ayant découvert cette planète, elle leur appartenait évidemment de façon légitime.

B. Coloniser de nouveaux mondes étant leur Grand Destin, ils n'avaient d'autre choix que d'envahir des planètes. Ils étaient eux-mêmes incapables de s'en empêcher.

C. Navrés pour les désagréments, ils étaient cependant certains que les humains s'intégreraient pacifiquement dans la société boovienne.

D. Ceux à qui cela posait un problème devaient savoir

qu'il y avait à présent une abeille au fond des narines de tous les présidents, Premiers ministres, rois et reines de la planète.

Tout était donc terminé. La race humaine fut conquise avant même l'heure du déjeuner. Partout, des gens tiraient des coups de feu en l'air, par tristesse.

Voilà qui nous conduit presque au début de mon récit. Peu après nous avoir vaincus, les Boovs descendirent de leurs vaisseaux et s'installèrent dans nos villes. La plupart des humains ayant pris la fuite, ils n'eurent qu'à s'emparer de villes fantômes modernes, tout en louant leur glorieux capitaine Smek, qui leur fournissait tant de belles maisons vides pour s'établir. Certains humains résistèrent avec les moyens du bord, hélas ils furent rapidement maîtrisés. Peut-être avez-vous vu le célèbre reportage télévisé montrant une mère de famille et ses trois enfants défendant sa maison armée d'une batte de base-ball, qu'elle agitait furieusement devant son perron, tandis que les silhouettes uniformes de l'équipe de la planète Boov pénétraient lentement sur le terrain.

Les choses se terminèrent presque toujours mal pour ceux qui ne quittèrent pas leur ville à l'arrivée des Boovs. Comme pour ma voisine du dessus, par exemple.

Je l'aperçus un après-midi à l'entrée de l'immeuble, les bras chargés d'un coffret à bijoux, d'une pile d'albums photo et de Billy Dee Williams, son chihuahua miniature.

– Madame Wiley ! la hélai-je depuis la fenêtre de ma chambre. (Elle s'immobilisa et leva les yeux vers moi.) Vous avez besoin d'aide pour porter tout ça ? Où allez-vous ?

Mme Wiley posa ses affaires par terre, sous ma fenêtre. Billy Dee se précipita dans l'herbe déjà haute, où il dévora un insecte.

– Bonjour, Gratuity. Eh bien je m'en vais, on dirait.

– Mais où ?

– J'ai vécu ici vingt-cinq ans, soupira-t-elle. Tu le savais ?

– Oui. Pourquoi partez-vous ?

– Cet appartement n'est plus à moi. Il leur appartient, maintenant, j'imagine. L'un d'eux me l'a réclamé. Il s'est présenté à ma porte et m'a demandé de le libérer car il en prenait possession, au nom du capitaine Je-ne-sais-pas-quoi.

J'essayai d'intégrer ce qu'elle me disait. Il y avait un extra-terrestre dans notre immeuble ? En ce moment, à l'étage du dessus ?

– Je croyais qu'ils ne s'installaient que dans les villes de bord de mer, dis-je. C'est ce qu'ont dit les journaux télévisés.

Mme Wiley haussa les épaules, visiblement au bord des larmes.

– Ta maman est là ?

– Non, elle est… non.

– Dis-lui que je suis désolée. J'ai toujours sa grosse cocotte. Je ne pense pas qu'elle va pouvoir la récupérer.

Je lui répondis que ce n'était pas grave, puis je lui demandai si elle avait un endroit où aller. Elle me dit qu'elle comptait se réfugier chez ses sœurs.

De telles scènes – un Boov se présentant chez quelqu'un et le chassant sans préavis – ont dû se produire un peu partout. Peut-être certains humains en ont-ils trouvé un déjà installé dans leur garage, en train de dévorer ceci ou cela, pour ensuite s'attaquer à la cuisine ou aux chambres. Comme un chat errant, il n'allait plus repartir.

À propos de chat, c'est à peu près à ce moment que se produisit la Grande Trahison des chats domestiques. C'est ainsi que j'ai nommé ce phénomène, vous pouvez employer vous aussi cette expression, si vous voulez.

On n'en fit pas vraiment état dans les émissions télévisées humaines, ou du moins ce qu'il en restait, mais la rumeur se propagea rapidement. Les chats *adoraient* les Boovs. Ils quittaient leurs maîtres humains par grappes entières, sortant par les fenêtres et les chatières comme des élèves fuyant le collège à la fin du dernier jour d'école, pour aller se frotter contre les jambes des envahisseurs.

Porky n'était pas un chat d'extérieur, pourtant il tentait tout pour sortir. Chaque fois que je quittais l'appartement, il s'élançait vers la porte. Malheureusement pour lui, il en restait deux autres à franchir avant de sortir de l'immeuble. Il n'alla jamais plus loin que la cage d'escalier. Quand un Boov passait dans la rue, il le regardait en prenant un air triste, les pattes sur les carreaux. On aurait dit une héroïne tragique.

Je fus une ou deux fois tout près de le laisser s'en aller, mais bon, c'était surtout le chat de maman.

Enfin, peu importe.

Au bout d'un temps si bref que c'en était ridicule, les Boovs décrétèrent que les humains ne voulaient pas s'intégrer pacifiquement à leur culture, citant en exemple ceux qui s'étaient enfuis au lieu d'accueillir leurs nouveaux voisins, y compris ceux dont le logement avait été purement et simplement réquisitionné.

Le capitaine Smek en personne fit une apparition à la télévision, le temps de prononcer un discours officiel adressé à la race humaine. (Il ne nous appelait pas « la race humaine », bien sûr, mais « les Nobles Sauvages de la Terre ». Apparemment, nous habitions alors tous encore sur la Terre.)

– Nobles Sauvages de la Terre, depuis maintenant longtemps nous essayons de vivre ensemble dans la paix. (Cela faisait cinq mois.) Longtemps, les Boovs ont souffert de l'hostilitude et de l'intolérabilité de votre peuple. Le cœur triste, je reconnais aujourd'hui que Boovs et humains ne peuvent cohabiter.

Je me souviens très bien de ce moment. J'étais surexcitée ; avais-je bien compris ? Les Boovs allaient-ils repartir ? Que j'étais bête…

– Je vous accorde donc généreusement des Préservations humaines, des terres offertes pour toujours aux humains et qui ne seront jamais envahies.

Je restai quelques secondes bouche bée devant la télévision.

– On était là les premiers ! finis-je par lâcher pathétiquement.

Pendant ce temps, Porky ronronnait.

La cérémonie s'éternisa un peu. Les Boovs signèrent un traité avec les différents pays du monde. Ce fut assez bizarre, et pour d'autres raisons que celles qui paraissent évidentes. En général, dans les grands événements politiques, on voit plein de messieurs en costume. Mais là, il n'y avait aux côtés des Boovs que des gens à l'apparence totalement banale. La femme qui signa au nom de la République tchèque avait un bébé dans les bras, tandis que le Marocain portait un tee-shirt Pepsi. Quand vint le tour des États-Unis, notre pays fut représenté par un type que je n'avais jamais vu, pas plus à la télévision qu'ailleurs. Ce n'était pas le Président, en tout cas. Ni le vice-Président. Pas même le président de la Chambre des représentants. C'était un monsieur à l'air triste qui semblait nerveux, vêtu d'un pantalon et d'une chemise en jean. Quand il se pencha pour signer, je vis qu'il portait une épaisse moustache et des lunettes. Mais aussi une ceinture à outils, nom d'un chien ! (Pardon pour mon langage.)

On apprit plus tard que ce n'était qu'un plombier pris au hasard – un certain Jeff, me semble-t-il – mais les Boovs s'en fichaient.

C'est ce jour-là que la Floride nous fut concédée, à nous autres Américains. Un État pour trois cents millions de personnes. On pouvait d'ores et déjà prévoir de sacrées files d'attente devant les toilettes.

Après cette annonce, le jour du Déménagement fut programmé, et les fusées envoyées sur la Terre. J'ai décidé de me rendre en Floride en voiture, on m'a tiré dessus et je suis passée par-dessus un talus à cause de la chaussée détruite. Porky et moi nous sommes réfugiés dans une supérette, où je me suis cachée quand un Boov nommé Oh m'a suivie, puis je l'ai piégé, avant de le laisser sortir en échange de sa promesse de réparer ma voiture. Qui à présent flotte au lieu de rouler. Et qui a des gros tuyaux et des ailerons.

Tout le monde a suivi ? Parfait.

Une fois toutes les affaires rangées dans la voiture, que je surnommais maintenant « Fraîchissime », nous nous installâmes sur les sièges. Oh avait en effet réussi à me convaincre de le conduire en Floride. Sa mobylette n'était apparemment pas faite pour les longs trajets, sans compter qu'il l'avait bien dépouillée pour réparer la voiture. Il m'avait également fait remarquer, argument persuasif, qu'il y avait nettement moins de risques qu'un Boov me tire dessus s'il m'accompagnait.

Je faillis m'enfuir lorsque Oh s'installa à l'avant, à côté de moi. Il prenait un peu trop ses aises. Cela dit, en s'asseyant à l'arrière, il m'aurait donné l'impression d'être son chauffeur. De toute façon, il m'était ainsi plus facile de garder un œil sur lui. Porky se jucha sur l'appuie-tête du Boov. Il aurait préféré se pelotonner sur ses genoux, je parie, mais Oh n'en avait pas.

– Alors, comment je t'appelle ? me demanda le Boov, en agitant les jambes.

Je pris un moment pour réfléchir. Je n'allais certainement pas le laisser m'appeler Tif. Seuls mes amis m'appellent Tif.

– Gratuity, lui répondis-je.

Oh me regarda très – trop – longtemps avec de grands yeux, puis il dit :

– Joli nom.

Et il détourna le regard.

Peu importe, me dis-je en actionnant la clé de contact. La voiture s'éveilla à la vie en grognant comme un ours polaire mal réveillé. Les nouveaux tuyaux et tous les autres trucs se mirent à trembler et à bouger dans tous les sens. J'apprendrais bientôt que, après les modifications apportées par Oh, le contact était la seule commande à encore faire ce qu'elle était censée faire.

L'accélérateur était devenu le frein, l'ancien frein servait désormais à ouvrir le coffre et le volant permettait de gagner ou de perdre de l'altitude. Pour virer à gauche ou à droite, il fallait tourner le bouton de la radio, ce qui n'était pas bien grave, puisque nous n'aurions de toute façon capté aucune émission musicale. Je fis tout de même l'erreur de vouloir insérer une cassette, ce qui rabattit nos dossiers en arrière.

Nous restâmes quelques secondes allongés, à regarder le toit.

– Je peux fredonner, si tu veux, proposa Oh.

– La ferme, lui suggérai-je.

Le frein à main fit gicler du liquide lave-glace, la manette des essuie-glaces ouvrit la boîte à gants, allumer la clim déclencha le Klaxon et appuyer sur le Klaxon mit le feu au capot.

– Attends ! s'écria Oh, qui se précipita dehors.

Le capot s'ouvrit et vomit une boule de feu qui s'éleva dans le ciel. Oh plongea la tête dans sa boîte à outils, puis jeta ce qui ressemblait à un comprimé d'aspirine dans les flammes. La voiture fut en une seconde noyée sous cinquante centimètres de mousse.

Il nous fallut près d'une demi-heure pour retirer cette mousse froide qui dégageait une odeur de nappage pour dessert.

– De toute façon, je ne suis pas sûr qu'on aille très loin, tu sais, dis-je, alors que nous préparions de nouveau notre départ. Il n'y a plus beaucoup d'essence dans le réservoir et je ne vois pas où on pourrait encore en acheter. En y réfléchissant, je ne sais même pas si mon argent vaut encore quelque chose.

– Ah ! dit Oh, avec un grand sourire. Je vais te faire observer quelque chose.

Il se baissa à hauteur du réservoir d'essence et y glissa un tuyau. Puis il aspira à l'autre bout, qui était dégoûtant. Très vite, un filet d'essence jaillit. Il en récupéra quelques gouttes, qu'il disposa sur une machine bizarre. On aurait dit une sorte de balance, avec de petites fioles de verre de chaque côté et, au milieu, des boutons ou quelque chose comme ça. L'essence se répandit sur la chaussée morcelée quand Oh lâcha le tuyau.

– Hé ! Tu gaspilles notre essence !

– Pas grave. Regarde.

Il tapota sur les boutons et l'appareil se mit à bourdonner. C'est alors que, comme si on l'avait débouchée, la petite fiole se vida de son essence, sans que je sois capable de dire où celle-ci avait disparu.

– Joli tour, raillai-je. On n'en a plus du tout, maintenant.

Oh ne m'écoutait même pas. Une seconde plus tard, le fond de l'autre fiole se remplit d'essence, venue de je ne sais où.

– Attends, mais que se passe-t-il ?

Le Boov m'offrit un large sourire.

– J'ai téléporté l'essence d'un endroit à un autre.

– Téléporter ? Téléporter ?! C'est incroyable ! Vous maîtrisez la téléportation ?

Le sourire de Oh s'assombrit quelque peu.

– Pas pour tout, avoua-t-il.

– Mais… en quoi ça va nous aider ? lui demandai-je, n'ayant pas compris où il voulait en venir. Il nous faut toujours de l'essence.

Le sourire de Oh se fit radieux.

– Rétroaction en boucle, dit-il.

– Rétroaction en boucle ?

– Rétroaction en boucle.

Nous restâmes un moment plantés là, à nous dévisager. Dans le lointain, un corbeau croassa.

– Tu attends que je pose la question ou… ?

– L'ordinateur change l'essence en données informatiques. Beaucoup de chiffres. Ensuite, nous expédions les données, l'essence, mais seulement un peu. Pas tout.

– Pas tout…

– Mais… il y a une astuce. Nous rusons l'ordinateur en lui faisant croire que nous avons tout téléporté.

– Moui…

– Alors qu'en fait, non.

– Et dooonc…

– Et donc nous gardons presque toute l'essence d'un côté en faisant croire qu'elle est toute passée de l'autre côté. Alors le stupide ordinateur duplique l'essence pour remplir le récipient. Comme pour copier un dossier. Après, nous la renvoyons de l'autre côté, puis nous recommençons, et encore, et encore. Voilà.

Oh trifouilla de nouveau son appareil, ce qui déclencha de nouveau le bourdonnement. Ce qui se produisit alors me fit penser à un de ces documentaires qui montrent une fleur qui pousse en accéléré. Les deux fioles se mirent à bourdonner et se remplirent très rapidement d'essence. Il y en avait maintenant cent fois plus qu'au début de la manipulation.

Il fallut un certain temps à mon cerveau pour m'autoriser à croire ce que je venais de voir. Habituée à ce point de mon histoire à être témoin d'événements stupéfiants, je finis par sortir de ma torpeur :

– Tu as fait apparaître de l'essence.

– Oui.

– Tu as… comment dire… *cloné* de l'essence !

– Oui, c'est ça.

– C'est incroyable ! m'écriai-je. Vous maîtrisez la téléportation et le clonage ! Tu pourrais, mettons, te téléporter en France et laisser chez toi un clone qui ferait tes devoirs pendant ce temps !

Le Boov fronça les sourcils.

– Tout le monde veut construire un clone pour qu'il fasse son travail à sa place. Si tu ne veux pas faire ton travail, pourquoi un clone de toi voudrait le faire ?

– Bon, d'accord. Mais si tu sais téléporter les choses, tu peux aller n'importe où ! Pourquoi prenons-nous la voiture ?

Oh prit un air très renfrogné ; le sujet était manifestement délicat à ses yeux.

– Les Boovs ne peuvent pas se téléporter. Humains et Boovs ne peuvent pas être téléportés, ni clonés.

– Mais tu viens à l'instant de…

– Impossible. L'essence peut être téléportée et clonée parce qu'elle est toute pareille, toute mélangée. Les créatures complexes comme les Boovs ne sont pas toutes pareilles dans le corps. Même les créatures simples comme les humains ne sont pas toutes pareilles dans le corps.

– Hé !

– L'ordinateur de téléportation n'est pas obligé de savoir dans quel ordre faire la nouvelle essence. Ce n'est pas grave. Mais pour les Boovs et les humains, c'est grave.

Je compris enfin.

– Tu veux dire que…

– Si Gratuity se téléporte, alors l'ordinateur ne se rappellera pas l'ordre des molécules. Il ressortira une flaque de Gratuity toute mélangée.

– Ah, d'accord…

– Comme un milk-shake à la Gratuity, sorti du mixeur…

– Ça va, c'est bon, j'ai compris, dis-je en levant les mains.

Un nouveau silence gênant s'abattit entre nous. Puis Oh s'assit par terre pour cloner davantage d'essence, avec Porky qui ronronnait près de ses pieds.

– Hé ! Est-ce que… tu es en colère ? lui dis-je, me demandant aussitôt pourquoi je posais cette question. Qu'est-ce qui ne va pas ?

Oh soupira, ce qui produisit comme un léger grésillement.

– Les Boovs essaient de solutionner ce problème depuis longtemps. Depuis… (il leva les yeux au ciel, comme s'il faisait du calcul mental) depuis cent de vos années.
– Eh ben dis donc…
– Oui, comme tu dis.

Nous repartîmes quelque temps plus tard. S'habituer aux nouvelles commandes de Fraîchissime ne fut pas facile, mais j'apprends vite. Comme Oh ne serra les dents et ne s'accrocha à la poignée de la porte que pendant environ vingt-cinq kilomètres, je dus ensuite de temps en temps perdre brusquement de l'altitude ou prendre un virage maladroitement pour le laisser dans le doute.
– Je conduis vraiment très bien, dis-je, à l'issue d'un plongeon particulièrement audacieux et inutile.
Oh bêla quelque chose en boovien, peut-être une prière, espérai-je, ou un juron. Un peu plus tard, quand un chien errant passa devant nous, j'appuyai un peu trop fort sur le frein, ou plutôt sur l'accélérateur. Oh fut projeté en avant et se cogna la tête contre le tableau de bord dans un bruit de claque humide.
– Ceinture de sécurité, dis-je.
– Je peux peut-être conduire, moi aussi, de temps en temps, suggéra le Boov.
– Non. Désolée, mais ce n'est pas ta voiture.
Oh se frotta le crâne, où s'était déjà formé un hématome, qui tourbillonnait et changeait de couleur, comme une bague d'humeur.
– Je l'ai reconstruite, insista-t-il. Elle est à moitié à moi.
– C'est vrai, répondis-je, après avoir réfléchi une seconde. Mais tu n'as pas le droit de la conduire, puisque tu n'as pas le permis.
– Ah oui, bien sûr… dit-il en hochant la tête.
Un long silence s'installa entre nous, comme une troisième personne dans la voiture, qui me regardait en attendant ma réaction. J'imaginai alors que ce silence était Billy Milsap, le garçon de ma classe qui s'asseyait à côté de moi à chaque cours. Il ne disait jamais rien, ne répondait jamais à mes questions et, chaque fois que je tournais la tête vers lui, il était déjà en train de me regarder. Pas de sourire, pas même

le bon sens de détourner le regard quand je le surprenais. Le silence, dans la voiture, était un Billy Milsap invisible, voûté tel un gobelin sur la banquette arrière. Comme tous les silences, il n'était pas silencieux du tout mais faisait le même bruit épais, un genre de bourdonnement, que Billy respirant par la bouche. Et il grossissait avec le temps. Comme Billy Milsap, d'ailleurs.

Quand il se fut éternisé durant toute la traversée de l'État du Delaware, et que ce Billy Milsap eut tellement grossi qu'il débordait par les vitres baissées, cela devint insupportable.

– Dommage que nous n'ayons pas de musique, dis-je, avec une légère insistance.

– Désolé, dit Oh.

L'entendre s'excuser ne me plut pas vraiment.

– Au moins, vous n'avez pas détruit toutes les routes.

Après une longue bande d'asphalte morcelée, l'autoroute était en effet de nouveau en bon état.

– Les Équipes de Destruction explorent les routes seulement…

– Elles les *explosent*.

– Oui. Elles explosent les routes seulement autour des grandes villes humaines. Je ne comprenais pas pourquoi, vu que je ne savais pas que les voitures humaines roulaient.

Il prononça le mot « roulaient » comme si c'était une petite chose mignonne.

– Au fait, que faisais-tu là-bas, tout seul près de la supérette ? lui demandai-je.

– Il y avait une ferme d'antennes.

– Une ferme d'antennes ? Ça n'existe pas, ça.

– Une… (il chercha ses mots) un grand champ rempli de hautes tours avec des antennes. Pour vos radios. J'ai été envoyé là-bas pour modifier les tours, pour qu'elles servent aux Boovs.

Nous traversions une ville abandonnée, dont les bâtiments vides avaient des allures de mausolées.

– Mais ce travail… m'a volé trop de temps, poursuivit Oh. Et j'ai raté le voyage retour. Puis Gratuity a eu la gentillesse de me prendre en stop.

L'entendre m'adresser un compliment ne me fit pas vraiment plaisir, d'autant que j'avais l'impression qu'il ne me disait pas tout à propos de son travail. Mais bon, moi non plus, je ne lui disais pas tout.

– On pourrait peut-être jouer à un jeu de voyage ? proposai-je.

– Un jeu de voyage ?

Je cherchai un jeu simple, qu'il pourrait comprendre.

– Alors... je vois, avec mes petits yeux, quelque chose qui commence par un... G !

– Des saucisses ? tenta Oh.

Nous avons finalement renoncé aux jeux de voyage.

Aussi curieux que cela puisse paraître, la discussion dériva sur les vieux feuilletons télévisés.

– Comment s'appelle celui où l'homme porte une robe ? demanda Oh.

– Il va falloir que tu me donnes plus de détails, dis-je, les sourcils froncés. Il y a comme une longue tradition dans ce domaine, à la télévision.

– Milton Berle ! s'écria Oh, à qui la mémoire était soudain revenue.

Il se mit à rire – enfin, je crois que c'était un rire – pendant deux minutes entières. Je n'avais pas la moindre idée de qui il parlait.

– Et celui où les hommes portent des casques et se précipitent l'un sur l'autre ?

– Ça ressemble à du football américain, répondis-je.

Ou à un reportage de guerre, ajoutai-je en pensée.

– Oui, très drôle, ça aussi.

– Tu as tant que ça regardé la télévision depuis votre arrivée sur la Terre ?

– Oh non, les Boovs captent les émissions de Smekland depuis longtemps. Beaucoup d'années. Les signaux traversent l'espace et nous les capturons sur Boovmonde. Tu connais *Police des plaines* ? Et *I love Lucy* ?

– Vaguement.

– Tu as vu l'épisode où Lucy veut que Ricky la dispose dans son grand spectacle ?

Il s'esclaffa de nouveau, faisant un bruit qui aurait pu être celui d'un trombone sous l'eau.

– Ah, vachement drôle.

Encore ce mot.

– Vous avez donc appris l'anglais en regardant nos émissions ?

– Non, avec des professeurs. Mais nous pouvons comprendre certaines émissions, même sans les mots humains.

– Ah…

– Je vais te dire une chose étonnante. Avant notre arrivée sur Smekland, je croyais que ce serait plus comique que ça. Et plus animé, aussi. Je ne connaissais Smekland que par les émissions, donc je pensais que tout le monde ici trébuchait sur des repose-pieds et faisait des courses-poursuites en voiture. Smekland, ce n'est pas comme à la télévision, en fait.

– Eh non, la vraie vie ne ressemble pas à ce qu'on voit à la télévision. Dans les feuilletons, tout s'arrange très vite ; il y a toujours un héros pour sauver le monde de gens comme toi.

Les mains serrées sur le volant, je ne quittais pas des yeux le long ruban jaune qui se déroulait devant nous. J'avais l'impression d'avoir aspiré tout l'air de l'habitacle. Mon estomac se serra un peu lorsque Oh tourna la tête vers moi, avant de vite regarder ailleurs.

Quand vint l'heure de nous arrêter pour la nuit, Billy Milsap était aussi gros qu'un paquebot.

Je décidai que nous camperions sur une aire de repos. Ce qui me faisait un peu de normalité humaine à laquelle me raccrocher. Nous aurions pu dormir dans une ville, peut-être même dans un motel déserté, mais nous aurions dans ce cas été entourés de rues et d'immeubles gris et vides. Or je n'aimais pas voir tous ces bâtiments qui ressemblaient déjà à des ruines, à des monuments à la gloire d'une civilisation un temps riche mais désormais morte. Sur une aire de repos, nous pourrions au moins avoir l'air de deux automobilistes normaux s'accordant une pause après une longue journée de route.

Je garai donc la voiture sur l'aire de repos James-K.-Polk.

– Qu'est-ce que dit ce panneau ? me demanda Oh, s'exprimant pour la première fois depuis des heures.

– « Aire de repos James-K.-Polk ». Nous allons dormir ici.

Oh regarda un peu partout autour de lui, tandis que nous flottions en direction d'un petit bâtiment trapu.

– Nous avons le droit de faire ça ? s'étonna-t-il. Nous ne sommes pas James Kapolk.

– Je suis sûre que ça ne le dérangera pas.

S'arrêter à cet endroit se révéla une très bonne idée. Personne n'ayant manifestement pensé à le piller, les distributeurs automatiques étaient encore remplis de bonbons, de chewing-gums, de gaufres, de sucettes Blue Razzberry, de biscuits orange fourrés d'un fromage si jaune qu'il éclairait presque, de cacahuètes, de pâtes de fruit L'il, de chips Extreme Ranch, de couenne de porc grillée à la sauce barbecue, de Noda (un soda) et de pastilles à la menthe. Oh ne s'intéressant qu'aux pastilles à la menthe, je pourrais profiter de tout le reste.

– Comment la nourriture sort dans le dehors ?

Je fis la grimace.

– Eh bien, normalement, il faut mettre une pièce de monnaie dans la fente, mais je n'ai pas grand-chose.

– Et moi je suis sec.

– À sec.

– Oui, à sec.

Oh alla chercher sa boîte à outils, dans laquelle, j'en étais à présent certaine, on pouvait trouver tout ce qu'on voulait, et en sortit un objet qui ressemblait à un pulvérisateur, en admettant qu'il existe des pulvérisateurs en forme de rein.

– Écarte-toi, me demanda-t-il.

Le rein souffla une vapeur bleue qui avait une odeur de café, dont Oh couvrit la paroi en Plexiglas du distributeur automatique, après quoi il recula d'un pas pour admirer son œuvre.

– Et maintenant ?

– Nous attendons, dit-il, alors que le Plexiglas commençait à fumer.

Je lui répondis que ce n'était pas un problème. De toute façon, il fallait que j'aille aux toilettes.

– Ah oui, dit Oh, qui m'avait suivie jusqu'à la porte des toilettes pour dames. Moi aussi, je dois faire ça.

– Hééé ! m'écriai-je, bloquant le passage. Tu ne peux pas entrer là, ce sont les toilettes des filles.

Au moment même où je prononçai ces mots, je sus que je venais de dire quelque chose de complètement idiot. Idiot, et peut-être même faux.

– Tu... tu es un garçon, n'est-ce pas ? lui demandai-je. Ne le prends pas mal, hein, mais...

– Oh est un garçon, oui.

– Alors donc, chez vous les Boovs, il y a aussi des garçons et des filles... comme chez nous ?

– Bien sûr ! Ne sois pas ridicumule !

– Désolée, dis-je, avec un tout petit sourire.

– Il y a *sept* superbes genres chez les Boovs : garçon, fille, garçon-fille, fille-garçon, garçon-garçon, garçon-garçon-fille et garçon-garçon-garçon-garçon.

Je fus incapable de trouver quelque chose à répondre à cela.

– Bon, je vais aux toilettes, dis-je finalement. Toi, tu vas chez les hommes, là-bas.

Oh se dirigea à petits pas vers les toilettes pour messieurs et s'immobilisa devant la porte, les yeux levés vers le petit bonhomme qui y figurait. Il sortit aussitôt un genre de stylo de sa boîte à outils et dessina six jambes supplémentaires au bonhomme, puis il entra. J'ouvris de mon côté la porte des toilettes pour dames et la refermai derrière moi.

L'obscurité y était totale, exception faite d'une minuscule lucarne tout en longueur, par laquelle on percevait une lune rose. L'air de cette pièce, lourd et qui sentait mauvais, m'enveloppa comme une momie. Me retrouver seule un moment fut agréable mais je n'y pensai pas trop longtemps : j'avais quelque chose à faire de toute urgence. Je ne me regardai pas non plus bien longtemps dans le miroir. Je n'avais pas envie de pleurer, ni rien de ce genre. Je me sentais bien, j'étais même ravie de me rendre en Floride. La plage, s'amuser au soleil, sans compter le Royaume de la Souris joyeuse, qui se trouvait là-bas. Maman avait toujours adoré le Royaume de la Souris joyeuse.

Au bout d'un moment, je finis par me laver les mains et m'asperger le visage d'eau, puis je rejoignis Oh.

De retour devant le distributeur automatique, il engloutissait des pastilles à la menthe. La paroi en Plexiglas s'était presque complètement évaporée.

– J'imagine que tout le reste n'est pas à ton goût ? lui lançai-je, désignant le festin de malbouffe qui m'attendait.

– Non, juste les pastilles à la menthe, me répondit-il, en croquant bruyamment une de ses friandises.

– Tu… tu ne peux pas manger que des pastilles à la menthe, quand même. Ça ne change rien pour moi, tu me diras, mais bon…

– J'ai aussi trouvé des gâteaux délicieux qui sentent très bon dans les toilettes pour Boovs.

Il me faudrait des mois pour comprendre qu'il avait avalé les désodorisants placés dans les urinoirs.

J'aurais aimé dormir à la belle étoile, pour contempler le ciel, qui était magnifique car tout le pays ou presque était plongé dans le noir. Évidemment, cette idée n'était désormais pas sans danger. Allait-on un jour retrouver un beau ciel nocturne et rien d'autre, et non pas cet océan noir peuplé de requins ?

De toute façon, il y avait trop d'insectes pour dormir dehors. J'avais des piqûres de bestioles sur chaque cheville, qui me faisaient comme un bracelet, et Oh était harcelé par les moustiques. Nous passâmes la nuit dans la voiture, moi sur la banquette arrière et Oh et Porky à l'avant. Je suis sans doute l'une des très rares personnes de cette planète à avoir entendu un Boov ronfler. Ce bruit me hantera jusque dans ma tombe.

Le lendemain matin, nous fîmes rapidement notre toilette, pour ensuite reprendre la route. Savez-vous qu'il est possible de baigner un certain temps dans une odeur, mais de devoir s'en aller et revenir sur place pour seulement s'en rendre compte ? Je pris conscience de celle qui « parfumait » la voiture en flottant vers l'autoroute.

Je dois avouer qu'à ce moment-là je ne m'étais pas lavée depuis quatre jours. Je n'en avais pas vraiment eu le temps. Je reniflai sous mes bras mais, ouf, c'était encore correct et digne d'une fille, merci. Je considérai alors Oh ; Porky ronronnait bruyamment à ses pieds, en se frottant contre ses jambes.

– Tu ne sens rien ? lui demandai-je.

– Je sens la « fraîcheur de pin », me répondit-il, les yeux levés sur l'arbre en carton suspendu au rétroviseur.

– Non, mais tu ne sens rien d'autre ? Comme une odeur de... de poisson ?

Oh décrivait de petits cercles avec ses jambes.

– Je ne sais pas l'odeur de poisson, dit-il. À quoi ça ressemb... OUAAHHHH !

Il me fit si peur en criant que je faillis sortir de la route.

– Quoi ? Qu'est-ce qu'il y a ?

Oh regarda méchamment Porky.

– Le chat m'a mordu !

– Il t'a mordu ? Mais il ne mord jamais.

Porky ronronnait toujours, tout en essayant de se frotter contre les pieds de Oh, qu'il avait à présent remontés à l'abri, contre son corps ramassé.

– Eh bien il mord, maintenant ! Il mord très bien, même !

– Tu n'aurais peut-être pas dû remuer les jambes. Tu lui as fait peur, c'est normal.

En vérité, je savais que ce n'était pas la bonne explication. Soudain, la lumière se fit dans mon esprit. Me penchant légèrement sur ma droite, je pris une longue inspiration par le nez. Du poisson.

– C'est toi ! m'écriai-je joyeusement. C'est toi qui sens le poisson !

Oh en resta abasourdi.

– Nooon ! Je ne sens pas du tout le...

– Si ! Tu sens le poisson, le poisson qui empeste ! Pas étonnant que les chats adorent les Boovs ! Pour eux, vous êtes des sushis géants !

Oh baissa de nouveau les yeux vers Porky.

– Il faut peut-être que j'attrape un bain, alors.

– Tu es pardonné, Porky, dis-je en riant. Tu n'as pas pu te retenir.

– Ne rigole pas, s'il te plaît. Il m'a mordu vachement fort.

Je cessai aussitôt de rire, et le silence régna pendant plusieurs minutes. Je finis par craquer :

– Bon, ça suffit, pourquoi tu emploies ce mot, « vachement » ? Plus personne ne dit ça.

– Personne ?

– Presque personne.

Le Boov haussa ses épaules de grenouille, sans quitter Porky du regard.

– Je ne sais pas. Mon professeur m'a appris ça. Ce n'est pas un mot ?

– Si, c'est un mot, dis-je, cherchant comment lui décrire ma pensée. C'est juste que… il n'est plus très à la mode. Si ça ne te dérange pas, j'aimerais autant que tu ne l'emploies plus.

Oh acquiesça.

– Ça ne me dérange pas. Je ne voulais pas te faire de la peine, ma Tortourse.

Là, je crois que j'ai dû écrabouiller l'accélérateur-frein ; la voiture s'est arrêtée net en couinant. Je sentais mon cœur battre jusque dans mes orteils.

– Dehors ! hurlai-je.

– Qu… Aller dans le dehors ? Ici ? Que… bon, d'accord.

Mon visage dut le décider ; il se hâta de sortir et se retrouva en bordure d'une pente herbue. Porky le suivit.

– Est-ce que… Est-ce que je… ?

Je claquai la portière sous son nez.

Je ne sais pas combien de temps je suis restée comme ça, à serrer le volant, les tripes en feu. Une demi-heure, je dirais. Ou peut-être quatre heures. Disons entre une demi-heure et quatre heures. Oh était toujours planté là, immobile à côté de la voiture.

Je sortis, claquai violemment la portière, fis le tour de la voiture et le regardai droit dans les yeux.

– Où as-tu appris ce mot ?

– Je… bégaya le Boov, en se tripotant les doigts. Je… j'ai déjà dit à toi que mon prof…

– Non, pas « vachement » ! « Tortourse » !

– Mais… mais c'est un mot qui existe !

– OÙ L'AS-TU APPRIS ?

– C'est le pr… professeur. C'est un terme affectueux.

Effondrée le dos contre la voiture, je n'arrivais plus à respirer.

– Non… pas du tout ! Ce mot n'existe pas, à part pour moi… et pour ma mère.

Évoquer une nouvelle fois maman fut loin de me réjouir. Je ne voulais pas que le Boov sache que son peuple m'avait blessée. Sa réaction me chamboula complètement.

– Oh ! Tout s'explique ! La mère de Gratuity était probablement le professeur de Oh !

Après ces mots, je ne fus plus qu'une tornade de coups de poing ; je me mis à frapper le Boov de toutes mes forces.

– Quoi ? Stop ! Non ! Pourquoi ?

Je pris une seconde pour récupérer la boîte à outils du Boov dans la voiture, puis j'entrepris de lui en lancer le contenu, tandis qu'il prenait la fuite en courant, vers le bas de la pente.

– S'il te plaît… Non ! Ne fais pas ça, nous allons être besoin de ça…

Ayant déniché un de ses trucs en forme de cachet d'aspirine, je le lui lançai sur la tête. Il se transforma d'un coup en un énorme bonhomme de neige pataud laissant de gros morceaux de mousse derrière lui.

– Aaah ! Au secours ! Vite !

Je le rejoignis et le plaquai dans un feu d'artifice de mousse, puis je me remis à lui donner des coups de poing en plein visage. Il prononça quelque chose en boovien et, subitement, mes articulations se heurtèrent à son casque en forme de bocal à poisson rouge, qui venait de se mettre en place.

– Aïe ! Espèce d'idiot… Retire tout de suite ce casque !

– Non ! Pourquoiça…

– Tu m'as volé ma maman ! criai-je en me frottant la main.

– Mamaman ?

– *Ma maman !*

Nous n'étions séparés que de quelques dizaines de centimètres ; j'étais à deux doigts de recommencer à lui taper dessus.

– Ah oui ! La maman de Gratuity a dû être un des professeurs ! Nous invitons beaucoup d'humains pour apprendre aux Boovs !

– Le… le grain de beauté… dis-je, respirant si vite que je faisais de l'hyperventilation. Sur sa nuque.

– Oui ! Un appareil de mémoire ! Il garde longtemps tous les mots qu'elle dit ou pense. Ensuite, les Boovs l'ont appelée pour lui retirer le grain de beauté. Les informations qu'il contenait devaient être injectées dans tous les Boovs habitant dans la région de Gratuity ! Maman-Gratuity est très utile !

Mes yeux me piquaient ; je dus les frotter avec le dos de mes mains.

– « Est » ? « Est » très utile ? Elle est... elle est encore en vie ?

Que cette question fut difficile à poser ! Ce n'est qu'à cet instant que je me rendis compte que j'avais imaginé qu'elle était morte.

– Bien sûr qu'elle est vivante ! Quelle idée ! Elle est vivante et attend certainement sa Gratuity en Floride !

J'hésitais entre le prendre dans mes bras ou lui donner un coup de pied. Finalement, je ne fis rien du tout. Je voyais des taches violettes et je n'arrivais plus à respirer. J'avais l'impression d'être sur le point de m'évanouir. Et c'est ce que je fis quelques secondes plus tard.

Après notre bagarre, ce fut plus difficile de continuer comme avant. J'étais toujours aussi remontée, un peu contre Oh et un peu contre moi-même, car je m'en voulais d'être trop épuisée ou démoralisée pour seulement le détester convenablement. Vu ce que je venais d'apprendre, il me semblait avoir le droit d'abandonner le Boov quelque part et de poursuivre seule ma route. Blotti sur le siège passager, il était tendu, se méfiant de l'humaine et du chat qui allaient certainement d'un instant à l'autre se remettre à le frapper et le mordre.

Enfin, estimant qu'il était temps de nous accorder une pause, je quittai l'autoroute à hauteur d'un motel King Value, où nous pourrions nous installer dans une chambre et prendre une douche. En dehors d'un raton laveur, le parc du motel était désert. Quelqu'un s'était acharné sur la machine à glaçons, il y avait des voitures abandonnées sur le parking et une mobylette flottait dans la piscine. L'un des distributeurs automatiques avait été totalement vidé, tandis que l'autre était attaché par des chaînes à l'arrière d'un pick-up, lequel l'avait apparemment tiré sur dix mètres avant de heurter un poteau téléphonique, après quoi la machine avait été éclatée comme une *piñata* et dévalisée.

Dans le lointain, une grappe de bulles se dessinait dans le ciel. La plus petite était sans doute plus grosse qu'une camionnette ; on aurait dit une pieuvre, ou une galaxie, avec ses tentacules de bulles qui s'étiraient autour de son centre. Alors que nous marchions vers le motel, j'eus la sensation qu'elle nous regardait.

Oh se pencha devant la poignée de porte de la chambre 14. Comme je m'attendais à le voir sortir un outil intéressant, pour faire fondre la serrure ou la changer en papillons, je fus un peu déçue quand il se contenta de la forcer avec une épingle à cheveux.

La pomme de douche cracha un liquide qui ressemblait à du jus de viande durant dix minutes avant que l'eau ne s'éclaircisse. Pendant que Oh se douchait, je restai à regarder la porte de la salle de bains en me disant que je pouvais partir sur-le-champ. *Je peux m'en aller sans toi !* Peu après, il sortit de la douche et je m'y glissai à mon tour. Nous quittâmes le motel les bras chargés de serviettes et de petits savons, comme le veut la tradition.

***

disait l'immense panneau métallique découpé dans la forme de cet État, et par ailleurs constellé de photos de divers parcs d'attractions, de produits d'export et d'autres choses. C'est ainsi que j'appris que sa devise est « Nous avons confiance en Dieu », ce qui est follement original, que sa boisson numéro un est le jus d'orange et qu'il est peuplé de personnes âgées et de marais. Super, la Floride !

– Qu'est-ce que ça dit ? me demanda Oh, alors que nous passions en flottant devant le panneau.

– Quoi ? Tu ne sais pas lire ?

Ce n'était pas la première fois qu'il me posait une telle question.

– Il est passé trop vite dans notre derrière.

Cette excuse me fit soupirer.

– Ça disait « Bienvenue en Floride » et des tas d'autres choses à propos des plages et des oranges.

– Ah oui, j'aime ces oranges. On pourrait peut-être prendre...

Il fut interrompu par un gémissement perçant, dans notre dos. Je jetai un regard dans le rétroviseur, que je n'osais pas régler, de peur de faire tomber le pot d'échappement, et vis une lumière vive qui nous rattrapait.

– C'est bizarre, ce bruit, dis-je. C'est une sirène, une sirène un peu étrange.

On aurait dit que la police nous poursuivait, seulement je n'imaginais pas qu'il puisse encore y avoir des policiers.

– Que penses-tu de... ?

Oh se précipita sur la banquette arrière, où il se réceptionna lourdement, avant de se rouler en boule et de se tapir entièrement sous une de nos couvertures. Porky le rejoignit immédiatement.

– Qu'est-ce qui te prend ? criai-je, gardant un œil sur la route derrière nous.

Il faisait nuit et, avec ce gyrophare, je ne distinguais pas grand-chose. Je vis tout de même que nous n'étions pas pris en chasse par une voiture de patrouille ou un motard de la police. Nous étions en fait rattrapés par une bobine à ramure volante semblable à celle que Oh avait abandonnée.

– La police boovienne... soupirai-je.

Puis je me mis en colère. Et si ce nouveau venu me menaçait ? N'était-ce pas précisément de ce genre de désagrément que Oh était censé me protéger ?

– Debout, derrière ! beuglai-je à son intention, tout en levant le pied, ce qui fit ralentir Fraîchissime.

Dans le rétroviseur, je voyais à la fois la bobine boovienne, qui s'apprêtait à contourner la voiture par la gauche, et, sur la banquette arrière, une grosse bosse qui tremblait sous la couverture.

– Idiot de Boov ! lançai-je.

Déjà à hauteur de ma portière, le policier extraterrestre tapota de sa petite main de grenouille ma vitre, que j'abaissai aussitôt.

– Qu'avez-vous dit ? me demanda le Boov, d'une voix basse et humide.

Vêtu de caoutchouc gris-vert, il portait un casque sur lequel était fixée la sirène lumineuse. Toujours en rotation, ce gyrophare sonore crachait des rayons verts violacés à intervalles réguliers, tandis que son bruit bizarre, bien que toujours présent, s'était calmé. Le policier portait également des épaulettes exagérément décorées, comme celles d'un chef de fanfare, ce qui faisait beaucoup trop pour une créature qui n'avait pas vraiment d'épaules.

– Ce que j'ai dit ? Quand ça ?

– À l'instant, avant que je cogne sur votre vitre.

Il plissa les yeux. Quelques secondes s'écoulèrent. La sirène ne cessait de répéter « ploobaloo ».

– C'était du français, répondis-je.

– Redites-moi ça.

J'hésitai. Les Boovs parlaient-ils le français ?

– Ah… Idiiooodebouf.

– Et qu'est-ce que ça veut dire ?

– C'était un compliment. J'admirais votre mobylette.

Je pensais avoir choisi le bon sujet de conversation. Ayant observé sa bobine volante du coin de l'œil, j'avais remarqué qu'elle était un peu plus sophistiquée que celle de Oh. Pourvue de beaucoup de parties chromées, elle portait en outre un aquarium rempli de tortues à l'arrière. Le policier sourit et bomba le torse. Mais vraiment, il me donna l'impression de gonfler un peu.

– Oui, oui… dit-il, caressant un des bois de cerf. Merci.

– Le crétin, répondis-je, avec un fort accent français.

Le sourire du Boov ne tarda pas à s'effacer, puis il retrouva son sérieux.

– Pourquoi arrivez-vous si tard ? Tous les autres humains ont été passés par ici il y a trois jours.

– Oui… En fait, je me suis dit que j'allais me rendre en Floride en voiture. Comme ça, je vous fais économiser une place sur vos fusées !

Lorsque je prononçai le mot « voiture », le Boov examina attentivement Fraîchissime. Sa gorge émit quelques craquements et gémissements.

– Les voitures des humains… ne flottent pas dans les airs.

– Eh bien, celle-ci n'est pas complètement…

– Comment fait-elle pour flotter ? grogna le Boov, les sourcils froncés de façon symétrique, comme une émoticône en colère, tandis que sa tête grossissait légèrement. Est-ce que quelqu'un l'a bricolée pour vous ?

Il baissa alors le bras le long de son corps, je vous le jure, et je repensai à ces terribles pistolets.

– Oui, répondis-je sans réfléchir.

Dans le rétroviseur, la bosse sous la couverture se remit à trembler.

Je ne suis pas idiote ; j'eus soudain l'impression que Oh ne m'avait pas tout dit. Peut-être avait-il des ennuis. C'était peut-être même un genre de criminel aux yeux de ses semblables. Ce qui pouvait expliquer qu'il m'ait demandé de le conduire en Floride, où il pourrait se cacher parmi les humains. Le problème, c'est que je ne savais pas – je ne pouvais pas savoir ! – comment j'étais censée réagir. Ne risquais-je pas des ennuis à mon tour, si je le dénonçais ? Mais ne serait-ce pas pire si je n'en faisais rien ?

– Qui a fabriqué ça pour vous ? me demanda le Boov. Qui ?

– Un Boov, répondis-je lentement. Un agent de maintenance.

– Où ?

– Au nord d'ici, en Pennsylvanie. Il y a deux jours.

Le visage du policier, visiblement très intéressé par cette précision, s'illumina.

– Ne travaillait-il pas sur les antennes ? Dans une ferme d'antennes ?

C'était le cas, bien sûr. Je savais à présent que Oh était dans le pétrin. Rien au monde n'était alors plus facile pour moi que de tendre le pouce vers la banquette arrière et la masse secouée de tremblements sous la couverture. J'en aurais été débarrassée.

Pourtant, alors que je regardais bien en face la tête du Boov, qui gonflait toujours doucement, je me dis que ces créatures m'avaient pris quelque chose, quelque chose que je voulais récupérer. Et voilà que je détenais moi aussi quelque chose qui leur appartenait et qu'ils voulaient récupérer. Je répondis aussi calmement que possible :

– Il ne m'a rien dit à propos d'une ferme. Il ne parlait pas très bien anglais, mais il a dit vouloir se diriger vers le nord. Vers le Canada.

– Ha ! s'écria le Boov, dont la tête se dégonfla en sifflant. Il n'ira pas loin.

– Hmm. Et moi… je peux repartir ? Vers la Floride ?

Détendu, le policier détailla tranquillement la voiture.

– Vous ne connaissez pas ce qui s'est passé ? dit-il.

– Non, répondis-je, n'appréciant pas du tout le ton de sa question. Quoi donc ?

– Vous pouvez repartir, dit-il. Vous n'êtes pas la seule retardataire. Allez jusqu'à Orlando et présentez-vous aux premiers Boovs que vous verrez.

– M'aideront-ils à retrouver ma mère ?

– Mamère ?

– Ma mère. Il faut que je…

– Continuez jusqu'à Orlando et présentez-vous aux premiers Boovs que vous trouverez, répéta-t-il.

Soudain, son regard se posa sur la banquette arrière. Sur la couverture.

– Pourquoi cette… ?

– C'est seulement mon chat, répondis-je aussitôt. Porky ! Bonbon !

Porky fit un petit bruit et sortit en rampant de sa cachette.

– Votre chat s'appelle Porkybonbon ? s'étonna le Boov.

– Euh… oui, c'est ça.
– Vous êtes bizarres, vous les humains, dit-il.
Puis il s'éloigna en flottant.

– Bon, ça suffit, maintenant, je t'écoute !
Le policier suffisamment loin derrière nous, Oh sortit lentement de sous la couverture, comme un escargot de sa coquille.
– Tu m'écoutes ? dit-il, portant la couverture comme un poncho. Mais qu'est-ce que je dois dire ?
– La raison numéro un pour laquelle tu m'as accompagnée, la seule qui m'ait fait accepter ta présence, était que tu étais censé être mon escorte si nous croisions d'autres Boovs. Tu devais me protéger ! Et voilà que je découvre que tu as des ennuis encore pires que les miens.
Oh fit un bruit bizarre, un genre de « Bêêê-êê-êê-êê-êê ! », que je pris pour un rire.
– Je n'ai pas des ennuis ! affirma-t-il, tandis que son regard passait vivement d'une vitre à l'autre.
– Alors, pourquoi tu…
– Ce Boov, c'était… Carl. C'est juste que… je n'étais pas envie de voir Carl. Je lui dois de l'argent.
– J'ai entendu aussi bien que toi ce qu'il a dit…
– Elle, rectifia Oh. Ce qu'elle a dit.
– Elle ?
– Elle.
– Bon, d'accord, dis-je, sans pouvoir réprimer un frisson. J'ai entendu ce qu'elle a dit à propos de la ferme d'antennes. Ils te cherchent. Tu peux me dire pourquoi ou continuer à faire l'idiot, mais je sais qu'ils te cherchent.
Mes derniers mots laissèrent la place à un grand silence, exception faite du bourdonnement de la voiture et du claquement des tuyaux contre la carrosserie. Et aussi, en un peu moins fort, du bruit de bulles de la respiration humide de Oh, toujours sur la banquette arrière. En regardant par la fenêtre, je me rendis compte qu'il faisait maintenant trop sombre pour que l'on y voie quelque chose. J'aurais aimé profiter du paysage, et peut-être repenser à mes séjours avec maman dans cette région. À la plage, chez la Souris joyeuse. Au fait, j'allais peut-être revoir le Royaume de

la Souris joyeuse, si nous parvenions à Orlando sans être arrêtés. Sans être arrêtés par des Boovs, je veux dire. Soudain, un détail me frappa.

– Hé ! Mais où sont tous les gens ?

– Hmm ?

– Il devrait y avoir quelque chose comme trois cents millions de personnes ici. Je pensais trouver des tentes et des abris, et des gens en train de déambuler un peu partout.

– Oui, beaucoup d'humains, dit Oh, le visage plaqué contre la vitre. Pas de Boov. Des humains partout.

Une pensée terrifiante me traversa l'esprit, celle des malheureux prisonniers dans les camps de concentration, durant la Seconde Guerre mondiale, à qui les soldats nazis demandaient de prendre une douche. Les pommes de douche ne fonctionnaient pas et un gaz mortel était soufflé par les aérations, jusqu'à ce qu'ils aient tous rendu l'âme. Puis je revis tous les gens qui se précipitaient vers les fusées, deux jours plus tôt.

– Qu'est-ce… qu'est-ce que vous en faites ? demandai-je d'une voix peu assurée, au point que j'avais presque peur de parler. Qu'est-ce que vous en faites vraiment ?

– Je n'ai rien fait avec les gens, moi, me répondit Oh, rampant hors de la couverture. Je suis agent principal de maintenance boov, je ne travaille pas dans le transport des hum…

– OH ! criai-je d'une voix rauque.

Je n'étais plus très concentrée sur ma conduite. La voiture ralentit, dérivant peu à peu vers le talus.

– Dis-moi la vérité, Oh ! Dis-moi la vérité. Allez !

Oh baissa les yeux sur ses mains et hocha la tête en se mordant les lèvres. J'avais l'estomac et le visage en feu, mais j'étais déterminée à ne pas pleurer, quoi qu'il me dise.

– Je… commença Oh. Je… ne suis pas vraiment agent principal de maintenance. Je suis…

– Non ! Non-non… l'interrompis-je. Je me fiche de ça, pour l'instant. Qu'est-il réellement arrivé à tous les humains ?

– Ah… dit Oh, l'air très étonné. Je n'en sais rien du tout.

En observant attentivement son visage, je compris qu'il n'était vraiment au courant de rien, car il mentait très mal.

– Tu croyais qu'ils seraient ici ?

– Exactement.

Nous restâmes un moment dans la voiture à présent arrêtée, à nous demander où étaient passés tous les autres. La remarque du policier me revint en tête : « Vous ne connaissez pas ce qui s'est passé ? »

Oh se réinstalla sur le siège passager à l'avant. Quant à Porky, il se mit à ronronner et vint se rouler en boule sur *mes* genoux. Incroyable, non ?

– Ils vont bien, reprit Oh. Ils ont sans doute été conduits à un autre endroit. Ne crois pas que les Boovs peuvent fabriquer de si méchantes choses.

Ils en ont déjà fait, pensai-je, sans exprimer mon avis à haute voix, car il n'aurait pas compris. Les vainqueurs écrivent l'Histoire, comme on dit.

Remarquant enfin que nous flottions au-dessus d'un fossé, sur le côté de l'autoroute, je repris le volant en main.

– Nous éviterons les axes principaux tant que je ne saurai pas ce qui se passe, décrétai-je. Je pourrais être en train de foncer la tête la première dans un piège. Et toi, tu n'as certainement pas envie de tomber sur Carl, je parie.

Oh grimaça.

– Elle ne s'appelle pas Carl… En fait, je ne la connais pas du tout.

Je fus à deux doigts de dire « Je sais », puis de hocher la tête, mais finalement je restai sans réaction. Je fis gravir le talus à Fraîchissime, que j'orientai ensuite sur une bretelle d'accès, pour finir par me frayer un chemin dans les rues de ce qui était autrefois Jacksonville.

– Alors comme ça, tu n'es pas agent principal de maintenance ?

Oh secoua la tête.

– Non, j'étais plutôt ce que tu appellerais un… euh… un réparateur.

– Un bricoleur ?

– Un bricoBoov, oui, dit-il tristement. J'étais à la ferme pour régler les antennes, pour que les Boovs puissent s'en servir.

– Tu l'as déjà dit, ça, lui rappelai-je.

– Oui… mais je ne t'ai pas dit que j'ai fabriqué une grosse bêtise avec les antennes. Je n'ai pas fait correctement mon travail. Maintenant, je dois me rester loin des Boovs. Me cacher parmi les humains.

J'aurais peut-être dit à Oh que les humains ne seraient probablement pas plus ravis de l'accueillir que les Boovs, vu que ses congénères leur avaient volé leur planète et tout ça, mais cette question fut chassée de mon esprit par l'apparition d'un bâtiment, un peu plus loin devant nous.

Par une nuit sans lune, je ne l'aurais peut-être même pas remarqué, car le faisceau de mes phares ne l'atteignait pas. Je fis pivoter la voiture dans le sens des aiguilles d'une montre pour l'éclairer et découvris un message griffonné en bleu sur la façade d'un restaurant, Le Potentat de la Patate :

UMAINS-HACHE –

LLEZ-A U-A OYAUME-ÈR –

ENDEZ-VOUS-ÈR SOUS LE HÂTEAU-CÉ

– NÉNÉ

Néné ?

– Qu'est-ce que ça de dire ? me demanda Oh, penché sur le tableau de bord.

Je le regardai un moment, les sourcils froncés. Il tourna la tête vers moi une seconde, pour aussitôt de nouveau s'intéresser au mur.

– C'est… c'est de l'anglais ? Il y a trop de lignes, et c'est écrit tout petit.

C'était un genre de message secret, bien sûr, mais qui l'avait tagué ? Il était difficile d'imaginer quelqu'un d'assez naïf pour croire qu'un langage au codage si simple puisse duper un Boov. Et encore plus difficile de croire que c'était le cas. Puis la lumière se fit enfin dans mon esprit.

– Tu ne sais pas lire, n'est-ce pas ? Pas l'anglais, en tout cas.

Oh se remit à se tripoter les doigts.

– Hmmmmm… non.

– On ne t'a jamais appris ? Ma mère… (prononcer ce mot me fit grimacer) ne t'a jamais appris ?

– Presque personne, chez les Boovs, ne sait lire les mots humains. C'est très difficile. Très différent des mots booviens.

– Et pourquoi donc ?

– Hmm… la plupart des mots humains ont des… des petites formes plates, et chacune est une partie d'un mot. C'est comme… construire un mot avec des briques.

Il me fallut une seconde pour comprendre de quoi il parlait.

– Des lettres. Ce sont des lettres. Elles forment les mots.

– Oui, oui ! Nous n'avons pas ces choses. Les mots booviens sont tous faits de bulles.

– De bulles.

– Oui, de bulles dans l'air. Leur taille, leur épaisseur et la façon dont elles sont collées nous disent quels mots elles forment.

Je repensai aux étranges grappes de bulles aperçues flottant ici ou là. Ce n'étaient que des phrases. Des panneaux indicateurs.

– La plupart des Boovs sont incapables de lire les mots humains, poursuivit Oh. C'est censé être un grand secret.

Et comment ! songeai-je. Si nous étions au courant, nous pourrions nous laisser des messages en orthographe phonétique ou autre n'importe où.

– Mais pourquoi tu me le dis, si c'est un grand secret ?

Oh haussa les épaules.

– Qu'est-ce que disent ces mots humains ? me redemanda-t-il.

Je reportai de nouveau mon attention sur le message, que l'on avait écrit à la hâte à la bombe de peinture, l'outil préféré de quiconque redoute d'être pris en flagrant délit.

– Il dit que nous devons nous rendre à Orlando, répondis-je. De toute façon, c'est là que nous allons.

– Ah, très bien.

Et voilà. À notre époque, il existe un proverbe, que vous autres lecteurs du futur n'utilisez peut-être plus ; quand on dupe facilement quelqu'un, on dit que c'est « aussi facile que d'arracher une sucette à un enfant ». Seulement, le proverbe ne précise pas que s'il est facile de duper un enfant, la sucette n'a pas bon goût.

***

Nous nous trouvions encore à une quinzaine de kilomètres du Royaume de la Souris joyeuse quand je m'assoupis. Je ne sais pas combien de temps je dormis, mais j'étais vraiment épuisée. Oh ronflait déjà à côté de moi, Porky roulé en boule sur ses jambes, alors que j'étais restée sur mes gardes en raison de deux Boovs en patrouille que j'avais évités de justesse. J'avais eu le temps d'éteindre les feux de position – je n'avais pas allumé les phares – avant que le premier ne m'aperçoive dans une rue latérale, puis, quelques kilomètres plus loin, j'avais dû tourner en catastrophe pour esquiver le second, énorme, qui portait d'étranges boules orange en guise de chaussures au bout de ses huit jambes. J'ignore si ce dernier m'a repérée mais il (ou elle, ou ça) était à pied, si bien qu'il lui fut impossible de me poursuivre.

Je commençais à me détendre quand je dus piler pour éviter de percuter un défilé de chèvres embarquées dans des minivoitures. Le temps pour moi de me dire que c'était très bizarre, elles avaient disparu en un clin d'œil.

– Je deviens cinglée, murmurai-je.

Comme je me rappelais avoir lu quelque part que lorsqu'on commence à perdre les pédales, la meilleure chose à faire est de fermer les yeux quelques secondes, je fis exactement ça. C'est alors que je me rendis compte que je n'étais pas du tout en train de conduire : j'étais à l'école. Je me demandai ce qui m'avait pris de croire que je conduisais une voiture, car je n'étais qu'une enfant, après tout. Il n'y avait personne d'autre que moi dans l'école, qui était en fait le Royaume de la Souris joyeuse. J'avais oublié ce détail, mais c'était pourtant bien le cas. Il fallait absolument que je trouve maman pour lui dire de ne pas subir une opération de chirurgie esthétique. Elle voulait changer de visage pour ressembler à la Souris joyeuse, car elle pensait que je l'aimerais davantage. Je la trouvai près du château de la reine des Neiges, et tout allait bien, elle avait encore sa tête de maman. Mais non, c'était trop tard ! Elle ressemblait à la Souris joyeuse ! C'était la Souris joyeuse, debout dans le noir, aussi grande que le château. Quand j'ouvris la bouche pour parler, elle pressa un gros doigt ganté sur ses lèvres souriantes. Puis, de l'autre main, elle désigna le sol. Je m'éveillai en sursaut, alors que nous étions sur le point de fracasser la devanture d'une boutique de luxe.

J'écrasai la pédale de frein (l'ancien accélérateur, donc) ; la voiture s'immobilisa dans un fracas de ferraille à quelques centimètres d'une rangée de mannequins tout nus.

Oh poussa un grognement et cria « Habish ! », pour je ne sais quelle raison. Puis il s'éveilla à son tour.

– Que… qu'est-ce qui se passe ?

– Rien, le rassurai-je. J'ai seulement… testé quelque chose.

– Ah. Et ça a marché ?

– Oui, parfaitement.

– Bien. Je crois que nous devrions nous stopper pour dormir.

J'acquiesçai, puis dénichai quelques minutes plus tard un parking souterrain où passer la nuit. Je descendis en douceur jusqu'au niveau le plus bas, où je garai la voiture contre un mur. Oh et Porky s'installèrent de nouveau sur la banquette arrière, tandis que je restais à l'avant pour réfléchir.

– C’est l’heure d’aller au lit, me dit Oh, qui me regardait.

– Hmm… je crois que je vais aller faire un tour dans les environs. À pied. Je serai vite de retour, j’ai simplement envie de voir quelque chose.

Il y eut alors un silence.

– Je vais venir avec Gratuity.

– Non… non, ça ira. Dors, je n’en ai pas pour longtemps.

Oh ouvrit grands les yeux, me dévisageant, pendant que je n’arrivais pas à m’arrêter de parler.

– C’est juste que… à cinq cents mètres d’ici, il y a un endroit où ma… mère et moi allions souvent. J’aimerais y jeter un coup d’œil. Seule. Ha, ha ! (Mon rire résonna un peu trop.) Elle sera peut-être même là-bas !

Je n’avais pas encore envisagé cette éventualité, mais il y avait des tas d’endroits beaucoup plus bizarres où je n’aurais pas été étonnée de la retrouver.

– C’est quoi, cet endroit ? me demanda Oh, question tout à fait sensée.

– Le Royaume de la Souris joyeuse, répondis-je. C’est un… parc à thème, où l’on retrouve des personnages de films et de dessins animés, comme la Souris joyeuse, bien sûr, mais aussi le Cygne marin et Monsieur Schwa…

Oh me regardait toujours avec les yeux écarquillés.
– La Reine des Neiges, poursuivis-je. Puncinello…
– Un parc de thème ?
– Oui, c'est, disons… un grand parc avec des attractions et des gens qui portent de drôles de déguisements, et où la nourriture coûte très cher. Les attractions ne fonctionnent plus, évidemment, et il n'y a plus personne pour enfiler les costumes. Et il n'y a plus de nourriture non plus.

Je tenais à ne pas rendre le parc trop attirant pour Oh. J'aurais peut-être encore énuméré deux ou trois défauts si je n'avais pas remarqué que ses yeux… tremblaient, en quelque sorte. L'expression « lasers dévastateurs par les yeux » me traversa l'esprit, mais Oh se mit seulement à gémir.

– Tu vas me quitter, n'est-ce pas ?
– Te quitter ? dis-je en clignant des yeux. Te quitter pour de bon, tu veux dire ? Mais non, je…
– Si ! Tu vas m'abandonner !
– Je te promets que je…
– TU ME DÉTESTES !
– Eh bien, c'est…
– Tu m'as toujours détesté et maintenant, tu vas me laisser tout seul…
– Allons, je ne partirais pas sans… la voiture, ni sans le chat…

Il prit un air qui donna à son visage l'allure d'un masque de théâtre tragique, puis il fit un bruit qui ressemblait un peu à « EEEEEEEEEEEEEEEEEEEEEEEEEEEEEE
EEEEEEEEEEEEEEEEEEEEEEEEEEEEEEEE
EEEEEEEEEEEEEEEEEEEEEEEEEEEEEEEE
EEEEEEEEEEEEEEEEEEEEEEEEEEEEE »…

– Hé ! Baisse le son, tu veux ?

Oh se calma un moment, puis je vis que ses yeux commençaient à s'embuer, ce qui me laissa penser qu'il allait se mettre à pleurer. Je dois tout de même préciser que son visage prenait peu à peu une teinte jaune. Donc je n'en sais rien, en fait.

– Écoute, Oh, c'est seulement quelque chose que je dois faire, c'est tout. Ma mère adorait le Royaume de la Souris joyeuse et… elle me manque. Elle pensait que c'était l'endroit le plus parfait au monde. C'était si propre, tout le monde y était toujours si gai, c'était… c'était bien, tout simplement.

Oh renifla.

– Je vais juste vérifier qu'il est toujours là-bas, ajoutai-je. Et ensuite je reviens dormir ici. Promis. Je ne te prépare pas un coup tordu.

Je me surpris à détourner le regard lorsque je prononçai cette dernière phrase. Finalement, Oh redevint subitement très amical et coopératif, d'accord pour que j'aille faire mon tour. Il farfouilla dans sa boîte à outils et en sortit un truc qui ressemblait, en plus petit, à une poire pour verser le jus sur la viande quand elle cuit.

– Si tu croises un problème, comme des patrouilles de Boovs ou autre chose comme ça, tu appuies dessus, m'expliqua-t-il. Ça envoie des bulles qui font du bruit et je viens te sauver !

J'acceptai et me saisis de l'objet. Je lui montrai ensuite où était rangé le double de la clé de la voiture, à savoir plaqué par un aimant sous le pare-chocs, après quoi je me dirigeai vers l'escalier qui permettait d'accéder au niveau de la rue. Je pris soin de ne pas me retourner, même si je n'avais pas besoin de le voir pour deviner que Oh, tel un chien malheureux, ne m'avait toujours pas quittée des yeux lorsque je posai le pied sur la première marche.

J'avais beaucoup de mal à supporter le climat de Floride. Même en pleine nuit, j'avais l'impression d'être comme un jambon cuit à la broche. Cela étant, je me sentais réconfortée par le paysage familier, composé d'arbres trapus au feuillage noir et épais et d'autres, plus grands et dénudés, avec une touffe verte à leur cime, sans oublier les bassins et lacs, aussi régulièrement disposés entre les collines herbues que sur un parcours de golf.

Je ne me trouvais pas très loin du Royaume de la Souris joyeuse, comme me l'indiquaient les nombreux panneaux encore présents un peu partout. J'en vis notamment sept qui vantaient les mérites d'un parc à thème, d'un hôtel ou d'un hôtel-parc à thème. Chacun se prétendait le plus drôle, le plus magique, le plus sauvage ou le plus rempli de pingouins, et assurait proposer le plus gros ceci ou le plus grand cela, comme les toboggans aquatiques, par exemple. Il me semblait logique que tout le monde se soit réfugié là-bas ; nous pourrions passer le restant de notre semblant de vie parmi les faux royaumes et pays imaginaires et les divers domaines, hôtels et centres commerciaux. Tout cela ne formait-il pas une mini-Amérique, finalement ? Comme l'originale, mais plus petite et en moins bien.

Quelques pâtés de maisons après être sortie du parking, j'aperçus à un carrefour un Boov qui marchait dans la même direction que moi dans une rue parallèle. Vêtu de bleu comme Oh, il était lui aussi équipé d'une boîte à outils. Alors que j'étais à deux doigts de lui crier d'arrêter de me suivre, un détail – je ne sais pas quoi, précisément – me conseilla soudain de me cacher, peut-être la façon dont il se déplaçait, ou peut-être encore ces boules orange au bout de ses pieds. Ce n'était pas Oh, en tout cas. Je me laissai tomber comme une pierre derrière une boîte aux lettres et me réceptionnai sur le coccyx. Je me mordis les lèvres pour lutter contre la douleur qui se propageait dans mon dos, tout en priant pour ne pas avoir été vue.

Ce Boov, qui n'était pas Oh, donc, sortit de sa boîte à outils un objet qui ressemblait à une petite coupe en caoutchouc. J'ignore s'il appuya dessus ou s'il dit ou fit quelque chose, en tout cas un long bâton surgit soudain du sommet de la chose. *Oh ! Une ventouse pour toilettes rétractable !*

Le Boov pointa l'extrémité évasée de son appareil en direction d'une caisse d'épargne située de l'autre côté de la rue. Le bâtiment disparut progressivement, d'abord par le bas, si bien qu'il bascula en avant et s'effondra en morceaux dans un bruit infernal. S'activant parmi les gravats, le Boov continua de pointer sa ventouse de tous les côtés, jusqu'à ce qu'il ne reste plus qu'un trou.

Pourvu qu'il ne se montre pas aussi agressif avec les boîtes aux lettres qu'avec les banques !

Tandis que je ne perdais pas une miette de la scène, le Boov glissa jusqu'au terrain désormais libre et sortit un autre objet en tirant sur une boucle de son uniforme. Ce nouvel outil ressemblait beaucoup à la poire à jus que j'avais dans la poche, et pour une bonne raison. Des bulles se formèrent à l'extrémité de l'objet, une par une et de tailles variées. Le Boov agitait le bras comme un chef d'orchestre ; dansant sous ses ordres, les bulles finirent par se rejoindre pour former comme une boîte allongée verticalement, autour de laquelle se matérialisa un anneau, comme un cerceau de hula hoop. Que cela voulait-il donc dire ? Il dispersa ensuite une poignée de balles de ping-pong sur l'emplacement désormais disponible, les arrosa et les recouvrit chacune d'un petit bocal. Satisfait, il s'en alla d'une démarche chancelante et disparut de ma vue. J'entendis peu après le bruit d'une bobine à ramure qui s'éloignait.

Je me levai et me frottai les fesses, puis m'approchai du bocal le plus proche. La balle qui se trouvait à l'intérieur avait déjà germé comme un oignon, libérant des tubes aussi fins que des crayons qui semblaient lentement s'élever vers le ciel. J'étais bien incapable de dire si c'était de la nourriture ou une construction. Peut-être était-ce une ferme d'antennes.

J'atteignis dix minutes plus tard la bordure du Royaume. Le parking était aménagé en cimetière, chaque place matérialisée par de la peinture blanche et une grosse pierre tombale. Il s'étendait sur près de quatre cents mètres, divisé en sections baptisées d'après des personnages de dessins animés. Je traversai ainsi le Nain Tracassin, Doofus et Duke Elliphant pour me rendre jusqu'à l'étincelante gare à l'ancienne qui formait l'entrée du parc. Le parking me parut propre, malgré les événements.

Maman en parlait sans arrêt. C'était un des détails qui faisaient que le Royaume de la Souris joyeuse était le plus bel endroit de la planète. Tout y était si propre et tout le monde souriait, même quand ils passaient le balai ou quand ils ramassaient des plateaux chargés de nourriture à moitié avalée. Un jour, je m'étais mise au défi d'essayer de repérer un employé à l'air malheureux, ou même simplement normal, mais quand je vis une adolescente rayonnante comme une reine de beauté nettoyer du vomi, non loin des Montagnes russes en bonbon dans les Rochers, je compris que c'était peine perdue.

– Tout est toujours parfait ici, avait dit maman, alors que nous faisions la queue pour payer les soixante dollars de droit d'entrée.

C'était peut-être la troisième fois que nous allions ensemble au Royaume de la Souris joyeuse, et sans doute la douzième que j'entendais cette phrase.

– Et même après le passage de milliers de personnes aujourd'hui, même après tous les jets de serpentins et le défilé du Clochard invisible, tout sera parfait demain, tu verras.

Justement, j'allais bien voir. Nous comptions rester deux jours. Pendant qu'elle payait, et simplement pour lui prouver qu'elle avait tort, je gravai avec ma clé d'appartement un gros mot sur le pied du distributeur de tickets, en prenant garde de ne pas être vue. Oui, je sais, c'est stupide, mais je n'étais qu'une gamine à l'époque, et j'étais en plein dans cette phase. Quoi qu'il en soit, j'étais certaine que mon gros mot ne serait pas remarqué et que je le retrouverais le lendemain matin. J'aurais raison et maman, tort.

Il y avait beaucoup de monde, ce jour-là, qui jeta un tas de choses par terre. Il y eut beaucoup de serpentins, de ballons et, bien sûr, les deux défilés quotidiens du Clochard invisible. Le lendemain, tout était propre, évidemment, je devais bien le reconnaître, mais ils ne pouvaient pas avoir tout vu.

– Où vas-tu ? me demanda maman, tandis que je filais vers le distributeur de tickets. Nous avons déjà nos entrées pour aujourd'hui, nous n'avons pas à payer une nouvelle fois.

– Je vais juste vérifier quelque chose, lui répondis-je.

Elle ne m'entendit probablement pas mais c'était sans importance. Je n'en avais que pour une seconde, et j'aurais ensuite toute la journée pour jubiler.

Après m'être faufilée entre les files d'attente, sans tenir compte des regards irrités et des claquements de langue réprobateurs des gens, je m'agenouillai devant le distributeur de tickets.

– Pas possible… murmurai-je.

Je m'étais trompée de distributeur, c'était la seule explication. Je me précipitai sur celui de la file d'à côté : rien non plus.

Puis je me rendis compte que le premier que j'avais inspecté était le bon, car il était situé dans l'axe du panneau Duke Elliphant, point de repère que j'avais noté la veille. J'y retournai pour procéder à une seconde vérification.

– Que se passe-t-il ? me demanda ma mère, derrière moi. Tu as perdu quelque chose ?

Incrédule, je ne quittais pas le distributeur des yeux. On ne voyait même pas qu'il avait été repeint.

– Oui, j'en ai bien l'impression… lâchai-je.

Je vous raconte tout ça pour que vous compreniez pourquoi, en pleine nuit, sur le parking du Royaume de la Souris joyeuse, je me dirigeai vers le distributeur de tickets placé dans l'axe du panneau Duke Elliphant et m'accroupis devant. Ce serait rigolo d'en parler à maman, quand je l'aurais retrouvée.

Au pied du distributeur, j'aperçus le mot « prout » gravé dans la peinture. Je me penchai en avant, les yeux plissés. Comme je n'avais pas oublié les chèvres dans les minivoitures, je suivis du bout du doigt le contour des lettres. Je retrouvai le petit sillon creusé par ma clé deux ans auparavant, et de petits éclats de peinture me restèrent sur la peau.

– Ça y est, je suis folle. Ça date même sans doute d'un moment.

Tapotant de nouveau le distributeur, j'arrachai encore de la peinture, de façon que le gros mot ne se distingue plus.

– Il n'y a même pas eu d'invasion d'extraterrestre, je parie. Je suis seulement devenue cinglée. Il y a de bonnes chances qu'en ce moment même je sois attachée dans un lit d'hôpital, en train de baver et de faire des bruits d'animaux.

C'était une hypothèse amusante mais je n'y croyais pas vraiment. Je me relevai et passai par un tourniquet pour entrer dans le parc. Je finirais bien par tomber sur le reste de la race humaine, puis par trouver un employé du Royaume de la Souris joyeuse, qui m'expliquerait par quelle magie certains distributeurs étaient parfois ornés du mot « prout » et parfois non. C'était la seule façon de résoudre ce mystère.

À l'intérieur, le parc n'était pas si propre que ça. Allées, bâtiments et commerces étaient jonchés de détritus, tandis que des sacs plastique pendaient comme des fruits aux arbres squelettiques. J'aperçus également des chats errants et au moins un paon. Broadway, l'avenue principale, était bordée de petites boutiques qui proposaient autrefois des « Cadeaux d'autres pays ». Elle était à présent surtout pleine de rats.

Au bout de Broadway, j'aurais dû apercevoir le château de la Reine des Neiges, mais ce ne fut pas le cas. Je compris rapidement pourquoi : la majeure partie de cet édifice avait été désintégrée par des pistolets de Boovs. Cette vision avait quelque chose de terrifiant, comme une personne décapitée. Subsistait un petit morceau de tour ici, une moitié de pont-levis là, mais le reste avait été proprement tranché. Me vint alors à l'esprit une vieille photo de maman, prise alors qu'elle était plus jeune que moi. Sur ce cliché, elle porte un de ces nez de souris en caoutchouc que tout le monde achète et fait un signe de la main, depuis le pont-levis. Je me pris à espérer qu'elle n'aurait pas l'occasion de le voir dans cet état.

Cela changeait-il quelque chose au message que j'avais vu ?

HUMAINS

ALLEZ AU ROYAUME

RENDEZ-VOUS SOUS LE CHÂTEAU

– NÉNÉ

C'était bien ça, non ? J'avais pris une photo de ce graffiti mais je l'avais laissée dans la voiture. Concernant le rendez-vous, je me dis que même s'il n'y avait plus de château, je pouvais encore aller jeter un coup d'œil en dessous. Y avait-il un escalier qui descendait sous terre ? Je n'en avais jamais remarqué, en tout cas. Je regardais plus ou moins dans le vide, méditant sur cette question, quand j'aperçus un chien, un genre de colley, près d'une bouche d'incendie.

– Hé ! Viens par ici, le toutou !

Un détail, à propos du Royaume de la Souris joyeuse : au cas où vous ne le sauriez pas déjà, il y a dans ce parc des choses plus petites que la normale et d'autres plus grosses. On peut facilement apercevoir un énorme chalet bavarois pour ensuite, en s'en approchant, se rendre compte qu'il ne mesure que trois mètres de haut. Cela fausse totalement le sens de la perspective. Voilà pourquoi il est possible de s'approcher assez près d'un chien qui se tient à côté d'une bouche d'incendie avant de comprendre que celle-ci est aussi grosse qu'un réfrigérateur et que le chien est aussi imposant qu'un lion, qu'il ressemble à un lion, et même que c'est vraiment un lion, finalement.

– Houlà…

Je reculai et me mis à réfléchir à toute allure. Je me dis que c'était normal, car certains animaux avaient dû s'échapper du parc animalier du Monde sauvage, tout en essayant de me rappeler si on nous avait dit à l'école comment réagir en cas de rencontre impromptue avec un lion. Mais bien sûr que non ; les professeurs étaient bien trop occupés à nous apprendre des trucs très utiles comme les capitales d'État.

– La capitale de la Floride est Tallahassee, récitai-je au lion, dont je m'écartais à petits pas. Sa boisson officielle est le jus d'orange.

Le lion lâcha un grognement et, se baissant quelque peu, se mit à me filer. Oui, me « filer ». C'est vraiment le mot qui convient. Je suis certaine qu'il n'a été inventé que pour les lions ; tout ceux qui l'utilisent dans un autre contexte s'en servent bien mal.

– Je n'ai sûrement pas bon goût, lui dis-je, m'approchant du coin d'une boutique. Tu aurais du mal à me croire si je te disais ce que j'ai mangé récemment.

Le lion remua avec impatience son arrière-train, puis il se ramassa sur lui-même, comme pour se préparer à bondir. C'est à cet instant que je me mis à courir.

Jamais je n'avais couru si vite. Mes inspirations étaient si violentes que j'avais l'impression qu'on m'enfonçait des aiguilles dans la poitrine. Je zigzaguais de tous côtés, autour des réverbères, entrant et sortant aussitôt des ruelles, en espérant que cela ferait la différence. Peut-être les lions perdaient-ils leur talent de chasseur quand leur proie se cachait derrière une boutique de cadeaux ? J'entendais ses pattes rondes qui martelaient le sol dans mon dos, ainsi que le souffle de sa respiration. Je me fis la réflexion que si je cherchais la preuve que j'avais perdu la tête, j'aurais pu m'y prendre beaucoup moins bien qu'en me disant que j'étais poursuivie par un lion dans les rues désertes du Royaume de la Souris joyeuse.

Je fis le point sur ce dont je disposais : des biscuits dans la poche de mon treillis, un appareil photo et un paquet de Ding-A-Lings au chocolat dans la sacoche de l'appareil photo, une poire à jus qui crachait des bulles sonores quand on appuyait dessus et ma clé de voiture (qui, à moins que je veuille graver « prout » sur le flanc du lion, n'allait pas beaucoup m'aider).

Passant près d'un arbre, je bondis en visant sa branche la plus basse et m'y hissai. Soudain, je sentis comme une traction ; griffes sorties, le lion avait attrapé la lanière de mon sac et tirait vers le bas.

Je me mis à hurler et à taper du poing sur sa patte. Je réussis à sauver l'appareil photo mais la lanière du sac céda, ce qui m'obligea à l'abandonner au lion. Je ne perdis pas un instant pour grimper plus haut dans l'arbre, de branche en branche.

Le lion, lui, s'intéressa à mon sac, qu'il renifla avant de dévorer mes Ding-A-Lings.

– Les lions ne grimpent pas aux arbres, pas vrai ? dis-je en reprenant mon souffle. (J'avais fait un tel effort que je voyais des papillons partout.) C'est plutôt les léopards. Ou les panthères. Oui, c'est ça, les léopards et les panthères.

Quand il eut terminé son casse-croûte, le lion leva la tête vers moi. Il fit le tour de l'arbre, puis il se dressa sur ses pattes arrière et plaqua son corps contre le tronc, plongeant profondément ses griffes dans l'écorce.

– Les lions ne grimpent pas aux arbres ! lui hurlai-je.

Bénéficiant à présent d'une vue imprenable sur lui, je constatai que ses épaisses côtes étaient très saillantes sur sa peau au poil raide. Je ne suis pas experte en lions, mais cela ne m'empêcha pas de voir qu'il avait les yeux creusés et les pattes très fines. En un mot, il était vieux et affamé.

– Je suis désolée… Je suis désolée, mais tu ne peux pas me manger.

Il reposa les pattes par terre, sans me quitter du regard. Je n'avais pas envie de me servir de la poire à jus car, si ses bulles préviendraient Oh et lui diraient où je me trouvais, elles alerteraient également tous les autres Boovs des environs. En regardant autour de moi, je me dis qu'il était certainement possible de ramper jusqu'au bout d'une branche et, de là, sauter sur le toit de la Maison hantée.

Le lion poussa un gémissement.

– Je n'ai rien de mieux à t'offrir, lui dis-je en lui lançant mes biscuits au fromage. J'ai vu un paon près du cadran solaire, si tu aimes ce genre de bestioles.

Il renifla les biscuits, puis il les avala, emballage compris. De mon côté, progressant difficilement le long d'une branche, puis d'une autre, je finis par sauter sur le toit du bâtiment que je visais. Quelques acrobaties me permirent d'atteindre une fenêtre ouverte, par laquelle je me glissai à l'intérieur, non sans avoir au préalable écarté le squelette appuyé sur le rebord.

L'obscurité y régnait, évidemment, et l'air était épais, oppressant. Il n'y avait pas de véritables pièces mais simplement une sorte de passerelle. Regarder vers le bas pour tenter de distinguer le décor élaboré de la Maison hantée était inutile ; vu la visibilité à peu près inexistante, cela aurait aussi bien pu être un gouffre sans fond. Seuls quelques rayons de lune se glissaient ici ou là, par une fenêtre ou un interstice, baignant les ténèbres d'une faible clarté bleutée.

Tâtonnant des pieds sur la passerelle, je cherchais un moyen d'en descendre. D'étranges silhouettes se dressaient devant moi de tous les côtés. Dans l'obscurité, la moindre sangle et le moindre ressort avaient des allures de plante grimpante ou de serpent, et chaque spot suspendu au plafond me semblait être l'œil unique d'une chauve-souris borgne. Tout cela aurait pu être effrayant si j'avais été du genre à avoir peur. J'étais un peu à bout de souffle et nerveuse, à vrai dire, mais je crois que c'est normal après avoir beaucoup couru sans avoir bien mangé avant.

Enfin, bref.

Je trouvai le chemin qui menait au sol en manquant de peu de tomber de la passerelle. Il y avait en fait une sorte de tube ouvert formé de cerceaux et de lamelles métalliques qui longeait un mur. Et, à l'intérieur, une échelle.

Comme je pensais qu'il n'y aurait plus de barreaux quand j'atteindrais le niveau du sol, je descendis sans réfléchir, jusqu'au moment où je pris conscience que ça commençait à faire longtemps que je descendais. Trop longtemps. En regardant autour de moi, je ne voyais rien. Mais vraiment rien du tout. En fait, on ne sait pas vraiment à quoi rien du tout peut ressembler, parce qu'il y a toujours une source lumineuse quelque part, qui filtre sous une porte ou par une fissure de fenêtre. Mais là, j'étais plongée dans une obscurité aussi noire que la mort.

Une obscurité « qu'on-n'y-voyait-pas-sa-main-devant-son-visage-je-le-jure-sur-la-tête-de-Dieu ». (Pardon pour mon langage.)

Au bout d'un moment, je crus avoir atteint le fond car, en tendant la jambe, je ne trouvai pas le barreau suivant. Aha ! Le sol devait être juste en dessous. Je tendis un peu plus la jambe quand, soudain, la portion d'échelle sur laquelle je me trouvais glissa vers le bas, comme une échelle de pompiers coulissante. Mon estomac fit un saut périlleux, puis encore un quand l'échelle buta sur quelque chose, dans un grand bruit de métal heurtant du métal. Mon échelle en avait en fait rejoint une autre, ce qui me fit me demander si cette descente se terminerait un jour.

Le plus intelligent aurait été de faire demi-tour, de remonter jusqu'à retrouver la fenêtre, mais je repensai alors à une ligne du message secret :

RENDEZ-VOUS SOUS LE CHÂTEAU

ce qui me fit m'interroger. *Était-ce cela qu'ils voulaient dire ? Suis-je dans un souterrain ?*

Cela ne semblait pas si fou, si j'y réfléchissais. Les employés du Royaume de la Souris joyeuse disposaient peut-être de tunnels leur permettant d'aller d'un endroit à un autre sans déranger les clients. Il y avait peut-être même un petit métro par ici, ou quelque chose comme ça, qui pouvait me conduire au château de la Reine des Neiges.

Je poursuivis donc mon chemin. La portion d'échelle descendue de façon si inattendue remonta dès que je l'eus lâchée. Je descendis encore sur cinq mètres, peut-être dix, avant de ne plus trouver le barreau suivant, comme précédemment. Cette fois, je posai le pied sur un sol en ciment bien solide, puis je m'éloignai de l'échelle.

Les deux bras tendus devant moi et décrivant lentement de grands arcs, comme si j'essayais de nager, je touchai des choses autour de moi. Des choses étranges. D'abord quelque chose dont j'espérai que c'était un tuyau enroulé, puis autre chose, peut-être une éponge, avec un peu de chance. Je palpai également une étagère remplie de bouteilles en plastique, et peut-être aussi des seaux, ainsi qu'un truc mou qui me fit l'effet d'être la matière la plus écœurante de la planète mais qui se révéla plus tard n'être qu'un sandwich.

Puis je sentis la cage. *Autour* de moi. J'étais piégée dans une cage grillagée qui devait mesurer deux mètres sur trois. Et je ne sentis aucune ouverture. Et voilà. Ils m'avaient attrapée. Après quelques secondes de panique, je me dis que si les Boovs voulaient capturer quelqu'un, il existait sans doute un moyen plus simple que d'espérer qu'une proie découvre un message codé qui l'inciterait à se rendre dans un parc à thème situé à quelque chose comme cent cinquante kilomètres de là, et où elle serait pourchassée par un lion jusque dans un arbre, duquel elle sauterait sur un toit avant de descendre une échelle menant directement à une cage qu'ils pouvaient remonter quand bon leur semblait. Je me remis donc à explorer les environs à l'aveuglette, si bien que je finis par trouver une étagère remplie de lampes de poche.

Les deux premières que j'essayai fonctionnaient et me permirent de me rendre compte que j'étais enfermée dans une réserve qui contenait principalement des produits d'entretien. Les seaux étaient bien des seaux, et le truc écœurant, un sandwich au beurre de cacahuète pourri. Il y avait également une porte d'un côté. Je glissai une lampe dans ma ceinture et vidai toutes les autres de leurs piles, que j'enfouis dans ma poche. J'attrapai ensuite un spray de nettoyant pour vitres, car tenir quelque chose avec lequel je pouvais tirer me rassurait.

Puis je sortis par la porte. Très loin dans les hauteurs était suspendue une forme massive. Le faible éclairage de ma lampe me permit tout de même de repérer des volets, des fenêtres et des morceaux de toit. Des pièces de rechange pour la Maison hantée qui se trouvait au-dessus, estimai-je. J'étais entourée d'obscurité, même en braquant le faisceau de ma lampe. Les murs de cette salle étaient trop distants, ou peut-être n'y avait-il pas du tout de murs. Progressant régulièrement, je finis par éclairer une petite chose trapue dans un coin. On aurait dit un moteur, ou un morceau de moteur de tondeuse à gazon, mais je fus très vite à peu près certaine qu'il s'agissait d'un groupe électrogène. Avec un peu de chance, il y avait de l'essence dans le réservoir. Je cherchai le cordon de démarrage et, quand ce fut chose faite, tirai dessus. La chose frissonna ou toussa, pourrait-on dire. Je fis une deuxième tentative. Puis une autre. Mon quatrième essai fut le bon ; le groupe électrogène revint à la vie dans un grognement. Tout autour de moi, des lumières s'allumèrent, clignotantes ou vacillantes.

Je l'aperçus très vite.

La Maison hantée. Suspendue à l'envers. Au plafond. Je me trouvais dans une énorme salle, mais vraiment énorme, de la taille d'un demi-terrain de football, au milieu de laquelle la Maison hantée était accrochée à l'envers au plafond.

Elle était parfaite, jusqu'au moindre détail : les volets brisés, la girouette tordue et même un faux chat noir qui poussait en silence un cri perçant sur le perron. Sur le plafond s'étendait une petite surface de faux gazon et de fausse boue, avec des pierres tombales et des arbres secs pendus comme des stalactites. Ou comme des stalagmites, je ne sais jamais.

Stupéfaite, je m'assis brusquement à même le sol. Comment savoir si j'étais devenue folle ou pas ? Existait-il un test sanguin pour ça ? Ou fallait-il faire pipi dans un flacon ? Un jour, je suis tombée de vélo, et je suis restée un long moment par terre. Les gens venus m'aider ne voulurent pas me laisser me relever avant l'arrivée d'une ambulance. Une fois sur place, les urgentistes me demandèrent qui était le Président, dans quel État j'habitais et combien faisaient trois fois sept. Satisfaits quand j'eus bien répondu à leurs questions, ils me demandèrent comment je m'appelais. Je répondis « Gratuity » ; ils ne me permirent de me lever que quand je leur eus assuré que mon vrai prénom était Janet.

Tout ça pour dire que là, sous la Maison hantée, je procédai à de nouveaux tests. Seulement le Président n'était plus président et je n'avais plus de chez-moi. Mon prénom, lui, n'avait pas changé. Résoudre une multiplication ne me posa aucun problème, néanmoins je décidai de rester par terre un moment, à regarder le toit de la Maison hantée, comme si j'étais en train de voler.

Finissant par avoir envie de voir autre chose, je considérai la salle aux allures de caverne, qui n'était pas tout à fait rectangulaire mais pourvue à chaque extrémité de vastes renfoncements, un peu comme des ailes, comme une piste de snowboard géante. Et de chaque côté, il y avait des portes sur lesquelles brillaient des inscriptions. L'une disait :

PAS DE TIR DU SAUTE-GRENOUILLE
TOONTOPIA
LA MACHINE À EXPLORER LE TEMPS
D'ABRAHAM SUPERLINCOLN

et une autre :

MONTAGNES RUSSES EN BONBON DANS LES ROCHERS
MODULE LUNAIRE DE GALAXANDRE

Je n'avais pas de temps à perdre avec ces attractions. L'inscription qui m'intéressait vraiment se trouvait sur la troisième porte :

L'EXTRAGRAMAIRORDINAIRE VOCABUTRAIN
DE MONSIEUR SCHWA
CHÂTEAU DE LA REINE DES NEIGES

La deuxième attraction, bien sûr, pas la première.

Je n'avais pas vraiment envie de partir sans avoir au moins un peu compris pour quelle raison la Maison hantée, ou en tout cas une maison hantée, était ainsi suspendue aux poutres du plafond. Il y avait forcément un panneau quelque part, avec des explications, mais j'avais à faire. Oh devait commencer à se faire du souci. J'ouvris doucement, sans un bruit, la porte qui menait au château, puis laissai derrière moi le mystère de la Maison hantée et le bourdonnement du groupe électrogène.

J'aurais eu tort de m'attendre à trouver quelque chose d'extraordinaire de l'autre côté de la porte. Je ne débouchai que sur un couloir plongé dans l'obscurité, ce qui me contraignit à rallumer ma lampe de poche. Je fis régulièrement passer le faisceau d'avant en arrière et vice versa, afin d'éviter toute surprise. Le couloir s'incurva légèrement sur la droite, je passai devant une porte qui donnait sur l'attraction de Monsieur Schwa, puis le couloir obliqua de nouveau, cette fois vers la gauche. Enfin, j'aperçus de la lumière. Quelque chose émettait une lueur orangée plutôt douce, un peu plus loin. J'éteignis ma lampe et remarquai le contour d'une autre porte, une quinzaine de mètres devant moi.

Brandissant mon spray de nettoyant pour vitres, le doigt sur la détente, je repris lentement ma progression. J'entendis des voix. Des rires. Curieusement, même quand on ne comprend rien à ce qui se dit, il est facile de reconnaître une voix humaine, et même généralement de préciser qu'elle s'exprime en anglais. Quelque peu rassurée, je tendis le bras vers la poignée de la porte. Soudain, je sentis quelque chose contre ma chaussure, quelque chose qui parut s'étirer, un peu comme un élastique. Au moment où je compris ce que je venais de faire, un énorme fracas de boîtes de conserve et de cuillers se déclencha le long des parois du couloir.

Je ne vais pas écrire ici les mots qui m'échappèrent sur le moment.

La porte s'ouvrit à la volée vers le couloir, ce qui me fit reculer d'un petit bond. Une silhouette sombre s'avança vers moi ; ma réaction fut de l'asperger, plus ou moins accidentellement, à hauteur de ce qui devait être sa tête.

– Aïe ! Aaaaaaaaïeuuuuh ! s'écria la silhouette.

En l'éclairant avec ma lampe, je me rendis compte que ce n'était qu'un enfant, un garçon de neuf ou dix ans.

– Aaaaaaaïeeeuuuuuuh ! gémit-il de nouveau, en se tamponnant le visage.

J'entendis du bruit de l'autre côté de la porte. Très vite d'autres garçons rejoignirent le premier ; six, puis sept, et même huit. Ils me dévisagèrent comme s'ils n'avaient jamais vu une métisse équipée d'une lampe de poche.

– Je suis désolée, c'était un accident, m'excusai-je.

Je tombe enfin, au bout de trois jours, sur un humain, et je lui envoie de l'ammoniaque dans les yeux…

– Il m'a fait peu… il m'a fait sursauter ! repris-je. C'est le genre de chose qui arrive quand on surgit d'un coup comme ça, vous savez.

– T'es qui, toi, bon sang ? me demanda l'aîné de la bande.

D'environ mon âge, il avait un visage crasseux et des boucles blondes sales. Je découvrirais plus tard qu'il avait tendance à jurer très souvent. Je n'aime pas beaucoup ça, personnellement, alors à partir de maintenant je mettrai « bip » quand il dira une grossièreté.

– C'est les Boovs qui t'envoient ? insista-t-il.

Deux garçons guidèrent celui que j'avais aveuglé dans la pièce, où l'on ne m'invita pas à entrer, ce qui ne m'échappa pas.

– Les Boovs… ? Bien sûr que non ! Pourquoi est-ce que… ?

– C'est sûrement une *bip* d'espionne, déclara le blond. Ce n'est peut-être même pas une fille, elle a l'air bizarre.

– Ah oui, j'ai l'air bizarre ? C'est ça. Tu es au courant que toi, tu as une cacahuète collée sur le menton ?

– La ferme, *bip* ! Tu n'as pas le droit de parler !

– Et tu sens la glace, aussi.

Il fit mine de se jeter sur moi mais fut retenu par son voisin de gauche, un garçon plus petit que lui. Quant à moi, je reculai d'un pas et brandis mon spray de nettoyant pour vitres.

– Recommence et je te lave la figure ! lui lançai-je.

S'ensuivit un moment de silence. Ils regardaient tous Bouclettes, comme s'ils attendaient ses ordres. Ce fut pourtant le garçon plus jeune, celui qui le retenait, qui prit la parole :

– Rentrons, on y verra mieux.

– Non ! objecta Bouclettes. Les filles sont interdites !

– Vous rigolez ou quoi… intervins-je.

– Je n'ai pas dit qu'elle devait faire partie de la bande, reprit l'autre garçon. Je dis seulement qu'on devrait retourner à l'intérieur. (Personne ne réagissant, il poursuivit :) Avec de la lumière, on verra plus facilement si c'est un Boov déguisé en fille.

– Ouais, bonne idée, dit Bouclettes. On rentre !

Ce que nous fîmes. Bouclettes se posta derrière moi, comme s'il était mon garde du corps. La porte s'ouvrit sur une immense salle, plus volumineuse encore que celle que j'avais explorée. Sachant cette fois à quoi m'attendre, je ne fus pas vraiment surprise de découvrir le château suspendu à l'envers, au centre du plafond. Ce château-là était complet et parfait ; les Boovs ne l'avaient pas touché. J'aurais pu rester indéfiniment à contempler les lueurs dansantes qui illuminaient chaque brique, sans parler de la tour de glace.

– Hé ! Interdiction de prendre des photos ! cria Bouclettes, toujours dans mon dos.

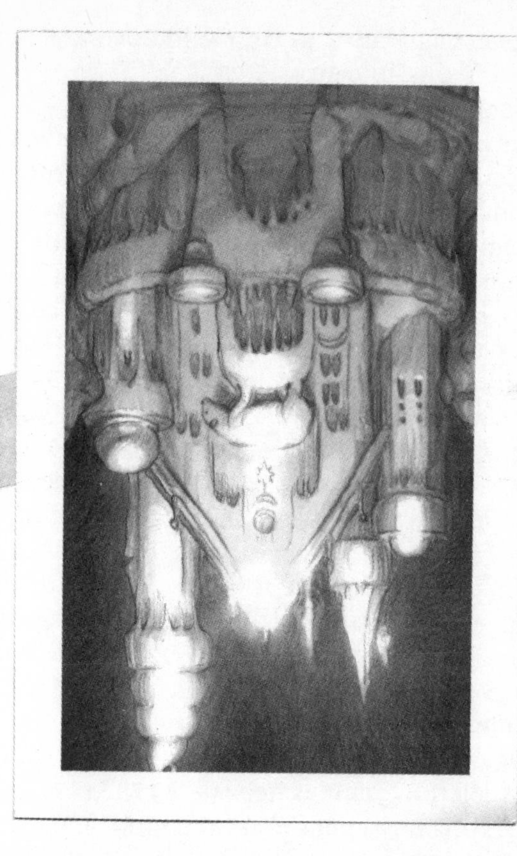

Derrière lui, dans un coin, quelques bougies étaient disposées en cercle, près d'un petit réchaud de camping, le tout entouré de caisses et de chaises. Les garçons s'installèrent. Il n'y avait pas de siège pour moi. Comme je n'avais pas l'intention de m'asseoir par terre, je restai debout.

– Vérifiez si elle n'a pas une fermeture Éclair dans le dos, ordonna Bouclettes.

Deux garçons s'approchèrent de moi, puis hésitèrent lorsqu'ils virent la tête que je faisais.

– J'ai vu un graffiti qui me disait de venir ici, expliquai-je. Donc je suis venue. Je m'appelle Gratuity. Et mes... amis m'appellent Tif.

– Tif ! beugla Bouclettes, riant comme un âne, et aussitôt imité par quelques-uns de ses compagnons. C'est vraiment un *bip* de nom, ça !

– En tout cas, jamais tu ne m'appelleras comme ça, espèce de gros…

– Je m'appelle Christian, m'interrompit le garçon qui avait retenu Bouclettes dans le couloir.

Il avait les cheveux et la peau couleur caramel, comme s'ils étaient faits de la même matière. Tous les autres me dévisageaient depuis leur siège, à l'exception de celui que j'avais aspergé, qui rinçait son visage rougi avec de l'eau. Ses yeux ressemblaient à des cerises.

Ils se présentèrent les uns après les autres. Il y avait là Tanner, Juan, Alberto, Marcos, Jeff, Yosuan et Cole. Enfin, il me semble que c'est à peu près ça. Ils avaient tous entre huit et treize ans. Bouclettes, lui, ne me donna pas son prénom.

– Qu'est-ce que tu fais ici ? me demanda Christian. Pourquoi tu n'es pas partie avec tous les autres, à bord des fusées ?

– J'ai préféré venir ici en voiture.

– Menteuse, cracha Bouclettes.

– De toute façon, les fusées étaient censées déposer leurs passagers ici, non ? Où sont passés tous les gens ?

– En Arizona, m'apprit Christian. Les Boovs ont décidé de garder la Floride pour eux.

En Arizona… Je n'en revenais pas.

– Mais… ils nous ont promis la Floride ! Ils nous ont promis qu'elle serait à nous pour toujours !

Bouclettes ricana, ce qui me fit d'un coup me sentir un peu idiote. Et naïve.

– C'était avant qu'ils découvrent les oranges, expliqua Tanner. Les Boovs adorent les oranges.

– Alors ils ont fait remonter tous les humains dans les fusées et les ont envoyés en Arizona, conclut Christian.

– Ils font aussi pousser des oranges en Arizona, fit remarquer Yosuan.

– *Bip*, dit Bouclettes. Rien ne pousse en Arizona. C'est un désert.

– Non, répondit tranquillement Yosuan. Ma grand-mère habite là-bas.

Entendre parler d'une grand-mère me fit penser à Oh en train de manger du fil dentaire.

– Attendez, attendez ! m'exclamai-je. Des oranges ? Les Boovs mangent des oranges ?

– Non… dit Yosuan, les yeux plissés. Ils les portent sur eux, surtout, il me semble.

Un nouveau silence s'installa entre nous, que Bouclettes rompit par un bruit très vulgaire.

– Bon, lequel d'entre vous est Néné ? leur demandai-je.

Ils se mirent presque tous à glousser nerveusement, surtout les plus jeunes.

– NÉNÉ est un… acronyme, m'expliqua Christian. Il correspond aux initiales de Nous tous…

– « Nous tous » ! l'interrompit Bouclettes. Pas « Nous tous et toutes » ! Pas de filles ! Et pas de photo !

– Le graffiti que j'ai vu s'adressait aux « humains » en général, répliquai-je, le fusillant du regard.

– C'est parce que Marcos a *bip*.

Marcos tressaillit.

Christian reprit, comme si tout le monde l'écoutait :

– « Nous tous Ensemble Nuirons aux Extraterrestres ».

– Ça ne devrait pas donner NTENAE, dans ce cas ?

– On avait vraiment envie que ça fasse NÉNÉ, avoua Marcos, ce qui fit de nouveau glousser les plus jeunes.

Christian, lui, parut affligé.

Christian Bouclettes les garçons du NÉNÉ

– D’accord. Et qu’est-ce que vous faites ?

– Qu’est-ce qu’on fait ?

– Oui. « Nous tous Ensemble Nuirons aux Extra-terrestres », c’est bien ça ? Alors, que faites-vous pour les combattre ?

– Les combattre ? dit Marcos, sous un ricanement d’incrédulité général. Tu as vu leurs pistolets ?

– On… on les empêche de nous capturer, dit quelqu’un. On ne les laisse pas nous dire où aller. C’est comme ça qu’on les combat.

– On mange de la glace et des saucisses sur bâtonnet périmées, et on habite au Royaume de la Souris joyeuse ! ajouta un autre garçon. S’ils savaient, ils seraient furieux !

Ils hochèrent tous la tête, en se lançant des choses comme « Ouais, on leur en met plein la vue » ou « Ils ne peuvent pas nous forcer ». Christian me parut quelque peu déçu. Il pensait sans doute la même chose que moi. Quelle révolution ridicule !

Les murmures cédèrent la place à un silence gênant, aussi écrasant que le château suspendu au plafond.

– Et à part ça, pourquoi y a-t-il des châteaux et maisons à l’envers sous terre ?

– Ha ! Quelle *bip* ! Tout le monde sait ça.

– Tu ne le savais pas toi-même il y a encore trois semaines, rappela Christian à Bouclettes.

– Trois semaines ? Ça fait trois semaines que vous êtes ici ?

– Pour quelques-uns d’entre nous, oui, me répondit Christian. Moins pour certains, et plus pour d’autres. Alberto et moi, nous sommes ici depuis cinq mois.

Cinq mois. Soit depuis le début de l’invasion.

– Nos parents travaillaient ici, précisa Alberto. C’est pour ça qu’on… qu’on connaissait le sous-sol… et…

Alberto fondit soudain en larmes. Le visage crispé, il se mit à lâcher de gros sanglots sonores, qui résonnèrent dans toute la salle.

– C’est reparti, *bip*. T’es vraiment un *bip*, Alberto.

Me demandant ce que j’avais bien pu faire pour provoquer ces pleurs, je me tournai vers Christian, en quête d’aide, mais il se contenta de reprendre le récit.

– Nos parents travaillaient ici. Le père d'Alberto et ma mère. Tous les bâtiments existent en double, en tout cas les plus gros. Pendant la journée, ils nettoient celui qui est au sous-sol, repeignent ce qui doit être repeint, réparent des trucs, ce genre de choses. Puis, au milieu de la nuit, tout bascule.

– Tout bascule ? Que… Attends, tu plaisantes ? Tu veux dire qu'ils retournent tous les bâtiments ?

– C'est ça. Les propres repassent à l'endroit, à la surface, tandis que les sales vont sous terre pour être nettoyés.

– Hmm…

Alberto renifla et s'essuya le visage du dos de la main. J'étais triste pour lui ; c'était un des plus jeunes.

– Nous sommes venus nous cacher ici quand les extraterrestres sont arrivés, ajouta Christian. Car nos parents étaient partis.

– Partis ?

– Disparus. La veille de Noël.

Alberto se remit à pleurer.

– La veille de Noël, répétai-je, n'en croyant pas mes oreilles.

Christian dut penser que je doutais de ses paroles.

– Crois-moi ou pas, comme tu veux, mais oui, ils ont disparu la veille de l'invasion. Ils en savaient trop, j'imagine, alors les Boovs les ont tués.

– Je te c…crois, bégayai-je. Ma mère a elle aussi été prise.

– Quelle *bip* de menteuse ! lâcha Bouclettes. Pourquoi est-ce que tu mens tout le temps ?

Christian et Alberto m'écoutaient. Et tous les autres aussi.

– Prise ? dit Christian. Enlevée, tu veux dire ?

– Oui. Pas tuée. Vos parents ne vous ont pas dit avoir été kidnappés avant ? Plusieurs semaines auparavant ?

– Non, répondit Alberto, l'air abattu.

– Si, enchaîna Christian. C'est ça ! Ma mère m'a parlé d'un rêve bizarre, dans lequel des extraterrestres l'avaient enlevée et forcée à coudre des taies d'oreiller.

Bouclettes s'esclaffa.

– Ce n'était pas un rêve, à mon avis, poursuivit Christian. Les extraterrestres qu'elle m'a décrits ressemblaient exactement aux Boovs.

– Non, ce n'était pas un rêve, confirmai-je en souriant, ravie d'avoir de bonnes nouvelles à annoncer. Ta mère a vraiment vécu cette expérience. Et ton père aussi, Alberto, j'en suis certaine. Il n'a simplement pas voulu en parler, ou alors il ne s'en souvenait plus. Ils ont seulement été enlevés pour permettre aux Boovs d'apprendre notre langue. Ma mère en parlait deux, je pense que c'est pour ça qu'elle a été choisie. Nous sommes d'origine italienne.

J'eus droit aux regards étonnés habituels quand je dis ça.

– Ma mère est blanche, ajoutai-je.

– Mon père parlait portugais ! dit Alberto, qui avait meilleure mine. Et moi aussi, un peu.

– Ma mère parlait… parle espagnol, dit Christian. Tu penses qu'ils vont bien, alors ?

– Je sais de source sûre qu'ils sont en sécurité avec tous les autres.

– Ah ouais ? intervint Bouclettes. De quelle source sûre ? Comment une stupide fille peut savoir ça ?

Je déglutis péniblement.

– Qu'est-ce que… ça change ? L'important, c'est que…

– L'important, c'est que c'est un Boov qui te l'a dit ! Parce que tu es une *bip* d'espionne boovienne !

Dire à Bouclettes qu'il avait à la fois raison et tort n'allait pas beaucoup m'aider.

– Pour la dernière fois, je ne suis pas une espionne ! Je suis en surface depuis cinq mois. Et j'ai beaucoup bougé. C'est comme ça qu'on apprend des choses.

Comme prendre un Boov fugitif en stop, par exemple.

– Mon père n'est peut-être pas mort, mais maintenant il est en Arizona ! se lamenta Alberto, qui reniflait de nouveau. Je ne sais même pas où c'est !

Il se remit bientôt à pleurer, ce qui fut trop pour moi. Ses pleurs étaient aussi contagieux qu'un bâillement. Je fis donc ce que je ne voulais pour rien au monde faire devant les Nous tous Ensemble Nuirons aux Extraterrestres : le visage soudain surchauffé, je me mis à verser des larmes, comme si j'étais malade. J'avais le cœur gros depuis cinq mois, je n'en pouvais plus.

– Regardez ça ! s'écria soudain Bouclettes. Tout se confirme.

J'avais tourné le dos aux bougies disposées en cercle. Délaissant le château renversé, j'étais concentrée sur le coin le plus sombre de la salle, afin de cesser de pleurer. Comme je cherchais alors à oublier tout ce qui risquait de me rappeler ma situation du moment, tant morale que physique, j'entendis à peine ce que disaient les garçons.

– Qu'est-ce qu'elle a dans le dos ? lança l'un d'eux.

– Une fermeture Éclair, répondit Bouclettes.

Je me raidis, le souffle court, et tentai de comprendre de quoi il voulait parler. Mais impossible.

– Non… ce n'est pas… dit quelqu'un. Ce n'est quand même pas…

Quelques garçons s'approchèrent de moi.

– Si ! cria Bouclettes. C'est une abeille !

– Une abeille ? murmurai-je pour moi-même.

Tout le monde parlait fort et précipitamment, à présent.

– Bon, eh bien chassez-la de mon dos, dis-je en séchant mes larmes. Je ne suis pas allergique, de toute façon.

Christian vint se placer devant moi pour me regarder. Je compris tout en considérant son visage, avant qu'il ne dise un mot.

– Pas ce genre d'abeille, dit-il.

Oh… Une abeille de Boov. J'imaginai son corps argenté accroché à mon sweat-shirt, prêt à éclater et à me brûler la peau.

– Ça prouve que c'est une *bip* d'espionne ! Pourquoi porterait-elle une abeille sur elle, sinon ?

Ils avançaient tous vers moi. Christian se plaça entre eux et moi.

– Attendez un peu, ça ne… ça ne prouve rien, dit-il d'une voix dans laquelle je perçus de l'incertitude. Ils ont peut-être… ils ont peut-être placé cette abeille sur elle pour la forcer à descendre…

– Je vous jure que je ne sais pas pourquoi j'ai ce truc dans le dos ! m'écriai-je. Je ne travaille pas pour les Boovs ! Je n'en ai pas vu depuis des jours.

C'était sans doute le pire moment pour que Oh surgisse en courant dans la salle, en criant mon nom.

– Gratuity ! Gratuity ! lança-t-il, jaillissant soudain des ombres. Il faut saisir la fuite, Gratuity ! Il faut… Oh, bonjour, garçons humains.

Les membres du NÉNÉ s'éparpillèrent comme des pigeons, bousculant bougies et caisses. Alberto se remit à pleurer. Seuls Christian et Bouclettes restèrent près de moi.

– *Bip*… murmura Bouclettes.

– Oh ! Qu'est-ce que tu fiches ici ? Pourquoi est-ce que j'ai une abeille dans le dos ?

– Aha ! Vous voyez ? dit Bouclettes. Ils se connaissent ! J'avais raison !

– Non ! Tu te trompes, ce n'est pas ce que tu crois.

– Attrapez-les, les gars du NÉNÉ ! ordonna Bouclettes.

Il ne restait plus personne pour lui obéir, à part Christian.

– Qu'est-ce que c'est que ça ? lâcha ce dernier.

– C'est Oh… Un Boov. Il n'est pas dangereux, les autres Boovs le détestent. C'est un peu un… un criminel, pour eux.

Je ne suis pas certaine d'avoir choisi les bons mots. Vous auriez dû voir sa réaction.

– Il fuit les autres Boovs ? demanda Christian.

– Oui ! répondit Oh. Oui ! Et ils arrivent ! Ils ont trouvé notre voiture, alors je m'ai enfui. J'ai conduit comme un champion mais ils vont bientôt arriver !

– Et alors ? dit Bouclettes. Ligotons-le et abandonnons-le ici. Les Boovs le trouveront et repartiront.

– Ne t'avise pas de… commençai-je, furieuse, avant de me reprendre et de m'adresser à Christian. Laissez-nous partir. Je m'assurerai qu'ils ne vous trouvent pas.

– Nous ? Nous ?! éructa Bouclettes, le visage aussi rouge qu'un bouton prêt à éclater. Tu préfères partir avec un *bip* de Boov plutôt que de rester avec tes semblables ?

– Maintenant que tu me le fais remarquer, c'est vrai que tu m'as si chaleureusement accueillie…

– Traîtresse ! Il t'a volé ta mère, mais tu nous trahis quand même !

Oh vint se tapir derrière moi, tandis qu'il me semblait entendre des bruits au-dessus de nous. Des voix. Des voix qui n'avaient rien d'humain.

J'agrippai Oh par le bras, réaction qui ne me marqua pas sur le moment, mais je me rendis compte un peu plus tard que c'était la première fois que je le touchais. Sans vouloir le frapper, je veux dire.

– Allez ! dis-je, en le tirant dans la direction par laquelle il était arrivé.

Bouclettes était en train de déverser un torrent de jurons.

– Non, dit Oh. On ne peut pas repartir par là, la patrouille est projetée à ma poursuite.

– Si on file par une autre issue, ils débarqueront ici et trouveront les garçons. Où est la voiture ?

– Cachée derrière beaucoup d'oiseaux dans un grille-pain.

– C'est le Manège des Macareux anglais, dit Christian, soudain apparu à nos côtés. Il y a un escalier qui y mène directement. Suivez-moi, je vais vous le montrer.

Je le remerciai d'un sourire, qu'il me rendit plus ou moins. Nous parvînmes non pas à un escalier, mais à une échelle, sur laquelle nous nous engageâmes lentement, car Oh n'était pas très doué pour cet exercice.

– J'ai une abeille dans le dos, lui dis-je.

– Une quoidonc ? (Puis il comprit à quoi je faisais allusion.) Ah oui, un bluzzer. Un drone de chasse. C'est moi qui l'ai mis là.

– Quoi ?! Tu veux me tuer ?

– Te tuer… ? Oh non, ne sois pas ridicumule. Ce n'est pas le modèle qui explore ; il m'a seulement dit où tu étais.

– Comme un GPS, murmura Christian.

– Oui, comme un gépétruc.

J'étais à la fois furieuse et honteuse. Oh ne m'avait pas fait confiance, c'est vrai, mais c'était justifié. Je n'ouvris plus la bouche jusqu'à notre arrivée au sommet de l'échelle, qui donnait sur un couloir.

– Prenez la deuxième à gauche, nous dit Christian. Puis la première à droite, et ensuite grimpez à la première échelle que vous verrez.

– Pourquoi tu ne viens pas avec nous ? lui demandai-je. Et avec Alberto ? Pour retrouver tes parents ?

Christian se retourna vers moi – j'étais incapable de deviner ses pensées – et se mordit la lèvre. Il regarda de nouveau devant lui, puis derrière nous.

– Non, dit-il enfin, en secouant la tête. Non, je ne peux pas. Je ne peux pas abandonner le Nous tous...

Je crus saisir ce qui le tourmentait ; s'il nous accompagnait, alors Bouclettes se débrouillerait pour se faire nourrir et cirer les chaussures par les autres avant une semaine.

– Mais... on peut quand même vous aider à filer, ajouta-t-il. Si vous croisez une certaine Marta Gonzales, en Arizona... dites-lui que Christian va bien. Dites-lui aussi qu'Alberto va bien, elle connaît son père.

Je lui promis tout cela, après quoi Oh et moi décampâmes sans même remercier Christian.

Je fonçai à travers les salles, traînant quasiment Oh derrière moi. Je me rendis compte à cette occasion que les Boovs n'étaient pas non plus très doués en course à pied, malgré leurs nombreuses jambes. À la deuxième intersection, j'entendis des voix, aussi éteignis-je immédiatement la lampe de poche. Ce qui ne changea rien.

– Ils nous ont vus ! s'écria Oh.

Nous nous trouvions dans un long couloir, au milieu duquel s'élevait une échelle. Et à l'autre bout, il y avait une patrouille.

– Allez, fonce ! lançai-je à Oh.

Nous nous élançâmes à toute allure vers l'échelle, ce qui, évidemment, nous rapprocha des Boovs. Ils étaient quatre et avaient eux aussi repéré l'échelle. Seul élément en notre faveur, ils ne couraient pas plus vite que Oh.

– Je n'arrive pas... à croire... que les Boovs... aient vaincu les humains ! soufflai-je, tout en le tirant par le poignet.

– Halte ! cria un membre de la patrouille, qui ajouta autre chose en boovien, certainement le même mot dans sa langue.

Peut-être savaient-ils que nous n'étions pas armés, car ils n'avaient pas dégainé leurs pistolets. Ils furent donc probablement surpris quand, alors que nous allions tous atteindre l'échelle en même temps, j'aspergeai les deux premiers avec mon nettoyant pour vitres.

– Bêêêêêêh ! crièrent-ils en se protégeant les yeux. Mu-nah-ah-ah-ah !

Ils s'immobilisèrent d'un coup, bloquant le couloir sur toute sa largeur, si bien que leurs camarades les percutèrent, tandis que je poussais Oh sur l'échelle. Je le suivis aussitôt, avec un Boov sur mes talons. Je tentai de l'asperger à son tour, malheureusement il ouvrit grande sa bouche en forme de couvercle de poubelle ; l'ammoniaque fila directement au fond de sa gorge et il l'avala comme si c'était du jus de fruits.

– Non, pas ça ! me cria Oh. Pourquoi tu les nourris ?

Au sommet de l'échelle, une trappe nous permit de retrouver l'air bleuté du petit matin. Le Boov qui me suivait tentait d'attraper mes chevilles, heureusement en vain à cause de ses minuscules bras de grenouille, mais il n'allait pas tarder à réussir.

Songeant à la poire à jus miniature, je la sortis de ma poche, l'orientai vers le bas et appuyai dessus. Un assourdissant cône d'immenses bulles collantes jaillit comme du champagne, aussi fort qu'un moteur d'avion. Les Boovs furent tous éjectés de l'échelle, et Oh et moi, projetés par la trappe comme des boulets de canon. Nous retombâmes sans douceur quelques mètres plus loin.

– Ça… ça n'est pas pour ça que c'est, dit Oh.

– Quoi ?

– Quoi ?

– Où est la voiture ?

– Quoi ?

Nous nous levâmes pour regarder autour de nous. Christian nous avait fait sortir assez près du Manège des Macareux anglais. *Pourvu que la voiture soit toujours là. Et que Porky soit toujours dedans.*

Nous nous élançâmes parmi un grand cercle de grille-pain dans lesquels se trouvaient des macareux. Les oiseaux installés dans une des deux fentes, le visiteur s'asseyait dans l'autre, et le manège tournait pendant que le ressort du grille-pain ne cessait de vous lever et de vous descendre. J'avais toujours détesté cette attraction.

Nous y étions presque et passions devant une statue de la Souris joyeuse, lorsque la tête et les bras de celle-ci se volatilisèrent. Je compris que les Boovs nous tiraient dessus.

– Couche-toi ! hurlai-je à Oh. Cache-toi !

Je le poussai à terre, derrière un bar, en me demandant s'ils allaient tout détruire.

– Qu'est-ce qu'ils font ? Qu'est-ce qu'ils font ? chuchotai-je.

Oh jeta un coup d'œil.

– Ils approchent lentement. Ils essaient de nous encercler. Ils croient peut-être que nous avons d'autres armes pour leur tirer dessus.

Si seulement c'était vrai. La voiture était très proche ; je la voyais, à présent, entre deux têtes de macareux.

– J'ai une bonne nouvelle et une pas bonne nouvelle, dit Oh.

– Quelle est la bonne nouvelle ?

– Je crois qu'ils veulent me capturer vivant.

– Et la mauvaise ?

– Je ne crois pas qu'ils veuillent te capturer vivante.

– Et si… Si on reste tout près l'un de l'autre, ils ne pourront pas tirer, dis-je à voix basse.

Pourquoi suis-je en train de murmurer ? me dis-je alors. *Ils savent où nous nous terrons.*

– Hé ! m'écriai-je. Hééééé !

Oh me regarda comme si j'étais devenue folle.

– Que… Mais qu'est-ce que tu… ?

Je poussai alors mon meilleur cri de film d'horreur. Oh et moi jetâmes ensemble un coup d'œil en nous penchant d'un côté du bar.

– Pourquoi tu as fait ça ? Pourquoiça ?

– Les lions. Ils ne savent pas bien grimper aux arbres mais ils ne sont pas sourds.

– Ah, dit Oh, en hochant la tête. Hmm… C'est une vieille expression humaine ?

Soudain, un Boov surgit à toute allure d'une allée, un lion à demi affamé à ses trousses.

– Ah ! Gros chat ! apprécia Oh.

– Chut ! Maintenant, on se tait !

Le Boov tirait sans interruption derrière lui, faisant disparaître des toits et des réverbères mais sans troubler le lion le moins du monde. Ils passèrent derrière un autre bar, duquel jaillirent trois autres Boovs, qui déguerpirent en un bêlement collectif.

Oh et moi en profitâmes pour nous faufiler entre les grille-pain, jusqu'à la voiture, en un seul morceau et dans laquelle Porky était dressé, les pattes avant sur une vitre.

– J'espère qu'il va s'en sortir, dis-je, tandis que nous nous installions en toute hâte sur les sièges avant.

Le lion avait plaqué un Boov à terre, et les autres se précipitaient pour aider leur camarade.

– L'autre patrouille va l'aider à combattre le lion, dit Oh.

Je parlais du lion, à vrai dire, mais décidai de me taire.

Fraîchissime pivota, puis je la guidai dans le parc, en une longue boucle jusqu'à l'entrée.

– On a réussi ! On leur a échappé !

– Non, dit Oh, qui regardait en arrière. Pas encore.

Dans le rétroviseur, je vis alors cinq vaisseaux qui s'élevaient derrière nous. Je lançai la voiture dans les rues de dessins animés, suivie par les vaisseaux booviens. Nous passâmes devant le Pédalo d'Hannibull Lee, à travers le bois d'Arbres-cigarettes et autour des Montagnes russes en bonbon dans les Rochers, puis fonçâmes droit vers le château en ruine de la Reine des Neiges. Fraîchissime fut alors secouée, comme si nous avions sauté sur un ralentisseur géant, puis se produisit un grincement sourd, comme si la planète se raclait la gorge ; les ruines basculèrent sous terre, tandis que le château entier faisait surface. Trois vaisseaux booviens se dispersèrent, mais les deux autres s'écrasèrent sur le château comme des boules de flipper – l'un fut réduit en morceaux et le second se fracassa sur un manège.

– Ha ! criai-je, alors que nous sortions du parc. Merci le NÉNÉ !

– Trois nous pourchassent encore, dit Oh.

Ils étaient tous les trois plutôt petits, peut-être de la taille d'un minibus, en admettant que les minibus aient une forme de hamburger. En dehors de cela, ils étaient assez dissemblables. L'un était pourvu d'une barbe de tuyaux, comme les gros vaisseaux, et d'une minuscule écoutille en forme de bulle en son sommet, tandis qu'un autre était équipé d'ailerons et couvert de petites bosses un peu partout. Quant au troisième, il avait comme des pare-chocs, avec de gros phares et un long tuyau à l'arrière, telle une queue. Tous trois gagnaient du terrain sur nous.

fig. 7c-e

– Ils sont plus rapides que nous ! m'écriai-je, en lançant la voiture par-dessus un tourniquet. C'est malin d'avoir transformé la voiture en flotteur qui se traîne, Oh !

– Appuie sur le bouton.

– Quoi ? Quel bouton ?

Les bolides booviens étaient désormais tout proches. Une sorte d'énorme griffe en plastique se déplia sous le plus avancé.

– Ben le bouton. Celui avec le serpent.

– Il n'y a pas de bouton avec un serpent…

– Bon, je vais le faire.

Il appuya sur l'allume-cigare. Fraîchissime accéléra aussitôt, si violemment que je fus écrasée contre mon dossier. Porky, lui, roula sur la banquette arrière dans un miaulement suraigu. Sauf erreur de ma part, le pot d'échappement cracha une flamme rose à ce moment-là.

– C'est quoi, ça ? criai-je, trouvant à peine la force de bouger la tête. Pourquoi tu ne m'en as pas parlé ?

– Pour les urgences. Pas un jouet.

Fraîchissime distançait maintenant assez nettement la patrouille.

– Je n'ai pas dit que c'était un jouet !

– Ce bouton soit fait aller vachement vite pendant trente secondes, soit fait tout éclater, expliqua Oh.

– Quoi ? dis-je, en le dévisageant.

À cet instant précis, le moteur pétarada une fois, puis une

autre, et le pot d'échappement souffla une épaisse fumée bleue qui nous fit comme une queue.

– Aaaaah ! Espèce de crétin de Boov !

– Non, ça va, il n'est rien de grave. Nous sommes seulement en panne de supercarburant.

En effet, la voiture perdait peu à peu de la vitesse. À travers une brume grumeleuse, j'aperçus la patrouille, toujours à nos trousses.

– Je peux peut-être les semer, dans cette fumée, hasardai-je, avant de m'engager sur la première bretelle de sortie qui se présenta.

Je fis passer Fraîchissime par-dessus le rail de sécurité et me glissai sous la passerelle. En vain. Deux des trois bolides réapparurent derrière nous.

Nous nous enfonçâmes dans les rues de la ville, qui au moins nous offraient un léger avantage, les engins booviens, plus massifs, étant plus difficiles à manœuvrer dans les espaces étroits. Cela me permit de les garder à distance, sans toutefois réussir à les semer. Or ça commençait à faire un bon moment que nous n'avions pas cloné d'essence.

– On est mal, dis-je. Si tu n'étais pas avec moi, on m'aurait déjà abattue.

– Non, c'est bon ! s'écria Oh, qui sautillait sur son siège en surveillant nos poursuivants. Ils s'éloignent !

Un coup d'œil dans le rétroviseur me le confirma. J'aperçus également autre chose, comme des points scintillants dans les airs.

– C'est quoi, ça ? demandai-je. On dirait des paillettes.

Nous les avions tous deux remarqués en même temps.

– Bluzzers ! s'écria Oh.

– Des abeilles !

Certainement le modèle explosif. Elles gagnaient très rapidement du terrain ; l'essaim miroitant était presque sur nous.

– Qu'est-ce qu'on fait ? Tu n'aurais pas... tu n'aurais pas quelque chose contre ça dans ta boîte à outils ?

– Non, rien, répondit Oh, blême.

Les abeilles étaient à présent si proches que je ne voyais rien d'autre dans le rétroviseur. Certaines s'étaient sûrement déjà posées sur le toit.

– J'ai une idée ! De l'aspirine !

– Quoilà ?

– De l'aspirine ! insistai-je, tendant la main vers Oh.

– Tu as mal à la tête ou…

– Mais non ! Je parle de… tu sais, un de ces… Oh, laisse tomber. Prends le volant !

J'étais déjà sur la banquette arrière, et la voiture, en train de zigzaguer, quand Oh fit ce que je lui demandais. Il s'installa d'un bond sur le siège conducteur, pendant que je farfouillais dans sa boîte à outils. Enfin, je dénichai un de ces petits trucs blancs, tout au fond.

– Quoipour tu… ?

– Maintiens le cap ! criai-je tout en baissant la vitre arrière.

Le vent me gifla violemment lorsque je sortis le haut du corps, tournée vers l'arrière. Je dus m'agripper à la portière pour ne pas être arrachée de la voiture, tandis que l'essaim me regardait avec ses milliers d'yeux minuscules.

Déjà plaquées sur le toit de la voiture, trois abeilles progressaient lentement vers l'avant, en quête d'un élément vital à détruire. La masse dense formée par les autres n'était pas très loin. Il me fallait attendre encore un peu, jusqu'à pouvoir toutes les avoir en même temps.

– Qu'est-ce que tu fais ? me lança Oh, dont la voix ne me parvint que très faiblement.

– Maintiens le cap, je t'ai dit !

Puis vint le bon moment. Elles étaient vingt… non, trente sur la voiture, et une centaine d'autres se préparaient à les rejoindre. Je leur lançai l'aspirine. Je compris instantanément que j'avais commis une erreur : il était impossible d'atteindre sa cible en lançant un objet si léger dans un tel vent. Alors que je visais le toit de la voiture, au centre de l'essaim, le comprimé s'éleva droit dans les airs. Au moment où je le pensais perdu, il heurta une abeille, avec un petit bruit métallique.

Une énorme boule de mousse se gonfla depuis cette chose et se développa jusqu'à toutes les engloutir. Elles se mirent à siffler et à crépiter, tandis que leurs corps brûlants s'agitaient, comme des anchois vivants piégés dans une énorme louche de la pire crème glacée jamais imaginée. Quand je sentis qu'elles ne se tortillaient plus, je frappai la boule de mousse du poing. Le froid m'agressa mais la boule se détacha du toit de la voiture et roula sur la chaussée. Enfin, je réintégrai l'habitacle.

– Ha ha ! brailla Oh. Rusée petite humaine !

Je me sentais bien mais j'avais un peu le tournis. Je rejoignis Oh à l'avant.

– Alors, on s'en sort ? lui demandai-je.

– Hmm, non, pas tellement. On va quitter la ville.

Il avait raison. Les routes s'élargissaient et les bâtiments rapetissaient. Les vaisseaux booviens auraient tôt fait de combler leur retard sur nous. En effet, en me tournant vers l'arrière, où le soleil se levait, j'aperçus leurs silhouettes qui grossissaient. Je me creusai la tête pour trouver un nouveau plan, hélas aucune idée ne me vint.

– Gratuity.

Je ne fis pas attention à Oh car, incrédule, je venais de voir les Boovs s'arrêter brusquement. Ils parurent même faire demi-tour et s'éloigner.

– Gratuity…

– Ils s'en vont ! m'écriai-je, aux anges. Ils en ont eu assez !

Remarquant que Fraîchissime ralentissait, je me tournai vers Oh et suivis son regard.

Il n'y avait plus de bâtiment autour de nous ; on ne voyait plus qu'une seule chose, une immense sphère violette dans les airs, aussi grosse qu'une planète et aussi visible qu'un bouton sur le nez du ciel. Le simple fait de la regarder donnait envie de renoncer.

– C'est… c'est à vous, ça ? demandai-je à Oh.

La sphère ne ressemblait pas vraiment à un bocal à poisson rouge, plutôt à une lune violette.

– Non, me répondit Oh. Pas à nous.

Fraîchissime s'étant immobilisée, Oh en sortit. Je le rejoignis sur le côté de la route. Porky ronronnait en se frottant contre nous mais j'avais à peine conscience de sa présence. Je m'assis dans l'herbe, hypnotisée par la chose.

– Est-ce que… Est-ce qu'il faut y aller ? Est-elle proche ?

Oh secoua la tête.

– Non, pas proche. Très grosse et très loin.

Sa surface semblait agitée de frissons mais c'était peut-être un effet de l'atmosphère. Un mirage.

– Tu ferais mieux de me dire ce que c'est.

– C'est un vaisseau gorg, me révéla Oh. Les Gorgs veulent s'emparer de Smekland. Les Boovs se battront, mais seront vaincus. Et… et ça… et tout ça à cause de moi.

Sa peau avait pris une teinte bleu pâle.

– C'est en rapport avec la ferme d'antennes ?

Oh acquiesça.

– Je leur ai envoyé un signal, sans fabriquer exprès. C'était un accident, en testant les antennes.

– Un puissant signal, alors.

– Oui, oui, trop puissant. Beaucoup trop puissant. Et pas correctement orienté. Quand j'ai compris où il était parti, dans quelle région du ciel, j'ai deviné que les Gorgs le capteraient. Mais j'espérais que non.

– Que disait-il ?

– Peu importe. Les Gorgs seraient venus de toute façon, dès qu'ils auraient appris l'existence d'un monde agréable à envahir.

Le vent sifflait à nos oreilles, chaud comme un bain brûlant, pourtant je dus faire un effort pour cesser de trembler.

– Il est énorme.

– Bêh… C'est leur plus petit modèle.
– Mais… que leur as-tu envoyé ? Les radios et les télévisions n'émettaient déjà plus rien.
– Juste une petite chanson. J'ai chanté un peu, pour voir si les antennes réussissaient à lancer cet air jusqu'à mon véhicule.
– Quel genre de chanson ?
– Une comptine. Pour les enfants.
– Et que dit-elle ?
– Hmm… ça ne va pas rimer, en langumaine.
– Ce n'est pas grave.
Oh réfléchit quelques instants.
– Alors, ça fait… ça fait… « Les Gorgs sont bêtes, bêtes comme du savon, et leurs femmes sont beaucoup trop grosses. »
– Ah, d'accord… dis-je, considérant l'énorme sphère violette.
– Le plus drôle, c'est que les Gorgs n'ont même pas de femmes.
– Tu aurais dû m'en parler. Tu m'as dit que les Boovs te recherchaient parce que tu avais fait une bêtise. Mais ça, c'est une sacrée boulette ! Pardon pour mon langage.
– Ah oui, oui… j'aurais dû tout te dire, c'est vrai, un peu comme toi, tu aurais dû me parler des humains qui se cachaient dans le parc de thème de la Souris joyeuse, hmm… ?
– Ça n'a rien à voir. Ces humains… Je pensais qu'ils complotaient pour nous débarrasser des Boovs ! Pour les chasser de notre planète ! Tu n'aurais pas compris. Tu ne l'aurais jamais accepté.
À l'est, le soleil, un peu plus haut dans le ciel, éclairait le vaisseau gorg comme une lampe au-dessus d'une boulette de viande.
– C'est fou, ça… qu'est-ce qui cloche, chez vous les Boovs ? Ça ne vous suffisait pas de nous voler la Terre, ma mère et tout le reste ? Il a aussi fallu que vous invitiez la planète violette… et les extraterrestres violets ?
– Les Gorgs. Et leur peau est principalement verte…
– On s'en fiche ! m'emportai-je en me levant. Verts ou violets… ça reste la mauvaise couleur de peau ; ils ne sont pas les bienvenus ici !

Un peu essoufflée, je pris quelques secondes pour réfléchir.

– Bon, d'accord, je me suis un peu énervée, mais quand même...

– Les Gorgs auraient de toute façon découvert l'existence de ce monde, je pense. Ils auraient capté la télévision humaine...

– Mais ce n'était pas encore arrivé, alors tu t'es dit « Hmm... et si j'appelais mes amis gorgs, pour qu'ils viennent participer à ma Fête de la Grande Destruction ! ».

– Ce ne sont pas mes amis ! cria Oh, dont le visage était à présent d'un rose brûlant. Ne dis pas ça ! Les Gorgs ne sont les amis de personne. DE PERSONNE !

– D'accord, d'accord...

– Ce sont des monstres !

– Ça va, j'ai compris.

Je m'assis de nouveau dans l'herbe, et nous restâmes une bonne minute sans rien dire. Saisie de quelques vertiges, j'eus alors ce que vous pourriez appeler une vision. Ou pas, à vous de voir. En tout cas, je crus voir les Boovs, les humains, Oh, ma mère et moi, tous réunis, avec comme des fils nous reliant les uns aux autres. On aurait dit une constellation. Je ne perçus cette image qu'une seconde, comme si on me confiait un secret.

– Je crois qu'on est tous dans le même bateau, maintenant, dit Oh. Nous ne devrions plus avoir des secrétions l'un pour l'autre.

– Des secrets.

– Oui, des secrets.

J'inspirai profondément et hochai la tête.

– À part ça... je crois que je l'aurais accepté, poursuivit-il.

– Quoi donc ?

– Les garçons humains cachés dans le parc de thème complotant contre les Boovs, dit-il, les yeux baissés sur ses petits pieds. Je crois que les Boovs n'auraient peut-être pas dû venir sur Smekland. Enfin... sur Terreland.

J'ouvris grandes les oreilles, sans dire un mot.

– Avant de partir, le capitaine Smek et les Grands Boovs nous ont dit que les humains avaient besoin de nous. Qu'ils étaient comme des animaux, qu'on pouvait les aider à mieux vivre. Leur apprendre des choses. On nous a dit qu'ils étaient méchants et arriérés. C'est... c'est ce qu'on croyait.

– Et qu'en penses-tu, maintenant ?

Oh me parut sur le point de parler, mais rien ne vint. Il ouvrit la bouche, la referma, puis l'ouvrit de nouveau, les poings serrés et ses jambes repliées contre son corps.

– J'en pense que je suis très désolé, Gratuity, dit-il.

Et moi, je répondis :

– Tu peux m'appeler Tif.

Enfin, voilà. Vous savez tous ce qui s'est passé ensuite, ou du moins vous pensez le savoir. Vous savez ce qu'il est advenu des Gorgs. Quant à Smekday, voici ce qu'il signifie pour moi : chaque année, quand vient Smekday – et Noël et tout ce qui va avec –, je repense à cette journée en Floride, à ce que m'a dit Oh et à la décision que j'ai prise. Elle a été prise naturellement, sans que la foudre tombe du ciel, sans que je me dise que j'irais cramer en enfer (pardon pour mon langage). J'ai juste voulu rester auprès d'un ami.

Pour la plupart des gens, Smekday correspond au jour de l'invasion des Boovs, et à celui de leur départ, un an plus tard. Plus le temps passe, moins je m'en soucie. Les Boovs n'avaient rien de particulier, c'étaient juste des gens normaux. Ils étaient trop intelligents et en même temps trop stupides pour être autre chose.

Fin

COMITÉ DE LA CAPSULE TEMPORELLE NATIONALE
124, F STREET, 4e ÉTAGE
WASHINGTON, D.C.

Le 6 septembre,

Mlle Gratuity Tucci
c/o collège Daniel-Landry

Chère mademoiselle Tucci,

J'ai l'immense plaisir de vous informer que votre rédaction a été sélectionnée parmi plus de quinze mille pour être ajoutée dans la Capsule temporelle nationale. Votre récit et votre vision des choses uniques ont fait ressortir votre composition du lot et en ont fait la préférée de nombreux juges. Votre devoir est facilement dix fois plus long que tous ceux de vos camarades, ce qui a son importance, estimons-nous. Vous trouverez ci-joint des bons d'épargne d'une valeur de deux cents dollars, que vous pourrez toucher à votre majorité, vingt actions Taco Stocko, ainsi qu'un bon pour un repas Taco Taco gratuit dans tout restaurant Taco Exchange participant à l'opération.

Nous espérons que cette expérience vous inspirera et vous incitera à continuer d'écrire. Vous pourriez bien devenir écrivain, un jour prochain ! De nombreux journaux nationaux publieront des extraits de votre rédaction, et je ne serais pas étonnée que les lecteurs souhaitent connaître la suite de l'histoire. Avez-vous retrouvé votre mère ? Qu'est devenu Oh ? Que pensez-vous de la défaite des Gorgs, que nous devons à l'héroïque Daniel Landry ? Quelle est la morale de votre histoire ?

Je suis certaine qu'un jour j'achèterai votre biographie.

Une fois encore, félicitations !

Bev Doogan
Présidente du comité

Gratuity Tucci
4e
Collège Daniel-Landry

LA VÉRITABLE SIGNIFICATION DE SMEKDAY

Troisième partie : L'attaque des clones

La présidente du comité de la capsule temporelle a vu juste, enfin à peu près. Je ne suis pas tant « inspirée » que… contrainte, pourrait-on dire, pour ce qui est de continuer d'écrire. Les images de la suite du récit ne cessent de défiler dans mon esprit, comme un film, et j'espère que le fait de tout coucher sur le papier m'en débarrassera.

Cela étant, je ne montrerai cette suite à personne. J'ai mes raisons. Je donnerai peut-être comme instruction qu'on interdise à quiconque de lire ce journal avant l'ouverture de la capsule temporelle ; je n'aurai alors pas à le commenter car je serai déjà morte.

Sans vouloir vous vexer.

Je suis certaine que vous êtes tous des gens très bien.

Enfin, bref.

***

Nous avons quitté Orlando sous un nuage. Sans même prendre la peine de consulter une carte, j'ai filé droit devant moi en laissant le soleil levant dans mon dos. Je roulais vite, déterminée à mettre la plus grande distance possible entre les Boovs et nous, au cas où ces derniers décident de nous reprendre en chasse. Flottant dans les rues et sur les autoroutes, nous suivions tous les panneaux qui évoquaient l'ouest, lancés comme la célèbre expédition de Lewis et Clark en direction d'une région redevenue sauvage et inconnue.

Nous croisâmes un groupe de flamants roses qui survolaient de près la terre humide, tels des parapluies peu discrets emportés par le vent. Sur le moment, je les remarquai à peine. En y repensant aujourd'hui, je me rends compte que je n'avais jusqu'à ce jour jamais imaginé que ces oiseaux savaient voler. Cela ne leur allait pas; ils avaient l'air de drag-queens en train de courir. Ils faisaient partie de ce nouveau pays hanté, avec ses villes désertées et un énorme œil moite qui nous surveillait tous depuis les nuages.

Oh affichait toujours un teint bleu pâle, roulé en boule sur son siège, sauf quand il collait le nez au pare-brise. Porky semblait heureux, complètement inconscient que nous vivions une seconde fin du monde en six mois. Il ne cessait de se frotter contre Oh, cherchant à provoquer une réaction, pour finalement renoncer et aller dormir à l'arrière.

N'ayant pas dormi de la nuit, je n'allais pas pouvoir conduire encore très longtemps. Pensant que Oh serait peut-être plus éveillé que moi et n'ayant plus rien contre le fait de lui céder ma place, je tournai la tête vers lui. Je le vis appuyé les yeux fermés contre la vitre, qu'il embuait avec sa respiration. Je réussis à atteindre une petite ville qui s'appelait je ne sais plus quoi et trouvai une déchetterie à métaux non loin de l'autoroute. C'était l'endroit idéal pour nous trois. Après avoir garé Fraîchissime entre deux immenses piles de cette cité de rebuts, je me blottis près de Porky.

Non sans précaution, j'ouvris légèrement la vitre, afin d'aérer. Je redoutais une puanteur ordinaire de déchetterie mais, comme celle-ci ne concernait que les métaux, elle ne sentait que la ferraille, un peu comme des pièces de monnaie. L'endroit où étaient – même si tout avait dû être arrêté – autrefois produites les pièces devait avoir la même odeur. À l'époque où les *cents* étaient des *cents*, et non pas des médaillons de cuivre sans valeur aux allures de récompenses pour un concours de sosies de Lincoln, et les billets de un dollar, pas seulement des images de Washington de la taille d'un portefeuille.

C'est à peu près à ce moment que le sale temps métaphorique, à savoir notre situation peu enviable, fut remplacé par son alter ego littéral : les nuages furent éventrés et il se mit à pleuvoir. Une pluie comme il n'en tombe qu'en Floride, il me semble, une pluie qui vous donne envie de commencer à rassembler les animaux par couples, au cas où. Je ne voyais plus rien par les vitres. Le déluge faisait ressembler le monde à une chaîne du câble dont on n'aurait pas payé l'abonnement, avec plein de parasites et, de temps en temps, la vague impression de reconnaître quelque chose.

Réveillé, Porky s'agitait à cause du martèlement de la pluie sur les vitres. Assis sur mes genoux, il pétrissait la peau de mes cuisses avec ses griffes. Nous restâmes ainsi à regarder la tempête, à voir le vent chasser les trombes d'eau en nappes tourbillonnantes, tels des fantômes d'océans anciens.

Veuillez m'excuser. J'ai toujours tendance à dériver comme ça quand je repense à cette journée. Je finis tout de même par m'endormir, sans vraiment récupérer. Plus tard, à mon réveil, je me rendis compte que nous allions périr dans une inondation. De l'animation en perspective.

***

Je ne fis pas le moindre rêve. Je fermai les yeux une seconde et, quand je les rouvris, il faisait nuit.

L'espace d'un instant, je me demandai si j'étais malade. Mon estomac faisait des bonds, comme si j'étais à bord d'un bateau, comme quand on prenait le bac pour traverser le Delaware. Au moment où je me redressais pour comprendre ce qui se passait, la voiture fut percutée par une demi-machine à laver.

Tombée d'une pile d'ordures, elle avait violemment heurté un de nos ailerons, au point de le plier comme une chaise en plastique. Fraîchissime bascula sur le côté et fut près de chavirer. De l'eau s'infiltrait par le sol, et il y en avait également partout autour de nous, sur une hauteur qui devait avoisiner les deux mètres. Nous flottions sur une rivière nouvellement créée, entre des berges constituées de collines de pièces métalliques. Le souffle coupé, je vis des débris s'envoler dans le ciel, telles des chauves-souris géantes.

– Mon Dieu ! hurlai-je. J'ai garé la voiture dans une déchetterie à métaux alors qu'un ouragan approchait ! Oh !

Oh se réveillait peu à peu sur le siège avant.

– Mlaaa-ak sis ? marmonna-t-il. Quoiça ?

En panique totale, Porky sautait partout à l'intérieur de la voiture, cherchant à éviter les flaques d'eau au sol à présent omniprésentes.

– Un ouragan ! Une énorme tempête ! Tout est inondé et on flotte ! Et la voiture prend l'eau ! Et... je ne comprends pas, il faisait si beau hier !

– C'est à cause des Gorgs, dit Oh, qui regardait par la vitre. Leurs vaisseaux sont trop gros. Ils détraquent le temps partout où ils vont.

Le trouvant un peu trop calme à mon goût, je tentai de l'impressionner en soulignant combien notre situation était grave.

– Nous sommes en train de flotter comme un bateau ! Il y a de l'eau qui s'infiltre dans la voiture et des morceaux de métal partout. On vient à l'instant d'être percutés par une machine à laver !

Je fus presque ravie quand, à cet instant précis, la foudre frappa et un objet pointu se planta sur notre toit, comme pour illustrer mon propos.

– C'est vrai, concéda Oh. J'ai mal bouché le dessous de notre véhicule. Je suis désolé.

– Oui, mais bon, ce n'est pas grave, comparé à tous ces morceaux de métal qui volent et qui dérivent.

– Il faudrait partir, déclara Oh.

– Partir ? Abandonner la voiture ?

Haletant, Porky s'était emmêlé dans la lanière de mon appareil photo et semblait sur le point d'exploser en mille confettis d'un instant à l'autre.

– Non, dit Oh. Partir de la déchetterie. Dans la voiture.

Je le regardai avec de grands yeux.

– Tu conduis et moi, j'enlève l'eau, dit-il.

Conduire ? On peut conduire ?

Je passai à l'avant et m'installai aux commandes. Mais voilà que je ne me souvenais plus de rien. Ce n'était vraiment pas le moment d'enflammer accidentellement le capot.

Alors que Oh farfouillait dans sa boîte à outils, Porky, perché comme un moineau énervé sur l'appuie-tête du siège passager, avec l'appareil photo suspendu à ses pattes arrière, poussa un long miaulement rauque, qu'il prolongea jusqu'à ne plus avoir de souffle, après quoi il reprit sa respiration et recommença.

Quant à moi, l'esprit peu à peu moins embrumé, je me concentrais sur la voiture. Je commençai par enclencher la marche avant, comme si nous étions sur un sol dur, sur du bitume sûr et désert s'étendant sur des kilomètres dans toutes les directions. Fraîchissime se mit vraiment à avancer. Porky s'en rendit compte lui aussi et passa à des miaulements plus courts et plus aigus qui m'évoquèrent l'alarme incendie de l'école.

– On avance, annonçai-je. La voiture nage !

Ce n'était pas tout à fait cela, à vrai dire. Il y eut au début des bulles autour de Fraîchissime, puis elle s'éleva d'un rien au-dessus de la surface de l'eau et progressa en glissant, pas aussi vite que sur la terre ferme, mais tout de même à une vitesse honnête. Après avoir quitté la déchetterie, nous passâmes par-dessus ce qui avait sans doute été la route, puis tout juste en dessous d'un pont autoroutier, comme si c'était une passerelle basse enjambant un canal. Ce qui me fit penser à des photos de Venise.

– Je devrais chanter quelque chose en italien, tiens ! dis-je.

– Oui, je veux bien, répondit Oh, tout en examinant l'appareil qu'il venait de dénicher dans sa boîte à outils.

Cet instrument était fait de deux tubes assez fins reliés par une série de cornemuses miniatures. Je me pris à espérer que c'était bien ce qu'il cherchait car, dans la voiture, l'eau arrivait déjà au niveau de l'accélérateur.

– Quoi ? Tu veux vraiment que je chante ?

Oh souffla dans les cornemuses, qui n'émirent pas le moindre son mais parurent pourtant le satisfaire.

– Oui, s'il te plaît. Je connais très peu la musicumaine.

Je me lançai donc dans la première chanson italienne qui me vint à l'esprit, à savoir *Volare*. Inutile de préciser que je suis une rock star et que ce fut une formidable interprétation.

Oh abaissa une vitre et, sans se soucier du vent et des embruns qui tournoyaient comme des esprits enragés autour de la voiture, glissa un des tubes à l'extérieur et plongea l'autre dans l'eau qui inondait de plus en plus l'habitacle. Il souffla ensuite à tour de rôle dans les cornemuses, qui se mirent alors à gonfler et dégonfler d'elles-mêmes, comme de petits cœurs en plastique. Ainsi aspirée, l'eau était rejetée à l'extérieur. Je vis presque aussitôt diminuer la mare que j'avais aux pieds.

– Qu'il est intelligent, ce petit Boov ! m'écriai-je joyeusement.

Et je crois que Oh apprécia.

C'est alors que se produisit un pépin. Je ne sais pas pourquoi Porky a fait ça. À mon avis, il avait peur de l'eau et du vent. Il y en avait beaucoup plus dehors que dans la voiture, pourtant, poussé par l'étrange héritage génétique de milliers de générations de chats, il bondit de l'appuie-tête directement vers la vitre ouverte. Avec toujours accroché à ses pattes arrière mon appareil photo, qui heurta le carreau, sur lequel il faillit rester coincé. Oh se précipita, mais trop tard. C'est ainsi que Porky et un Polaroid rétro tombèrent dans les eaux en furie.

Inspirant violemment sous le choc, je n'eus même pas le temps de crier ou de hurler : Oh baissa complètement la vitre et plongea dehors.

Je me retrouvais donc seule et inutile dans la voiture, dont le toit était martelé par la pluie selon un rythme de roulement de tambour. J'étais incapable de trouver quelque chose à faire. Rien. Soudain, Oh jaillit de l'eau, tel un saumon dans un documentaire, et lança Porky, sain et sauf, à l'intérieur de la voiture.

Oh resta un instant accroché par les doigts à la vitre.

– Appareil photo, lâcha-t-il finalement, avant de replonger.

Je compris son intention ; l'appareil, qui s'était détaché des pattes de Porky, était toujours sous l'eau.

– Non ! criai-je, beaucoup trop tard. Laisse tomber l'appareil photo !

Je n'eus droit pour toute réponse qu'à un éternuement de Porky, qui ressemblait à une brosse à cheveux trempée.

– Tu ne vas pas sauter une nouvelle fois, quand même ? lui demandai-je, car la vitre était toujours ouverte.

– Mroooooooowrr, me répondit-il.

Je l'enveloppai dans une serviette, ce qui le fit gigoter et grogner, mais il finit par renoncer et me laisser l'essuyer et lui faire subir ce que je voulais. J'aurais sûrement pu le déguiser en marin si j'avais voulu.

Mais je n'avais qu'une seule chose en tête : Oh avait replongé depuis affreusement longtemps, non ? Trente secondes ? Une minute ? Je me mis à compter à mi-voix : un alligator, deux alligators... Je fus gagnée par la panique au soixantième alligator.

– Bon... bon... soufflai-je en regardant le courant, qui filait des deux côtés de la voiture. Réfléchis, réfléchis, réfléchis, réfléchis, réfléchis, réfléchis. Il me faut une corde !

J'éparpillai les outils de Oh dans la voiture, à la recherche d'une corde ou de quelque chose qui pouvait faire office de corde. J'aurais surtout dû chercher un taille-crayon à manivelle en gélatine au citron qui, quand on l'actionne, déroule un fil super résistant qui sent le soda au gingembre. Je le précise, car Oh avait vraiment un truc comme ça dans sa boîte à outils. Il me l'a dit plus tard. Sur le moment, j'étais trop occupée à chercher une véritable corde, et trop concentrée sur ma tâche pour remarquer que Oh avait refait surface et regardait par-dessus mon épaule.

– Si tu cherches du détrouage écrabouillable rose, j'ai tout fourré dans la boîte à gants, dit-il soudain. Tu vas devoir prendre du marron.

Je fis un bond et renversai la boîte à outils, puis je dévisageai Oh comme si j'avais affaire à un fantôme. Le fait qu'un extraterrestre était en soi au moins aussi bizarre qu'un fantôme ne me frappa que plus tard.

– Quoi ? dis-je.

– Tu vas devoir utiliser du marron.

– Du marron. Mais du marron quoi ?

– Du détrouage écrabouillable. J'ai fourré tout le rose dans la boîte à gants.

Il discutait tranquillement, les bras croisés par-dessus le rebord de la vitre, comme s'il n'était pas plongé jusqu'à la taille dans des eaux bouillonnantes pendant un ouragan. J'eus un mal fou à avaler ma salive. J'étais certaine qu'il s'était noyé.

– Et pourquoi le détrouage rose est fourré dans la boîte à gants ?

– Ça vibrait.

– Le détrouage ?

– La boîte à gants, dit Oh, en se hissant à l'intérieur.

– D'accord… Sinon, juste pour en finir avec ça, le détrouage écrabouillable, c'est…

– Ce qu'on fourre dans des endroits pour ne plus qu'ils vibrent.

– Oui, forcément.

– C'est ça que tu cherchais, je suppose ? C'est la seule chose qui manque dans ma boîte à outils.

C'est à cet instant que je me suis jetée dans ses bras. Sans y réfléchir. Je l'ai serré fort contre moi. Il avait le corps moins ferme que ce que j'avais imaginé, on aurait dit de la pâte, à l'exception d'une excroissance dure qui me rentra dans la hanche. C'était l'appareil photo. Il l'avait récupéré.

Il me tapota la tête.

– Si tu fais ça pour avoir du détrouage, tu peux prendre le marron. Il marche aussi bien, même s'il n'est pas rose…

– Tais-toi, dis-je, en m'écartant de lui pour le regarder.

Puis je me réinstallai sur le siège conducteur, afin qu'il ne me voie pas pleurer.

– On ferait mieux de se réfugier en hauteur, dis-je. Remonte la vitre.

Je trouvai un immeuble en construction un demi-kilomètre plus loin. Comme il n'était encore constitué que de poutres et de niveaux pas encore achevés, je pus glisser Fraîchissime par quelques interstices, jusqu'à nous retrouver plusieurs étages au-dessus de la surface de l'eau. C'est là que nous attendîmes que la tempête se calme. Cela prit deux jours, ce qui nous permit de nous expliquer beaucoup de choses à propos des humains et des Boovs. Oh ignorait tout du concept de famille, par exemple, ce qui me fit comprendre pourquoi l'enlèvement de maman lui semblait nettement moins grave qu'à moi.

– Alors donc… les mèrumaines et les pèrumains font un bébé ensemble, tout seuls, répéta-t-il lentement. Eeeeet… quand le bébé est fabriqué, ils… le gardent ?

– Oui.

– Comme un animal domestique.

– Non.

– Non ?

Oh fronça les sourcils, ouvrit puis referma les poings.

– Non, pas comme un animal, comme un bébé. C'est leur bébé, alors ils l'aiment et s'en occupent. La mère et le père. Ensemble. Enfin, en général.

– En général ? Mais pas pour Tif ?

C'était drôle d'entendre quelqu'un poser cette question tout simplement, comme si ce n'était qu'un détail. Contrairement à ce que pensaient la plupart des gens, parler de mon père ne me dérangeait pas.

– Non, pas pour moi. Ma mère m'a élevée, bien sûr, mais je n'ai jamais connu mon père, et lui ne m'a jamais connue.

– Ah, d'accord. C'est comme ça que c'est chez les Boovs. Personne ne connaît ses enfants et personne ne connaît ses parents.

– Personne ?

Oh me donna quelques explications. Apparemment, parmi les sept genres qu'il avait cités précédemment, presque tous avaient un rôle à jouer afin de donner naissance à un bébé boov. Et quand une femelle avait un œuf à pondre, elle s'isolait. Partout dans les villes, il existait des endroits spéciaux prévus pour qu'on dépose les œufs. Si un garçon, un garçon-garçon ou autre, en passant, voyait qu'un œuf avait besoin de quelque chose, il s'en occupait puis poursuivait son chemin. Les œufs prêts à éclore étaient ramassés par des Boovs dont c'était le métier. D'autres étaient chargés de nourrir et d'élever les bébés, et encore d'autres assuraient leur éducation. La chose la plus proche d'une famille que connaîtrait jamais un Boov au cours de sa vie était le groupe de travail auquel on l'intégrait une fois devenu adulte.

– Voilà une chose pour laquelle les humains sont meilleurs que les Boovs, dis-je. Les familles, c'est mieux.

Oh secoua la tête, autant qu'un extraterrestre sans cou pouvait le faire.

– Les familles, ça veut dire qu'il faut s'occuper de certaines personnes plus que d'autres, objecta-t-il. Alors que toutes sont aussi bonnes les unes que les autres. Toutes ont un travail à faire.

Je ne vis pas comment le contredire sur ce point.

– J'ai vu les familles humaines, ajouta-t-il. Certaines personnes sont dans des familles qu'elles n'aiment pas.

– Ah oui ? Qu'est-ce que ça veut dire, exactement ?

Oh tressaillit.

– J'ai dit quelque chose de mal ? Je voulais seulement dire que certains humains ne s'entendent pas très bien avec leur famille, surtout les frères et sœurs.

– Ah oui, c'est vrai. Dans certaines familles… on ne s'apprécie pas autant qu'il le faudrait. Il arrive même que des membres d'une même famille se détestent. Mais ils s'aiment aussi. Ils s'aiment encore. Vous, les Boovs, vous… Est-ce que vous… ?

– Est-ce que quoi ?

Je ne savais pas vraiment comment poser ma question. Je finis par me décider à le faire le plus simplement possible.

– Est-ce que vous connaissez l'amour ?

– Bêêê-êê-êê-êê-êê ! s'esclaffa Oh. Bien sûr que les Boovs aiment. Les Boovs aiment tout !

Je n'avais pas envie d'entamer un débat, cependant j'étais à peu près certaine que tout aimer revenait à ne rien aimer du tout.

Changeant de sujet, je lui posai d'autres questions à propos de son peuple. Il m'expliqua que tous les Boovs pouvaient respirer sous l'eau, un tout petit peu, suffisamment pour rester immergés une demi-heure, voire davantage. Il fut choqué lorsque je lui appris que les humains ne tenaient pour la plupart pas plus de trente secondes.

Je lui reprochai de ne pas m'avoir fait part de ce détail plus tôt, ce qui m'aurait évité de me jeter dans ses bras, puis je lui pardonnai, ce dont, tout enthousiaste, il me fut reconnaissant.

Je pourrais essayer de vous répéter tout ce qu'il m'a dit mais j'en oublierais beaucoup. Autant le laisser lui-même vous parler de lui.

Oh a dessiné ceci après notre départ de Floride. Certain que son peuple devrait quitter la Terre, maintenant que les Gorgs étaient là, il tenait à ce que nous, humains, comprenions qui étaient les Boovs. Il ne savait pas écrire, bien sûr, mais il dessinait très correctement. La bande dessinée était manifestement une forme d'art très respectée sur Boovmonde, rien à voir avec des histoires de types mal habillés qui se tapent dessus.

***

HISTOIRE
ILLUSTRÉE de la
RACE
BOOVIENNE
DESSINS de
OH
TEXTES DE
GRATUITY TUCCI

Il y a des millions d'années, à 15 h 15.
Dieu crée la vie.

Le dieu de Boovmonde n'est pas une personne, ni un fantôme, animal ou autre. Notre dieu est la mer. Elle recouvre presque toute la planète et façonne en permanence le monde.

Certains Boovs n'y croient pas.

Ils croient que l'eau, c'est de l'eau.

Il y a 100 000 ans.
Le Boov des cavernes vit dans des grottes marines.

Il y a 8 000 ans : les Boovs quittent les grottes, inventent l'agriculture et forment des clans. Certains se font la guerre.

Pour travailler comme pour se battre, les Boovs coopèrent.

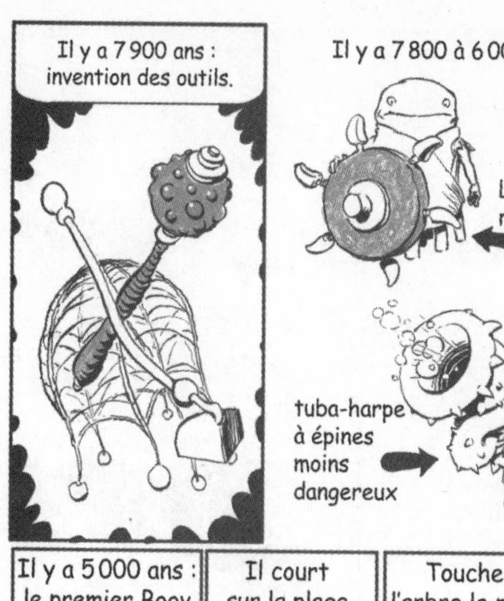
Il y a 7900 ans :
invention des outils.

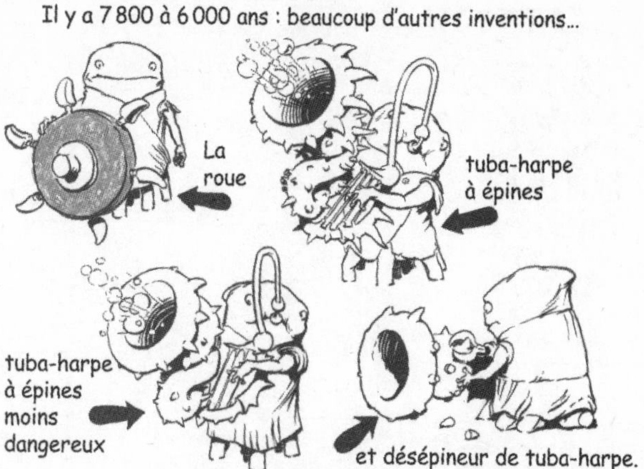
Il y a 7800 à 6000 ans : beaucoup d'autres inventions...
La
roue
tuba-harpe
à épines
tuba-harpe
à épines
moins
dangereux
et désépineur de tuba-harpe.

Il y a 5000 ans :
le premier Boov
s'aventure sur
la terre suite
à un pari.
Il court
sur la plage.
Touche
l'arbre le plus
proche.
Et revient
dans l'eau.
Il gagne 5 dollars
et meurt par
asphyxie.

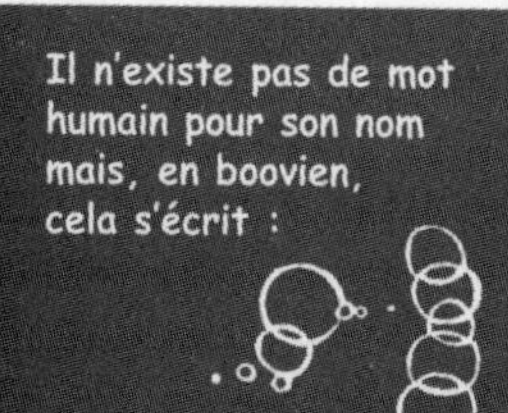
Il n'existe pas de mot
humain pour son nom
mais, en boovien,
cela s'écrit :
Cela se prononce comme
le bruit d'un bébé qui
pleure à cheval sur un
canard qui parle la
bouche pleine.

Bruit d'un Bébé Qui Pleure à Cheval sur un Canard
qui Parle la Bouche Pleine devient un modèle pour
la race boovienne.

Il y a 4990 ans : Touche-l'Arbre est le sport préféré des Boovs, devant Questionner-à-Tue-tête-le-Commissaire et Poisson-Qui-Colle.

Il y a 4980 ans : les Boovs qui jouent à Touche-l'Arbre meurent moins souvent d'asphyxie.

Il y a 4970 à 3000 ans : voir l'image précédente.
Il y 4700 ans : création de grandes écoles. Les Boovs étudient la science et les arts. L'industrie déploie ses tentacules dans les océans.
Il y a 3000 ans : union de tous les clans contre les Grands Boovs. Les Grands Boovs sont nos chefs et grands prêtres des mers. Ils déclarent Touche-l'Arbre jeu sacré réservé aux Grands Boovs.
Mais beaucoup de Boovs continuent d'y jouer en secret.

Il y a 2 000 ans :
beaucoup d'écoles sont
fermées par les Grands
Boovs, car
**« on a besoin
d'argent ailleurs ».**
On dit aux Boovs de ne
pas se soucier
d'apprendre des choses
sans importance, mais
une seule chose utile,
qu'ils pourront
reproduire à l'infini et
qui donnera un sens à
leur vie. Les Grands
Boovs conçoivent des
tests d'intelligence pour
déterminer quels Boovs
ont le droit
d'apprendre, et lesquels
n'ont pas le droit parce
qu'**« on a besoin
d'argent ailleurs »**.

Il y a 1 150 ans : des Boovs instruits déclarent que l'industrie pollue les eaux de Boovmonde.

Ces scientifiques affirment que si rien ne change, les océans ne pourront bientôt plus abriter la vie.

Il y a 1149 ans : Les Grands Boovs déclarent que ces prédictions ne peuvent être prouvés, donc rien ne change. Les scientifiques sont qualifiés de « démoniaques », pour avoir dit que notre dieu n'était pas propre. Surnommés les Oubliés, ils sont exilés pour l'éternité sur la terre ferme. Certain meurent par asphyxie mais la plupart survivent.

Il y a 1003 ans.
Dieu meurt par asphyxie.

Il y a 1002 ans : Beaucoup de Boovs sont très malades. Il n'y plus de vie dans l'eau. Les Grands Boovs décrètent que notre Grand Destin est de vivre sur la terre. Tous les Boovs jouent à Touche-l'Arbre sans retour.

Il y a 1001 ans : la vie sur la terre est dure. Les Boovs ne savent pas comment s'y prendre.

Les Oubliés trouvent les Boovs en grande détresse et leur indiquent comment faire.

Les Oubliés ont changé.

Leur peau est d'un gris plus sombre et ils ne parlent plus comme avant.

Ils se sont bâti un nouveau monde.

Il y a 1000,8 ans : on demande gentiment aux Oubliés de partir, car on a « **besoin d'eux ailleurs** ».

il y a 500 ans : la société boovienne connaît des sommets de grandeur. L'océan est de nouveau habitable mais les Boovs restent sur la terre ferme.

Ils vivent dans de majestueuses cités et élèvent des koobishs aux longues oreilles.

Ce sont maintenant des choses qui fabriquent d'autres choses.

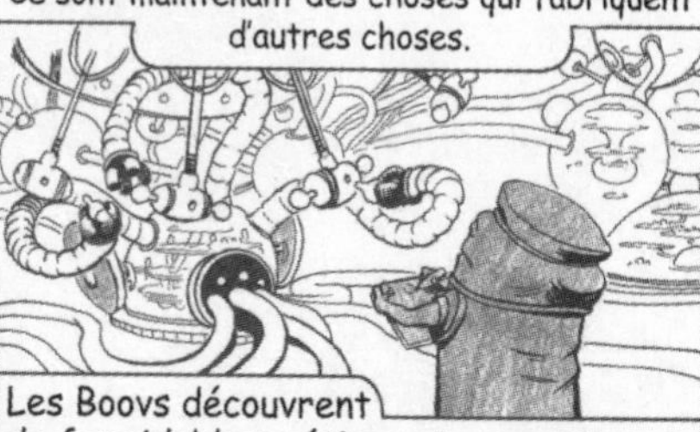

Les Boovs découvrent de formidables métiers et enregistrent ce que font les choses.

47 % des Boovs sont statisticiens.

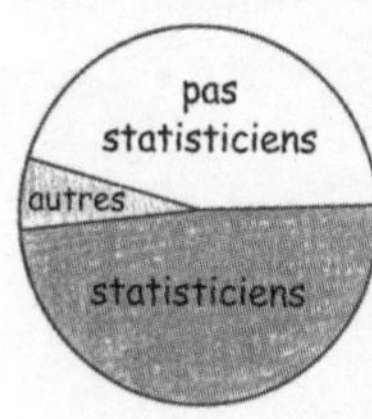
pas statisticiens
autres
statisticiens

18 % décident de la couleur des choses.

Il y a 400 ans : le divertissement remplace l'art.

Il y a 350 ans : parler de divertissement remplace le divertissement.

Il y a 325 ans : on se parle désormais généralement à distance, par téléphone ou ordinateur. La communication face à face se fait surtout par tee-shirt.

EN POISSON-QUI-COLLE, JE SOUTIENS LES KOOBISHS DU GRAND CHAMP
ET SI TU ME PRENAIS LA MAIN ?

(suite du devant) ET CECI EST L'ARRIÈRE
MON TEE-SHIRT EST LE PLUS LARGE

Il y a 300 ans : envoi du premier koobish dans l'espace, Peeches. Il s'énerve dans la capsule et touche un gros bouton rouge avec NON écrit dessus.

La capsule explose avant de quitter l'atmosphère.

Il y a 296 ans : deuxième essai, un koobish attaché – Poolah – atteint l'espace.

Sans air dans l'espace, Poolah meurt par asphyxie.

Il y a 294 ans : troisième essai.

Haanie, koobish attaché et équipé d'un masque à oxygène, atteint l'espace mais percute une capsule envoyée d'une planète voisine.

Il y a 293 ans : les scientifiques cessent de donner des noms aux koobishs.

Il y a 292 ans : un koobish anonyme atteint l'espace et accomplit deux orbites autour de la planète avant de retomber comme prévu dans l'océan. Il est récupéré vivant mais furieux. On lui donne un bon repas et on organise un défilé, au cours duquel il meurt de causes naturelles.

Il y a 285 à 106 ans : premier Boov dans l'espace, puis sur une lune, où il récupère un frisbee coincé là-haut depuis longtemps.

Les Boovs découvrent des planètes, se font des amis. Sur une planète déserte, les Mahpocknaph'ns leur donnent la technologie de laquelle ils tireront le clonage téléportationnel.

Il y a 105 ans : les Boovs découvrent une race qui ne veut pas être amie.

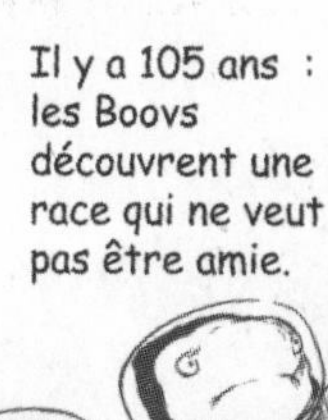

Et que l'on appellera les Preneurs .

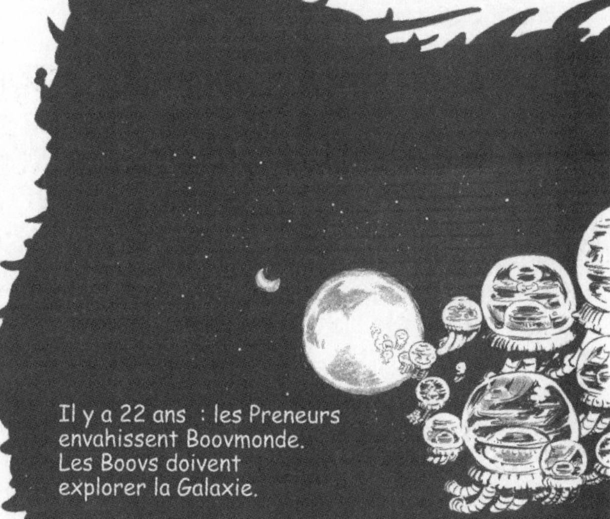

Il y a 22 ans : les Preneurs envahissent Boovmonde. Les Boovs doivent explorer la Galaxie.

Il y a 6 mois : arrivée des Boovs sur la Terre. Un Boov surnommé Oh lance par erreur un message hilarant aux Preneurs, qu'il regrette. Les Boovs finiront sans doute par repartir. Et les humains découvriront de nouveaux métiers passionnants, comme repose-pied pour les Preneurs.

FIN.

***

À la fin de la seconde nuit, nous en étions à essayer d'apprendre la langue de l'autre. Oh parlait déjà très bien la mienne, bien sûr, mais il voulait apprendre à lire et à écrire. Il ajouta même qu'il allait maintenant *devoir* savoir lire et écrire en langumaine, ou quelque chose comme ça. Qu'avait-il voulu dire par là ? À l'écouter, on aurait pu penser qu'il avait l'intention de s'établir sur la Terre même après le départ des Boovs. Si je savais qu'il redoutait de retrouver les siens, je pensais qu'il se ferait violence et finirait par les rejoindre.

Quant à moi, il m'était tout simplement impossible d'apprendre à parler boovien car, d'après Oh, je ne possédais pas l'anatomie nécessaire. Je fis remarquer qu'il me suffisait d'avoir un mouton et du papier bulle sous la main, mais Oh ne comprit pas de quoi je parlais.

Cela dit, peut-être parviendrais-je un jour à comprendre le boovien, et sans doute à le lire et à l'écrire. Je m'efforçais surtout de tenter de reproduire l'écriture en bulles dans les airs, qui était assez jolie, quand on s'y était habitué.

– Bon... dis-je, tenant fermement la poire à jus. Alors... si j'ajoute une petite bulle ici...

– Non, non, intervint Oh, tentant de dissimuler un sourire derrière sa main.

C'était sans doute une habitude humaine qu'il avait prise, car un sourire de Boov fait un mètre de large, alors que ses mains ne sont pas plus grosses que des raviolis.

– Cette bulle doit aller sur l'autre.

– La chevaucher.

– Oui, la chevaucher. La petite bulle doit être à cheval sur la grosse.

Je fis un nouvel essai, mais pressai trop fort la poire.

– Trop gros, trop gros ! s'exclama Oh, dont la main-ravioli cherchait à présent à réprimer un rire, ce qui lui fit émettre un bruit de trompette.

– Arrête, ce n'est pas si drôle que ça, quand même. Je fais des efforts, là.

– Oui... mmfffpfrrrr... ouiiii, je suis désolé, dit-il, bondissant sur place. C'est que tu n'as pas écrit « Gratuity », là, mais un gros mot pour désigner le coude.

– Les Boovs ont un gros mot pour désigner le coude ?
– Oui.
– Votre race est très avancée.
– Tu vois ? C'est ce que je disais.
– Enfin, bref, laissai-je tomber en posant la poire. En tout cas, tu n'as pas le droit de rire, un point c'est tout. Je ne me débrouille pas plus mal en boovien que toi en anglais au début.
– Arrête, je suis une star en anglais.
– Pas d'accord. Ce n'est pas comparable. Il faut dix-sept bulles différentes, de la bonne taille et à la bonne place, pour écrire « Gratuity » en boovien, tandis qu'en anglais il ne faut que deux lettres pour écrire « Oh ». Et toi, tu écris ça n'importe comment : un smiley qui sourit et le symbole de la livre.

Le tonnerre gronda de nouveau, mais n'était plus menaçant. Pour tout dire, la pluie était si fine que nous étions assis sur le toit de la voiture. Je me laissai glisser au sol et m'approchai du bord du bâtiment, afin de jeter un coup d'œil aux eaux qui refluaient en contrebas. Ce qui me fit penser à une certaine personne qui s'était elle aussi retrouvée sur un perchoir après l'arrêt de la pluie.

– Je t'ai déjà dit que ce n'était pas un smiley qui sourit mais un « cinq », me dit Oh, quand il m'eut rejointe.
– Nous avons une histoire de déluge, dans la Bible, tu sais. Dieu dit à Noé de construire un bateau suffisamment gros pour accueillir sa famille et deux représentants de chaque espèce animale sur la Terre. Puis il a plu pendant quarante jours et quarante nuits.
– Hmm… c'est très intéressant. Chez les Boovs, il existe un récit religieux qui parle d'une fille qui garde tous les animaux dans un énorme bocal rempli d'eau, alors qu'il ne pleut pas pendant un an.
– Ils arrivent à tenir un an ?
– Non, elle oublie de percer les aérations et ils meurent tous par asphyxie.
– Ah.

La terre aurait bientôt suffisamment séché pour nous permettre de repartir. Le niveau de l'eau avait nettement baissé, ne laissant qu'une mare géante autour de chaque bâtiment de la ville. Les nuages se dispersaient, percés ici ou là par des aiguilles de soleil. Et l'on apercevait de nouveau parfaitement l'immense vaisseau violet des Gorgs.

Qu'avait éprouvé Noé, quand, croyant avoir vécu le pire lorsque la pluie s'était arrêtée, il avait compris qu'il lui fallait encore faire descendre sa famille et un million d'animaux de sa montagne, puis leur trouver un endroit où s'installer, bâtir des abris et tout recommencer dans ce monde ?

– Quand j'étais petite, il y avait sur le papier peint de ma chambre des dessins qui racontaient l'histoire de Noé.

– Des images de quarante nuits de pluie ?

– Pas vraiment, en fait, répondis-je. (En y réfléchissant, il n'y avait pas du tout de pluie sur ce papier peint ; la pluie n'était-elle pourtant pas l'élément principal du déluge ?) Non, il y avait de jolis dessins de l'arche de Noé. Des zèbres, des éléphants et des tas d'autres bêtes mignonnes. J'imagine que c'est grâce à tous ces animaux que cette histoire plaît beaucoup aux enfants.

– Les petites personnes aiment bien les animaux, déclara Oh, hochant la tête et posant une main sur l'autre. C'est également valable chez les Boovs.

– Tu sais ce qui est bizarre, malgré tout ? Il est étrange que cette histoire d'arche soit destinée aux enfants, non ? Enfin, c'est… ça parle quand même de la mort. Que deviennent tous les humains qui ne font pas partie de la famille de Noé ? Ils meurent. Et tous les autres animaux de chaque espèce qui n'ont pas embarqué ? Ils meurent noyés. Des milliards de bêtes. C'est la pire tragédie qui se soit jamais produite.

Ma voix s'estompa à la fin de ma dernière phrase, étouffée par un nœud dans ma poitrine ; j'avais parlé trop vite et sans reprendre ma respiration. Je dus inspirer profondément avant de poursuivre :

– Qu'est-ce que cette histoire fichait – pardon pour mon langage – sur mes murs ?

Oh, qui avait appris à me connaître, ne répondit pas. Considérant en silence l'horizon ouest, j'y vis des milliers de kilomètres de terres dévastées nous séparant de l'Arizona, avec pour seul témoin un terrifiant nouveau dieu violet.

Oh posa la main sur mon épaule.

– Arc-en-ciel, dit-il.

Je levai les yeux, d'abord sur lui, puis sur le point du ciel qu'il désignait.

– Un double arc-en-ciel, précisa-t-il. Ils portent chance. Ça me manquait. Sur Boovmonde, il y en avait tout le temps.

C'était un arc-en-ciel parfait, étincelant et continu, qui se déployait à l'ouest, comme une porte. Si splendide qu'il avait l'air faux, il était surmonté d'un autre, moins marqué et aux couleurs inversées. *Bien sûr*, me dis-je en soupirant. *Bien sûr qu'il y a un arc-en-ciel.* Il était temps. Après dix minutes passées à le contempler, je me levai d'un bond, ne supportant plus de rester sans rien faire.

– On devrait y aller, tu ne crois pas ? Il n'y a plus de risque, là, si ?

Oh me considéra d'un drôle d'air ; sans doute se demandait-il pourquoi je souriais.

– Je crois que c'est bon, dit-il. On peut partir en toute sécurité.

– Nous avons une grande distance à parcourir, rappelai-je en sautillant vers la voiture. Il nous faudra au moins plusieurs jours pour arriver en Arizona. Et une fois là-bas, il faudra aider les gens à chasser les Gorgs. Ou les Preneurs, comme tu veux.

– Chasser… ?

– On y arrivera, affirmai-je, en le regardant droit dans les yeux. Je pense qu'on y arrivera. Mais je… nous… enfin, tu sais bien… nous aurons besoin de ton aide… peut-être.

– Bon, d'accord, répondit Oh.

Le soleil perçait nettement, à présent, et les oiseaux commençaient à tester les airs. Une brise fraîche au parfum métallique me caressait le visage. De retour dans la voiture, je la fis redescendre dans le bâtiment en construction par sauts successifs, chaque réception étant adoucie par l'épaisseur de je-ne-sais-quoi qui la faisait flotter dans les airs. À chaque nouvel étage, mon estomac faisait un bond, comme si j'avais un lapin dans le ventre. Il m'arriva plus d'une fois de ne pas pouvoir me retenir de rire, au cours de cette descente. Quand, enfin, nous touchâmes la surface de l'immense pataugeoire qu'était devenue la Floride, je pris la direction de l'ouest et accélérai. Cette journée splendide était de plus en plus prometteuse.

***

PAR OH.
8 choses que vous avez toujours voulu savoir sur les Gorgs sans oser leur demander, de peur de prendre un coup de poing en plein visage.
Le saviez-vous-t-il ?
1
Beaucoup croient que Gorg est un nom de race ou d'espèce. Erreur fréquente ! Dans toute la Galaxie, on les nomme les Preneurs...
... mais ce sont en réalité des Nimrogs.
NIMROG
Qui, aujourd'hui, se prénomment tous Gorg.
BONJOUR ! JE M'APPELLE GORG
Voilà pour cette mise au point.

2
QUELLE TAILLE ?
8
7
6
5
3
2
1
Les Gorgs mesurent plus de deux mètres et pèsent un kiloboov. En unités gorgs, ils mesurent exactement un gorg et pèsent environ un gorg.

3
Les Gorgs ont l'odeur d'un bouquet de lilas...
saupoudré de cannelle...
et enterré sous un gros tas de nourriture pour chien avariée.
4
Formés de coups, les premiers langages nimrogiens ont été redécouverts et étudiés. Ci-contre et ci-dessous, la conjugaison en nimrogien ancien du verbe « cogner ».
JE COGNE.
TU COGNES.
NOUS COGNONS.
IL/ELLE/ÇA COGNE.

Les Nimrogs restèrent longtemps uniquement un danger pour les autres Nimrogs. On dit que leur guerre civile, qui dura trois cents ans, a commencé par une dispute pour une place de parking.

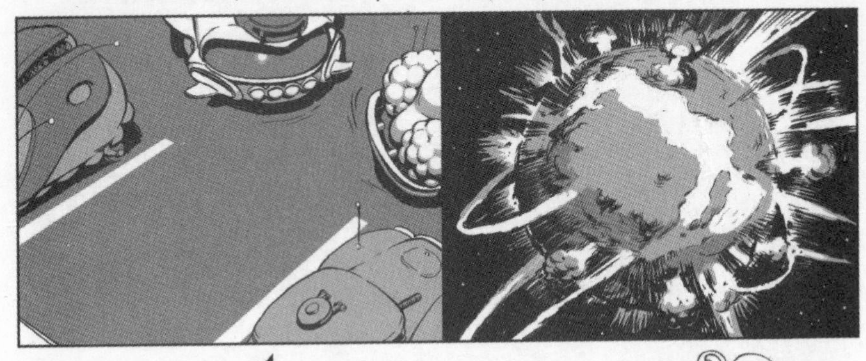

6

OÙ S'INSTALLERONT LES GORGS ?

Quand les Nimrogs commencèrent à visiter d'autres mondes, c'était souvent pour s'en emparer, parfois pour faire du commerce. Leur guerre civile terminée, les Nimrogs, qui s'appelaient donc tous Gorg, décidèrent de contrôler d'autres planètes. Ils se mirent à attaquer celles dont le gouvernement était mauvais selon eux, pour en libérer les habitants. Mais on remarqua qu'ils n'envahissaient que celles où l'on trouvait de bons restaurants.

Le saviez-vous-t-il ?

Si vous preniez tous les Gorgs de la Galaxie pour les empiler les uns sur les autres, eh bien ils vous tueraient.

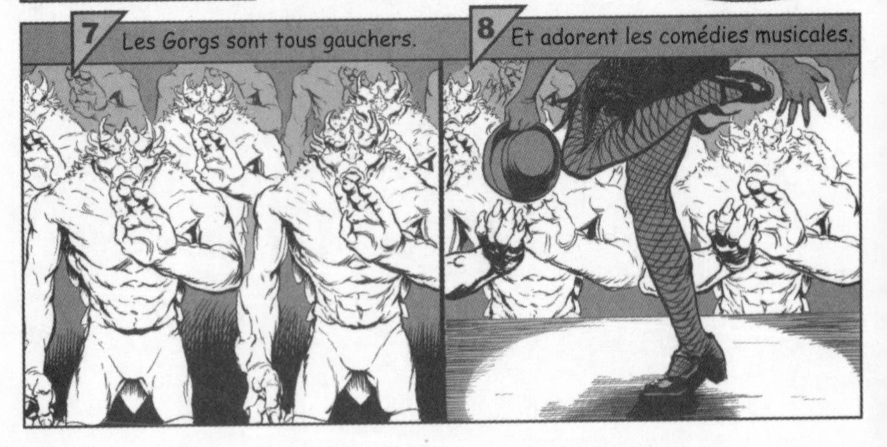

7
Les Gorgs sont tous gauchers.
8
Et adorent les comédies musicales.

– Je suis navrée, mais ça tire encore sur la gauche, dis-je, alors que nous nous trouvions au milieu de nulle part, en plein Texas.

Oh avait bricolé un nouvel aileron à partir d'un panneau d'une benne à ordure verte, seulement il était mal réglé.

– Oui, je sais ce qui ne va pas, maintenant. Gare-toi pour que je le répa… BÊÊ ! Dix-sept !

Il pointait du doigt un tatou – encore un. Il ne s'en lassait pas.

– Qu'est-ce qui t'attire, chez ces bestioles ? lui demandai-je.

– Elles ressemblent à quelque chose qu'on avait sur Boovmonde.

– Les koobishs dont tu m'as parlé ?

– Non. Les koobishs aux longues oreilles sont plus grands. Avec un nez plus petit. Et des poils noirs bouclifiés.

– Vous avez aussi des koobishs à oreilles courtes, alors ?

– Mmmoui… mais techniquement, ce ne sont pas vraiment des koobishs. Ça ressemble plutôt à des citrouilles qui chantent.

Nous avions en permanence de telles conversations, qui se concluaient lorsque je finissais par renoncer.

Je m'engageai sur une bretelle de sortie qui aboutissait juste à côté du parking d'un magasin MicrocosMart. Je m'approchai de l'entrée, que bloquait une imposante porte blindée. Voilà qui était intéressant, car cela signifiait peut-être qu'il restait des articles à l'intérieur.

– Vingt minutes, me lança Oh, en ouvrant sa boîte à outils.

Ce qui pouvait correspondre à n'importe quoi. En effet, Oh soit faisait partie de ces gens qui n'ont aucune notion du temps, soit n'avait aucune idée de la durée d'une minute. Je m'accroupis devant la porte du magasin et examinai la serrure, qui ressemblait en fait à un cadenas de vélo. Il fallait une clé cylindrique pour l'ouvrir ; une épingle à cheveux n'aurait pas suffi.

– Tu peux me lancer le machin violet ? criai-je à Oh.

– Lequel ?

– Euh… zut. Tu sais, le truc violet, avec les bidules.

Oh plongea la main dans sa boîte à outils et me lança ce que je lui avais demandé.

– Merci !

– Pas de quoi.

J'appliquai l'extrémité la plus fine du machin violet contre le trou de la serrure, puis j'appuyai sur l'un des bidules. Une substance noire visqueuse se répandit dans le trou, emplissant les moindres recoins. Quelques secondes plus tard, elle avait durci. Je tournai ma nouvelle clé et ouvris la porte.

– Je vais voir à l'intérieur, dis-je à Oh.

– Regarde s'il y a de la mousse à raser, me lança-t-il, sans même lever la tête.

– Quel parfum ?

– Fraîcheur des montagnes.

À peine entrée dans le magasin, je constatai que j'avais vu juste : il restait encore de nombreux produits dans les rayons. J'aurais pu bourrer la voiture de tas de choses diverses et variées. Au lieu de cela, je me contentai de remplir un panier de ce dont nous avions vraiment besoin : des provisions, de l'eau, une brosse à dents pour Oh, pour qu'il arrête d'utiliser la mienne, et une nouvelle pour moi, du coup.

Cette fois-là, vingt minutes correspondaient apparemment à une minute et demie ; je tombai nez à nez avec Oh dans le rayon papeterie. Il avait les bras chargés d'articles totalement inutiles.

– Qu'est-ce que c'est que tout ça ? Et ça, c'est une crosse de hockey ? Qu'allons-nous faire d'une crosse de hockey ?

– Je ne sais pas, me répondit Oh. Mais j'aime bien !

– C'est parce que tu es un garçon. Les garçons veulent toujours avoir une crosse dans les mains, c'est une vraie maladie. Et tout le reste ?

Il avait également dans les bras une montagne de papiers, des stylos plume, des crayons et un taille-crayon brillant en forme de tête de grenouille.

– Pour dessiner. Ça fait longtemps que je n'ai pas dessiné.

Je devinai que c'était important pour lui.

– Bon, d'accord, mais pas l'autre truc.

– Toi aussi, tu as pris des trucs.

– J'ai pris des trucs dont nous avons vraiment besoin. Je sais que j'avais tendance à prendre tout ce que mes mains pouvaient attraper, avant, mais c'était différent.

– Pourquoiça ?

– C'était avant que je décide qu'on allait chasser les Gorgs… avant que je sache que les gens retourneraient un jour chez eux, en espérant retrouver leurs affaires. Donc maintenant, c'est du vol. Nous ne devons prendre que ce qui nous est indispensable.

– Mais on a besoin de ça !

Il brandit une petite casquette de base-ball équipée d'un miniventilateur à pile suspendu à la visière.

– Tu ne pourrais même pas l'enfiler sur ton crâne.

Oh fronça les sourcils.

– Ça va sur la tête ?

– Allez, viens, il faut repartir.

– Mais on aura besoin du ventilateur quand il fera chaud, en Arizona. Ta voiture n'a pas la condition de l'air.

– Elle n'a pas *l'air conditionné* ! rectifiai-je. Et c'est parce que tu as bu tout le Freon !

Oh posa la casquette par terre.

– Nous devrions partir, dit-il.

Nous sortîmes du magasin et, clignant des yeux à cause de l'éclat du soleil, je refermai la porte blindée.

– Tu peux toujours cloner du Freon, tu sais, fis-je remarquer, une fois de retour dans Fraîchissime, que j'engageai sur la bretelle d'accès de l'autoroute.

– Nan, dit Oh, avec un geste de la main. C'est jamais aussi bon quand je le fais. BÊÊ ! Dix-huit !

– C'est le même que tout à l'heure.

– Ah…

La nuit approchait lorsque nous prîmes la décision de changer de direction.

Nous filions droit vers le soleil couchant, ce qu'on ne peut réellement faire qu'à l'Ouest. Là-bas, il se passe quelque chose qu'on ne voit jamais en Pennsylvanie : au crépuscule, le soleil s'accroche un peu plus longtemps au jour et n'est attiré de l'autre côté de l'horizon que dans un hurlement et avec une beauté qui incendie le ciel de nappes roses, orange et violettes. C'est surréaliste. On voit le jour s'enflammer par le pare-brise, comme si on regardait la télévision, avec des traînées de nuages qui se déploient comme des serpentins et une luminosité si intense qu'on ne peut que se dire que c'est un peu trop. Enfin, n'en faisons pas trop, justement. Puis ça recommence le soir suivant, mais en plus intense.

Ainsi, alors que le soleil s'apprêtait à disparaître après son combat habituel, Oh se mit à bâiller de façon très peu discrète, ce que j'ignorai, estimant que notre voyage s'éternisait trop. Il me semblait que nous étions au Texas depuis des lustres et que nous n'en sortirions jamais, ce qui me faisait un peu paniquer. J'ai plus tard entendu parler de plongeurs en eau profonde perdant les pédales simplement parce qu'ils avaient trop pensé à la masse d'eau au-dessus, en dessous et autour d'eux. Il arrivait même que certains, soudain totalement paniqués, arrachent leurs bouteilles et cherchent à remonter à la surface en battant des pieds comme des fous. En proie à une sensation similaire, j'avais furieusement envie d'arrêter la voiture, d'en sortir et de m'enfuir en courant.

Non mais c'est vrai, qui a pu croire que c'était une bonne idée de créer un État si vaste ? C'est tout simplement de l'arrogance.

Je cherchais donc à progresser le plus possible avant de marquer une pause pour la nuit lorsque, brusquement, la voiture fut secouée. Puis je crus assister à un nouveau crépuscule quand je vis une boule lumineuse s'élever dans le ciel et retomber – très vite – vers l'horizon. Elle fut suivie d'une seconde, dont je remarquai qu'elle traînait des tuyaux. Des vaisseaux booviens. Le gros modèle, d'énormes aquariums de lumière. Deux autres surgirent, fonçant vers la sphère gorg. Ce qui ne fut pas facile à discerner car, à cette heure de la nuit, la sphère n'était qu'un gros disque noir masquant les étoiles.

Je me tournai vers Oh, qui, aux aguets, ne songeait plus à simuler bâillements et paupières lourdes.

– Ils vont sans doute tirer sur eux, dit-il.

– Les Gorgs, tu veux dire ? dis-je, regardant en direction de l'horizon. Ils sont en train de tirer ?

– Non, les Boovs. Ils vont probablement tirer sur les Gorgs. Mais on ne pourra pas voir.

Je compris ce qu'il voulait dire : les armes des Boovs ne produisaient pas de lumière, et le vaisseau gorg était trop sombre pour qu'on remarque d'éventuels dégâts.

C'est alors que j'aperçus un flash lumineux sur le gros disque noir.

– Ha ! Là-bas ! m'écriai-je. Tes copains les ont eus ! On voit le…

– Non, m'interrompit Oh.

Soudain, un vaisseau boovien, à peine visible dans le lointain, explosa comme une ampoule de flash, trop près d'un autre vaisseau, qui cracha de la lumière et chuta lentement vers le sol, comme une bulle de savon. Nous entendions les tirs des Gorgs, mais chaque destruction de vaisseau boovien produisait comme un feu d'artifice dans notre crâne. Subitement, les armes booviennes, qui m'avaient toujours paru sournoises et sinistres, me firent presque l'effet d'une douce façon de tuer.

– Oh… Je…

Un nouveau flash émis par les Gorgs provoqua, deux secondes plus tard, la chute d'un troisième vaisseau boovien. Le quatrième fit prestement demi-tour et fonça dans notre direction, ce qui ne lui fut d'aucun secours. Un nouveau flash emplit le bocal de verre volant de flammes, qui se propagèrent dans ses tuyaux, qui se consumèrent comme des cigarettes.

J'avais immobilisé la voiture sans même m'en rendre compte.

– Ce serait bien de continuer à rouler, suggéra Oh.

Sans me laisser le temps de répondre, un nouveau flash illumina la nuit noire.

– C'est bizarre, dis-je. Ils tirent encore alors qu'il n'y a plus de…

Le projectile s'écrasa violemment à une cinquantaine de mètres de Fraîchissime et déclencha un raz de marée de terre et d'herbes sauvages qui nous retombèrent dessus alors que nous partions en tonneaux suite au choc. Projeté un peu partout dans l'habitacle, Porky poussa un hurlement suraigu. Quelques secondes plus tard, la voiture était de nouveau à l'endroit, avec une vitre arrière brisée et un aileron en moins. Celui qui venait d'être ajouté, bien sûr.

– AAAAAAAAAH ! beugla Oh. Foncefoncefoncefoncefonce !

Délaissant la route, je m'engageai dans le désert. Fraîchissime prit lentement – beaucoup trop lentement – de la vitesse, puis reçut de l'aide quand le souffle de l'explosion d'un missile gorg, tout près dans notre dos, lui offrit une poussée.

– Ils… ils ne nous tirent pas vraiment dessus, quand même ? dis-je, n'en croyant pas mes yeux.

– Mais non, ils nous fabriquent une blague… MAIS BIEN SÛR QUE SI, ILS NOUS TIRENT DESSUS !

Les Gorgs confirmèrent les propos de Oh en détruisant une colline toute proche, sur notre gauche. Je virai et accélérai.

– Mais… d'où ? On dirait qu'ils nous tirent dessus depuis, je ne sais pas, moi, le Mexique !

Devant nous, une supérette explosa dans un nuage-champignon de flammes et de vieux magazines. Oh s'agita en le désignant.

– D'accord, d'accord, ils nous tirent dessus ! convins-je. Je pensais seulement que c'était peut-être une coïncidence.

– Oui, bien sûr. Tu as toujours raison. Si Gratuity dit que c'est une coïncidence…

Une nouvelle déflagration fit partir Fraîchissime en vrille et m'épargna la suite des reproches de Oh.

– Super carburant ? hasardai-je, le cœur au bord des lèvres.

– On n'en a plus ! Il ne reste rien, pas même pour en cloner.

– Qu'est-ce que je fais, alors ?

– Continue à foncer ! Ils perdront bientôt notre trace. (Une explosion retentit, un peu plus lointaine que les précédentes.) On a vachement de chance d'être petits et difficiles à atteindre. Les Gorgs ne nous ont sans doute remarqués que parce que les Boovs ont frôlé près de nous.

On n'entendait plus d'explosions, mais je poursuivais ma plongée dans le désert, chassant un troupeau de coyotes terrifiés devant moi. Jetant un coup d'œil rapide par-dessus mon épaule pour voir ce que devenait Porky, je le vis en train de faire sa toilette sur le tapis de sol, l'air agressif, puis je revins à Oh.

– Je suis désolée.

Quelle remarque inutile…

– Oui. Nous ne devrions pas les affronter comme ça ; ça n'a jamais fonctionné.

– On ne voyait pas le vaisseau gorg. Les Boovs l'ont peut-être gravement endommagé ?

Oh ne me répondit pas.

– Nous trouverons une nouvelle tactique, poursuivis-je. Ton peuple et le mien trouveront peut-être ensemble une nouvelle idée.

Oh esquissa un léger sourire, puis reporta son attention devant nous.

– Nous devons aller vers le nord et déposer le plus de distance possible entre les Nimrogs et nous.

– D'accord, répondis-je. Attends, qu'est-ce que tu as dit ?

– Nous devons aller…

– Il y a des Nimrogs, maintenant ? C'est qui, ça ?

– Tous les Gorgs sont des Nimrogs, m'expliqua Oh, tripotant le radiocassette afin d'incliner le dossier de son siège. Et tous les Nimrogs sont maintenant des Gorgs, ce qui n'a pas toujours été le cas.

– Je ne comprends absolument rien.

– Nous parlons de la race des Nimrogs. Tif dit qu'elle va les chasser.

– Oui, dis-je, avec la sensation d'avoir fait la promesse de soulever un cheval. Mais… les Gorgs, alors ? C'est leur surnom ?

– Oh non, Gorg est leur vrai nom, comme Gratuity est le vrai prénom de Tif. (Il fit alors un bruit qui m'évoqua un iodleur en train de se noyer.) OOOlahluhlaaharlHEEdoo est le vrai prénom de Oh. Leur surnom, c'est les Preneurs. Ils en ont beaucoup d'autres, on leur en offre tout le temps. Certains les appellent les Poomps – pardon pour mes langages.

Je tentai de conserver mon calme.

– Donc, tous les Nimrogs… tous… s'appellent Gorg ?

– Oui.

– Vraiment tous ?

– Vraiment tous, oui.

– Et… combien sont-ils ?

– Combien de Nimrogs ?

– Combien de Gorgs.

– C'est la même chose.

– Alors, pourquoi tu me poses la question ?

– Il y a beaucoup, beaucoup de Nimrogs. Autant qu'ils veulent. Ils peuvent toujours en fabriquer d'autres.

– Si tu ne te décides pas à être clair, j'écrase la voiture sur un coyote, je te le promets.

– Ah. Hmm… Alors… il y a très longtemps, peut-être même avant la naissance de Tif… Tu as quel âge ?

– Onze ans et demi.

Oh se redressa brusquement en lâchant un sifflement.

– Onze ans ! Tu n'as que onze ans ? À onze ans, j'avais à peine quitté mes vêtements de formation gonflables.

– Revenons-en aux Nimrogs.

– Oui. Autrefois, il y avait beaucoup de prénoms chez les Nimrogs, comme chez les Boovs et les humains. Mais ils étaient si méchants qu'ils n'arrivaient même pas à s'entendre entre eux. Ils se bagarraient tout le temps, pour un territoire, pour des idées. Quand un territoire appartenait à un groupe de Nimrogs qui avaient les mêmes idées, ils trouvaient quand même des raisons de se battre. Les droitiers affrontèrent les gauchers. Puis les gauchers aimant les comédies musicales attaquèrent les gauchers qui n'aimaient pas les comédies musicales. Et ainsi de suite. Un jour, il ne resta plus que deux Nimrogs : Aarfux et Gorg. Aarfux se laissa piéger par la vieille ruse Ton-lacet-est-défait. Il ne restait donc plus que Gorg.

– Gorg… Il ne restait plus qu'un seul Nimrog, qui s'appelait Gorg.

– À ce moment-là, oui. Mais avant, il y avait beaucoup de Gorg. C'était un prénom masculin à la mode, comme Ethel.

J'eus envie de faire remarquer à Oh que le prénom Ethel n'était ni à la mode ni masculin mais je n'en fis rien, estimant qu'il avait quelque chose d'important à me dire.

– Mais alors… est-ce que les Gorgs… Enfin, les Nimrogs ont-ils toujours… (Ma voix s'atténua.) Comment Gorg a-t-il fait d'autres Gorgs ?

– Il s'est cloné. Avec des machines à téléclonage, comme celle avec laquelle j'ai fabriqué de l'essence.

– Mais tu as dit que c'était impossible.

– Impossible pour les Boovs, soupira Oh. Les Nimrogs ont trouvé une façon de le faire. Ils ont pris les télécloneurs booviens et les ont modifiés.

– Et comment les ont-ils pris ?

– Nous… nous les leur avons donnés.

– Oh !

– Je sais, je sais…

Oh m'expliqua qu'à l'époque cela avait été une bonne stratégie. Les premières guerres livrées par les Nimrogs étaient presque toutes déclenchées par des ressources telles que l'essence. Il était fréquent pour eux, quand ils étaient vaincus, de détruire leur nourriture, leur carburant et d'autres choses, pour ne pas qu'elles tombent aux mains de leurs ennemis. C'est ainsi qu'ils finirent par faire disparaître tout ce qui était utile de leur planète. Divers groupes se lancèrent à l'assaut d'autres planètes, où ils dérobèrent ce qu'ils pouvaient. Les Boovs pensèrent alors que les machines à téléclonage mettraient un terme à cette situation. En effet, s'ils pouvaient cloner ce qu'ils voulaient, les Nimrogs n'auraient plus à quitter leur planète. On leur offrit donc ces machines, en échange de leur promesse de ne plus approcher les autres mondes. Cela fonctionna un temps, jusqu'au jour où ils commencèrent à cloner et téléporter des objets très complexes. Personne ne sait comment ils s'y sont pris.

– Ils ont commencé par télécloner des choses mortes, comme de la nourriture, dit Oh, car aucun Nimrog ne voulait être le premier à l'essayer pour lui. Mais quand il se retrouva seul sur sa planète, Gorg estima qu'il n'avait plus rien à perdre. Il devint alors le pire ennemi qui soit. Il avait survécu à tous les autres Nimrogs ; il était le plus résistant, le plus fort, il n'était jamais malade et ne connaissait pas la fatigue. Il lui suffisait d'installer un téléclоneur sur une planète pour y envoyer mille ou un million de Gorgs. Il pouvait expédier des Gorgs partout. Il pouvait même recouvrir ses vaisseaux de Gorgs.

– Attends, je ne te suis plus.

– Oui ?

– Recouvrir des vaisseaux de Gorgs ? dis-je, avant d'être saisie d'un haut-le-cœur.

Je venais de repenser à la façon dont l'énorme boule gorg avait donné l'impression de progresser sur le sol. Son enveloppe semblait s'agiter, exactement comme ma peau, en cet instant.

– Tu ne veux quand même pas dire qu'ils…

– Si, dit Oh. La peau des vaisseaux gorgs est faite de Gorgs. De Gorgs mélangés, comme dans un mixeur. Elle n'est pas très dure, pas autant que les métaux ou plastiques booviens, mais elle s'autorépare. Et ils peuvent toujours en refaire pour remplacer celle qui est détruite…

Oh se tut lorsqu'il vit la tête que je faisais. Je voulais plus que jamais sortir de cette voiture minuscule et étouffante et m'enfuir en courant, seulement je resterais alors écrasée par un océan noir cerné d'étoiles, oppressant et de plus en plus proche.

– Je n'ai jamais rien entendu de si dégueu ! criai-je au désert matinal.

Je m'étais endormie en pensant à un vaisseau couvert de peau et m'étais éveillée le lendemain en pensant à un vaisseau couvert de peau. Entre-temps, j'avais rêvé que j'étais capturée par les Gorgs, qui avaient tous la tête de Bouclettes, du Royaume de la Souris joyeuse. Comme ils exigeaient que je leur montre comment Fraîchissime flottait dans les airs, j'avais dû ouvrir le capot, pour découvrir le moteur changé en tripes et en organes, palpitant et grognant de faim. J'avais connu de meilleures nuits.

– C'est vraiment immonde ! insistai-je. Regarde, il est plus proche qu'hier, non ?

Oh, qui conduisait, jeta un regard dans le rétroviseur.

– Oui, plus près, je pense aussi.

Nous faufilant dans la broussaille du désert, nous finîmes par trouver une autre autoroute, qui filait vers l'ouest. Cet axe à six voies était séparé en son milieu par une bande en béton assez large pour accueillir une boutique de souvenirs. Nous passâmes devant des constructions en plâtre et des panneaux indiquant des restaurants de chaîne. Sur le côté d'un antique centre commercial, qui, j'imagine, proposait des antiquités ou était lui-même très ancien, était inscrite à la bombe à peinture une citation en lettres rageuses :

Ainsi prend fin le monde
Ainsi prend fin le monde
Ainsi prend fin le monde
Non dans une explosion, mais dans un murmure.
T.S. Eliot

Ces mots me firent un effet étrange.

– Que se passera-t-il si les Gorgs se rapprochent ? demandai-je à Oh. Que feront-ils ?

Il poussa un soupir avant de répondre.

et dévorera le monde et ceux qui s'y trouveront.

Et il téléportera d'énormissimes morceaux de Terreland sur sa planète, comme s'il mangeait une pomme.

– Quand ils se poseront sur Smekl… sur Terreland, ils prendront quelques jeunes et forts comme esclaves, et quelques moins jeunes et moins forts pour en faire des meubles.

J'observai de nouveau le vaisseau gorg, qui me parut assurément plus proche que la veille. Les Boovs l'avaient tout de même endommagé, à en croire les longues traînées rouges et les nombreux débris – on aurait dit des morceaux de papier toilette couverts de sang – éparpillés tout autour. J'aperçus également, un peu plus près de nous, des grappes de vaisseaux booviens fendant l'air, telles des pieuvres scintillantes.

– Les Boovs vont les contenir aussi longtemps que possible, dit Oh. Des semaines, peut-être des mois.

– Prends la prochaine à droite, dis-je.

– D'accord.

Sortis de la bourgade, nous filions de nouveau à travers le grand néant. Je n'étais même pas certaine de savoir dans quel État nous nous trouvions, jusqu'à ce qu'un panneau m'annonce Roswell à quatre-vingts kilomètres de là.

– Ha, ça c'est drôle, commentai-je.

– Drôle dans le sens étrange ou dans le sens ha-ha ?

– Un peu des deux. Le panneau que nous venons de dépasser dit que nous allons traverser Roswell.

– Ah oui ? dit Oh, qui regardait la route. C'est une ville ?

– Oui, j'imagine. C'est un endroit célèbre car un ovni est censé s'y être écrasé il y a… soixante ans, ou quelque chose comme ça.

– C'est quoi, un noveni ?

Que Oh pose cette question était proprement délirant.

– Ça veut dire « Objet Volant Non Identifié », lui expliquai-je. Comme une soucoupe volante, ou un vaisseau extraterrestre.

Oh pila. Projetée de mon siège, je me cognai la tête sur le tableau de bord.

– Aïe !

– Ceinture de sécurité, dit Oh.

– Qu'est-ce qui te prend ?

– Il faut aller au Roswell ! Pour voir le vaisseau spatial !

– Oui, enfin… sauf qu'à mon avis il n'y a jamais eu de vaisseau spa… dis-je en grimaçant, avant d'être interrompue.

– Tu l'as dit ! Tu as dit qu'il s'était écrabouillé !

– Non, non, c'est… il n'y a aucune preuve. Les gens ont raconté ça mais rien n'a jamais été confirmé. C'est comme le yéti ou Nessie.

– Yéti ? Nessie ?

Je lâchai un soupir, puis je lui décrivis le yéti, ainsi que les photos floues. Je lui parlai également du monstre du loch Ness, en Écosse, et du même genre de clichés tout sauf nets sur lesquels il était censé figurer. Je dus ensuite lui expliquer où se trouvait l'Écosse, après quoi il me demanda ce qu'était un loch. Comme je n'en savais rien, j'inventai quelque chose.

Enfin, il cessa de m'interroger et hocha la tête.

– Pas de yéti, alors, ni de Nessie.

– Probablement pas, dis-je.

Oh avait l'air triste. Et c'était plutôt triste, en y réfléchissant, que ces créatures géantes et mystérieuses n'existent pas. Je me dis alors pour la huit centième fois que j'étais en train de discuter avec un extraterrestre, d'essayer de lui expliquer que les monstres n'existaient pas…

– Si une aussi grosse bête vivait dans un lac d'Écosse, je pense qu'on l'aurait trouvée, dis-je.

– Oui, il aurait fallu qu'elle soit très grosse pour être un monstre du loquenisse.

– C'est ça.

– Peut-être même plus grosse que la baleine-serpent.

– Voilà… Attends une seconde, plus grosse que quoi ?

– Que la baleine-serpent. Elle habite dans l'eau, près de Les Cosses. Je ne sais pas son vrai nom.

– Moi non plus. Je ne connais pas grand-chose de l'Écosse.

Oh remit Fraîchissime en mouvement.

– Un vaisseau boovien était chargé de récupérer les animaux intéressants de la Terre, pour comme un zoo, m'expliqua-t-il. Les Boovs ont pris des éléphants, un tatou et beaucoup d'insectes et de poissons. Et plein d'autres choses, dit-il en me gratifiant d'un sourire. Comme ton bateau-arche de Noé !

– Oui, à peu près. Et cette baleine-serpent faisait partie des poissons ?

– Oui. Je suis désolé de ne pas connaître son nom exact. Je me rappelle seulement qu'elle a été capturée dans Les Cosses. Très jolie bête. Vingt mètres de long, en comptant le cou.

Mon regard s'égara un moment sur la route, tandis que j'articulais en silence les mots « Vingt mètres de long, en comptant le cou ».

– Tu pourrais me la dessiner ? demandai-je à Oh.

Il immobilisa la voiture, pendant que je sortais ses feuilles de papier et ses crayons. Puis il dessina la baleine-serpent :

J'observai un long moment ce dessin, si longtemps que Oh dut se vexer.

– Ce… ce n'est pas très bien fait, dit-il. Les nageoires sont trop petites.

– Si, c'est fantastique ! Je parie qu'il ressemble exactement à ça.

Peut-être y avait-il vraiment eu un vaisseau spatial, après tout, quelque soixante ans plus tôt.

– Est-il possible qu'un de tes vaisseaux booviens soit venu sur la Terre il y a très longtemps ?

– Ça m'étonnerait. Terreland n'est pas un quartier très agréable. C'étaient peut-être les Habadoos. Tiens, à propos, tu veux entendre une blague sur les Habadoos ? Alors, c'est un Boov, un KoshzPoshz et un Habadoo qui entrent dans un mahahmbaday. Le Boov dit… non, attends, j'ai oublié de dire que le KoshzPoshz porte un purp. Alors le Boov… non, le KoshzPoshz dit…

Je ne l'écoutais plus vraiment, l'esprit accaparé par cette folle histoire d'extraterrestres. Après deux invasions, c'était ridicule de ma part de penser au secret gardé à propos des visiteurs d'autres mondes prétendument venus sur la Terre pendant toutes ces années. Il avait souvent été question de cercles dessinés dans les champs et d'autres mystères, alors que la vérité se présentait sous la forme d'une sphère violette aussi discrète qu'un géant et que l'on apercevait à cinq États à la ronde.

– … et donc, le Habadoo dit : « Ce n'est pas ton purp, c'est mon poomp ! » conclut Oh en s'étranglant de rire.

– Hum…

– Tu n'apprécies pas les blagues ethniques, c'est ça ? J'ai le droit d'en dire, car j'ai un seizième de sang habad…

– Tu sais, je ne voudrais pas que tu t'emballes et aies trop d'espoir de découvrir un vaisseau extraterrestre. Je réfléchissais seulement à ces anciennes histoires d'ovnis. Toutes s'accordent à dire que l'armée ou la NASA, ou je ne sais qui, a caché ces vaisseaux dans un endroit qu'on appelle la Zone 51. Mais je ne sais pas où elle se trouve.

– Naaza ?

– Oui, la NASA.

– En boovien, *naaza* veut dire « doux et beige ».

– Pas ici. Chez nous, c'est une appellation, qui signifie autre chose.

– Un nom qui signe… ?

Je réfléchis quelques secondes.

– C'est un mot fait à partir d'autres mots et… qui les remplace. C'est pareil pour « OVNI », « TV » ou même « Oh ».

– Quoi ?

– Quoi, quoi ?

– Tu as dit mon nom, mais après tu n'as rien dit.

– Non, ce n'était pas pour attirer ton attention, c'est juste que « Oh » et « NASA », c'est la même chose…

– Non.

– Comment ça, non ?

– Oh n'est pas la même chose que NASA. Oh ne sait même pas qui est NASA.

– Ah d'accord… Bon, temps mort. Non, ce n'est pas ça ; je voulais dire que le mot « NASA » représente autre chose, comme « Oh » équivaut à ton nom boovien.

– Équi-veau ?

– Oui.

– Pourquoi pas, après tout, s'il ne meugle pas trop fort, dit Oh, les sourcils froncés.

– Et NASA représente… *National American Space… Association*. Ou peut-être *National Air and Space…* quelque chose. Je ne m'en souviens plus exactement.

– Et moi, je représente un veau, alors, marmonna Oh.

– Ou peut-être « N'Accueillez pas les Stupides Animaux de l'espace », dis-je. Oui, c'est peut-être bien ça.

– Aah ! Tu veux dire que NASA est un acronyme ?

Je le dévisageai un instant, puis je donnai un coup de pied dans le tableau de bord en faisant la moue.

– Oui.

– Et c'est un genre de… club de l'espace ?

– Oui, qui est géré par le gouvernement. Ils construisent des satellites, des navettes spatiales et d'autres choses.

– Et donc le club doux et beige a caché le vaisseau ?

– Peut-être. Personne ne le sait. Le gouvernement affirme que rien de tout ça n'est vrai. Il y a, enfin, il y *avait* des gens par ici qui prétendaient régulièrement voir des ovnis, mais le gouvernement déclarait toujours que ce n'étaient que des ballons météorologiques. Les ovnis, je veux dire.

– Ils cachent quelque chose ! s'écria Oh.

– Oui, c'est ça, tu y es enfin !

***

Oh était toujours au volant lorsque la voiture percuta un panneau indicateur et partit en glissade sur la bande d'arrêt d'urgence. J'étais alors occupée à farfouiller à l'arrière, à la recherche de la nourriture de Porky. Je me retournai et aperçus du coin de l'œil le panneau vert, qui s'était planté dans une partie visiblement importante du moteur. Emportée par son élan, Fraîchissime fit sauter le fil barbelé, terrifia une antilope, passa en vrille devant le panneau « sens interdit », ce qui était plus que jamais le cas, et fila droit sur une petite construction en fibre de verre.

– Freine ! hurlai-je.

– Marche pas ! cria Oh en écrasant la pédale. Panneau planté dans freins ! ALERTE !

Son anglais se détériorait sérieusement lorsqu'il était sous tension. Il fit un écart et évita la cabane, tout en frappant à de multiples reprises le tableau de bord de sa main libre, comme si cela pouvait en faire sortir quelque chose d'utile.

– Activage ! cria-t-il au tableau de bord. Déployage !

Comme il ne regardait pas la route, ou plutôt la ferme à alpagas qui approchait, je tendis le bras et chassai d'une tape sa main du bouton de la radio afin de diriger moi-même la voiture. Je parvins à glisser celle-ci parmi les animaux, puis nous débouchâmes sur ce qui ressemblait à un terrain de motocross fait maison. Fraîchissime plongea dans suffisamment de creux et sauta sur suffisamment de rampes pour que Porky reste un long moment en suspension dans les airs et que je me morde au moins deux fois la langue.

– Hest-che heu hu échaies he haire ?! lançai-je à Oh, qui martelait toujours le tableau de bord.

– Oui, je veux bien, merci, me répondit-il. Nourris-les pendant que je conduis.

– Non… Qu'est-che que tu échaies de faire ?

– Ah ! J'essaie de faire (*bam*) fonctionner (*bam*) le système (*bam*) de sécurité (*bam*), dit-il, sans cesser de frapper. Allez (*bam*) ! Allez (*bam*) ! Allez (*bam*) !

En ayant terminé avec notre course d'obstacles, nous dérivions désormais vers un arroyo, comme j'allais le découvrir, mais qui aurait facilement pu passer pour un grand fossé. Freins ou pas freins, nous perdions de la vitesse. Je poussai un soupir de soulagement lorsque la voiture s'immobilisa juste au bord du cours d'eau.

– Bien, dit Oh. Mais je me demande quand même…

Il y eut un bruit, comme un « boof », puis un parachute se déploya mollement à l'arrière de Fraîchissime.

– Aha ! Mais ça n'explique pas ce qui est arrivé aux…

Dix-huit énormes ballons de plage roses se gonflèrent d'un coup de tous côtés, ce qui fit basculer la voiture à la renverse dans l'arroyo.

Oh m'offrit un vague sourire, tandis que le nuage de poussière se dissipait et que les ballons se dégonflaient en couinant. Mes yeux se posèrent alors sur le panneau planté juste devant le pare-brise : VOUS ENTREZ À ROSWELL.

– Bon, c'est parfait, dis-je. La prochaine fois que quelqu'un prétend qu'aucun extraterrestre ne s'est jamais écrasé ici, je saurai quoi lui répondre.

– Pas ma faute ! se lamenta Oh. Il y avait un garçon humain sur un vélo !

– Un garçon hu… un enfant ?

– Sur un vélo ! En train de vélotifier ! J'ai fait une embardée pour le rater, mais j'ai raté de rater le panneau vert.

– Tu es sûr ? Tu as peut-être seulement eu une… comment dit-on, déjà… une hallucination ?

– Oui, je suis assuré.

– Tu sais, Oh, une fois, en Floride, j'ai vu un troupeau de chèvres dans des mini-voitures. J'étais si épuisée que…

Je fus interrompue par un cri lointain, peut-être le mot « vite » mais à coup sûr une voix d'enfant. Nos regards se croisèrent.

– Oh. Mon. Dieu ! Filons d'ici !

– Mais… Fondantivoiture ne peut pas avancer tant que les coussins de sécurité ne sont pas complètement dégonflés ! Et nous n'avons plus de freins…

D'autres voix s'étaient jointes à la première ; une masse faite de plusieurs têtes et de nombreuses jambes fondait sur nous.

– Va te cacher dans ces arbres ! soufflai-je à Oh.

Il glapit quelque chose en boovien et, après avoir jeté un regard dans toutes les directions, attrapa un drap sur la banquette arrière. Plus ou moins dissimulé dessous, il sortit tel un fantôme de l'habitacle, au milieu des ballons qui sifflaient, suivi comme son ombre par Porky.

J'hésitais. Fallait-il que je reste sur place ou que je m'enfuie ? Les voix étaient à présent proches, au-dessus de nous. Je pris ma décision en une seconde et sortis à mon tour, me frayant un chemin à travers les ballons de plage. À mi-chemin de la cachette de Oh, sa boîte à outils me vint à l'esprit. Si cette voiture bizarroïde ne le trahissait pas, ses étranges instruments s'en chargeraient, c'était certain. Je fis donc demi-tour, récupérai la boîte à outils et m'élançai de nouveau en trébuchant parmi les arbustes et rochers, en direction du petit bosquet dans lequel j'avais vu Porky et Oh disparaître.

Il me fallut écarter des feuilles et des branches piquantes pour retrouver Oh, qui plaquait le drap sur son visage, comme une vieille femme secouée de frissons. Porky, lui, s'était installé entre quelques-unes des jambes du Boov.

– Je ne savais pas quoi faire, murmurai-je. Fallait-il que je leur parle ? Que je tente de leur expliquer le…

– Chut !

Un groupe de personnes descendait dans l'arroyo. Ils encerclèrent Fraîchissime mais conservèrent leurs distances, comme s'ils avaient affaire à un chien étrange. Les coussins de sécurité dégonflés pendaient, on aurait dit des langues roses. Soudain, ils disparurent, aspirés dans des fentes de la voiture.

Tout le monde – enfants, femmes et hommes – sursauta et recula d'un pas. À présent parfaitement silencieuse, Fraîchissime présentait une allure aussi innocente que possible pour une voiture flottant à quinze centimètres du sol.

– Il y a quelqu'un ? lança un des hommes.

– Chut !

– Quoi ?

– Le conducteur n'est peut-être pas humain… La voiture appartient peut-être à un extraterrestre !

– C'est une Chevrolet Sprint, Kat.

– Et alors ?

– Elle est en suspension dans l'air…

– Taisez-vous, tous !

Je dénombrais deux hommes, deux femmes, deux petits garçons et une fillette encore bébé. Jetant un regard à l'intérieur, les garçons crièrent chacun qu'ils avaient vu notre nourriture le premier.

– Elle a essayé de me renverser, dit ensuite l'un d'eux. Mais j'ai… j'ai sauté par-dessus, avec mon vélo, et elle s'est écrasée dans un grand bruit.

– Tu n'étais pas censé faire du vélo si loin, pour commencer, lui rétorqua la femme nommée Kat, ce qui fit bouder le garçon.

– Prem's pour l'insecticide ! s'écria l'autre garçon.

– Naaaaan !

– Siiiiiii !

– Je l'ai vu le premier !

– C'est pas vrai !

Oh se pencha vers moi.

– C'est moi qui l'ai vu le premier, dans le Mississippi, chuchota-t-il. Tu es témoin, non ?

– Chut !

Les adultes se déployaient peu à peu, afin de comprendre à quoi ils avaient affaire ; ils finiraient forcément par nous trouver. Considérant le drap de Oh, il me revint à l'esprit que j'avais sa boîte à outils dans les mains.

– Y a-t-il quelque chose là-dedans qui puisse couper du tissu ? lui demandai-je.

Il fouilla en silence dans la boîte à outils et en sortit un objet qui ressemblait à un gros stylo bille.

– Serre le manche et ça coupera le tissu, me dit-il.

– Très bien. Mets ton casque.

– Quoimaintenant ?

– Mets ton casque, je te dis ! J'ai une idée.

– Je ne veux pas, il fait trop chaud.

– S'il te plaît.

Oh dit un mot en boovien, que je ne compris pas. Une sorte de « clap » se produisit, entrecoupé d'un claquement, lorsque la sphère transparente surgit autour de son cou, de tous les côtés, et que ces morceaux se rejoignirent au-dessus de sa tête. Elle était pourvue d'une petite aération circulaire à l'avant. Je recouvris ensuite entièrement Oh du drap.

– Ah, aha ! chuchota-t-il. Bien. Avec le drap comme ça, on ne verra plus les humains. Mais j'ai une question : est-ce qu'ils ne nous verront pas toujours, eux ?

Tandis qu'il parlait, je raccourcis le drap pour qu'il ne traîne plus dans la poussière, puis je découpai un petit cercle à hauteur d'un œil de Oh.

– Bonjour ! me dit-il.

J'ajustai le drap pour que le trou soit en face de l'œil, puis j'en découpai un autre.

– Aha ! dit Oh, qui prononça un autre mot boovien, qui fit prendre à son casque une teinte bleu foncé. C'est mieux, comme ça ?

– Oui, parfait. Maintenant, suis-moi.

Je sortis du bosquet, intrépide comme pas deux.

Les garçons étaient toujours en train d'examiner la voiture. Certains adultes s'étaient regroupés pour décider de la marche à suivre, alors que d'autres exploraient les buissons des alentours. Personne ne regardait dans notre direction.

– Bonjour ! lançai-je, après m'être éclairci la gorge.

– Gaa ! s'écria le plus proche, un homme portant un short kaki et qui s'effondra sur les fesses. D'où sors-tu ?

– De Pennsylvanie, répondis-je.

Ils en restèrent tous bouche bée. Une femme corpulente vêtue d'un tee-shirt sur lequel était inscrit « Désolée, j'ai voté Spock » s'avança.

– Bon, eh bien bonjour, dit-elle en me tendant la main. Je m'appelle Vicki. Vicki Finefluette. Tu peux m'appeler Vicki.

– Et moi, c'est Gr… Grace, dis-je, songeant combien cette conversation était surréaliste. Et voici mon petit frère… Gigi.

Oh, qui jusqu'alors se cachait derrière moi, laissa apparaître sa tête couverte du drap et fit mine de vouloir serrer la main de Vicki. Je le repoussai aussitôt dans mon dos.

– Hé ! Halloween n'est que dans plusieurs mois, dit Kat.

– Oui… mais quand les extraterrestres nous ont envahis, il a eu très peur, alors il a enfilé ce déguisement de fantôme. Et maintenant, il ne veut plus le retirer. Maman dit qu'il a attrapé une maladie.

– Oui, je suis maladifié, confirma Oh.

J'aurais voulu nous gifler tous les deux.

– Et en plus, il parle d'une drôle de voix, ajoutai-je. C'est un des symptômes de sa maladie.

– Pas drôle, protesta discrètement Oh, à qui je répondis d'un coup de talon.

Vicki nous couvait d'un regard qui disait « Oh-pauvre-petits-enfants ». Ça craint d'être pris en pitié comme ça, mais c'était l'effet que je cherchais à produire. Kat, en revanche, ne se montrait pas si compatissante.

– Je vais le lui retirer, dit-elle en approchant.

– Non ! s'écria Oh.

– Non ! m'exclamai-je à mon tour. Ne faites pas ça. Quand on essaie de le découvrir, il se met à hurler, il se fait pipi dessus, et des tas d'autres choses.

Refroidie par mes mots, Kat fit marche arrière.

– Il a une voix de Boov, dit-elle.

Vicki fit un bruit de langue réprobateur.

– C'est très méchant de dire ça, dit-elle. Et ce n'est pas vrai, Gigi. Tu n'as pas du tout une voix de Boov.

– Il a *exactement* une voix de Boov.

– Tais-toi, Kat.

Vicki Finefluette jeta à Kat un regard qui disait que la discussion était close. Kat céda, non sans lancer de temps à autre un regard furtif sur Oh. Je me plaçai tranquillement entre elles deux.

– Où sont vos parents ? me demanda un des hommes.

– Je n'ai… nous n'avons plus que notre mère. Et avec un peu de chance, elle est en Arizona. C'est là que nous allons.

– Mais pourquoi…

– Nous avons été séparés à cause des extraterrestres, enchaînai-je. J'ai pensé que je pourrais me rendre en Arizona par mes propres moyens.

– C'est une longue route pour deux enfants seuls, dit Vicki.

Je ne suis pas une grande fan du mot « enfant » ; je ne connais aucun enfant qui le soit. Pourtant, nous deviendrons tous des adultes et l'emploierons régulièrement. C'est une insulte lorsqu'il qualifie un autre adulte, ce qui n'empêche pas ceux-ci de s'en servir pour nous désigner. Comme si nous ne remarquions rien. La plupart du temps, les adultes ne parlent d'« enfants » que quand ils veulent que nous nous sentions adorables et sans défense.

– C'est une longue route pour n'importe qui, dis-je. Heureusement… nous avons rencontré un Boov en Pennsylvanie qui… n'était pas aussi stupide et méchant que les autres. Il a bricolé notre voiture pour nous faciliter le voyage. Nous aurions sans doute mis plus de temps sans lui.

Personne ne dit rien durant plusieurs secondes. Seules les feuilles bruissaient, comme pour applaudir en sourdine.

– Eh bien, un des hommes va conduire votre voiture jusque chez nous, et nous allons tous réfléchir à notre dîner.

– Mais pourquoi… pourquoi ne pas simplement laisser la voiture ici ?

Je ne pouvais pas leur parler des freins ; Oh et moi allions devoir les réparer seuls, sans laisser ces gens découvrir combien mon soi-disant petit frère s'y connaissait en technologie boovienne.

– Il y a un panneau planté dans le capot, fit remarquer un homme, qui tenta de l'arracher.

Il retira aussitôt la main en poussant un cri, le tout dans une gerbe d'étincelles bleues.

– Oui, c'est normal, assurai-je. Bon, on y va ?

Vicki Finefluette avait une fille prénommée Andromède. Elles habitaient généralement seules. Je précise « généralement » car tous les autres allaient et venaient à leur guise dans son appartement, comme si c'était le seul endroit de Roswell équipé d'une douche.

Vicki s'activait dans la cuisine, tandis qu'Andromède, assise sur sa chaise haute, frappait son plateau avec une cuiller.

Les Finefluette

Oh et moi nous balancions d'un pied sur l'autre, ne sachant pas vraiment où nous mettre.

– Tu as dit que j'étais pas stupide et pas méchant, me dit Oh, avec son sourire d'un mètre de large.

– Je sais. Tais-toi.

– Tu m'aimes bien.

– Tais-toi !

Je me rendis compte que Vicki nous observait.

– Alors, comme ça… vous avez tous décidé de rester à Roswell ? lui dis-je.

– Je suis ici chez moi. J'y habite depuis toujours. Et c'est un endroit très important, tu sais. Cette ville est située pile à l'intersection de deux puissants alignements de sites. C'est pour ça que tant de vaisseaux spatiaux s'écrasent par ici.

J'échangeai un regard avec Oh.

– Et les autres… ? Ils font partie de votre famille ?

– Oh non, pas du tout. Ce sont seulement des gens de passage qui se sont retrouvés coincés ici quand les Boovs ont fermé les routes. Ils étaient venus pour le grand festival sur les ovnis qui se tient chaque été.

Kat et un des hommes entrèrent alors dans l'appartement et déclarèrent qu'ils allaient faire un tour dans les toilettes de Vicki, car celles du musée « empestaient à cause de David ». Oh en profita pour observer de plus près Andromède. Quant à moi, je réfléchissais à ce que venait de dire Vicki.

– Et… ce festival, quand s'est-il déroulé ?

– Le mois dernier, comme d'habitude. Juste avant que les Boovs n'instaurent le jour du Déménagement, en fait.

– Vous l'organisiez donc toujours ? Alors que les Boovs étaient parmi nous depuis six mois ?

– Ha ! dit l'homme. Tu piges vite, gamine !

Je ne compris pas ce qu'il voulait dire.

– C'était justement le moment idéal pour organiser le Festovni, dit Vicki. Ce rassemblement réunit les plus grands esprits du monde entier en recherches paranormales ! Nous en savons plus que n'importe qui sur les Boovs !

– Ainsi que sur les crashs d'appareils booviens de 1947 et de 1963, dit Kat, émergeant des toilettes. Et que sur les centaines de témoignages oculaires et sur la façon dont les Boovs ont voulu nous féconder, nous les femmes, pour sauver leur race mourante.

L'homme lâcha un grognement.

– C'est vrai ? articulai-je en silence, à l'intention de Oh, qui s'empressa de secouer la tête.

– N'oublie pas le crash de 1985, ajouta Vicki. C'est ce qui nous a mis la puce à l'oreille à propos des liens entre les extraterrestres et les Agarthiens. C'est une race ancienne, Grace. Ils vivaient sous terre.

Comme j'avais oublié que je m'appelais Grace, Kat n'eut aucun mal à reprendre la parole avant moi :

– Je n'ai pas oublié le crash de 1985, mais tu sais ce que j'en pense. Les preuves laissent plutôt penser que c'était un dirigeable gouvernemental téléguidé par la pensée, et non un…

– Pour ceux qui ne sont pas trop aveugles pour les voir, les preuves sont les courants d'énergie internes et externes jaillis du noyau creux de la Terre, et qui créent…

– Hé ! Du calme. Je le sais bien, mais tu oublies que…

Elles poursuivirent un certain temps comme ça, tandis qu'Andromède, qui s'était remise à crier, donnait des coups de cuiller sur la tête ronde de fantôme de Oh. L'homme s'approcha de moi et posa un genou à terre.

– Tu crois à tout ça, gamine ? me demanda-t-il.

J'avais la sensation que ce n'était pas son cas.

– Je n'en sais rien, répondis-je. En tout cas, je crois aux extraterrestres, maintenant.

– Comme tout le monde, non ?

Kat remarqua que nous étions en train de discuter.

– Ne va pas polluer ce jeune esprit, Trey ! dit-elle. Vous autres, vous voulez prouver qu'un complot vise à faire croire à l'existence des extraterrestres, mais avez-vous au moins regardé vers le sud, récemment ?

– Je n'ai jamais dit que les extraterrestres n'existaient pas ! Je dis seulement qu'ils ne nous ont pas rendu visite, enlevés ou fécondés depuis 1947 ! Et je le maintiens ! Le fait qu'un cirque arrive en ville aujourd'hui ne prouverait pas que des éléphants se rendent régulièrement à Roswell depuis soixante-cinq ans, si ?

Vicki s'approcha de moi, tandis que le ton montait entre les deux autres.

– Grace, tu serais mignonne de traverser la rue et de prévenir les autres, au musée, que le dîner est prêt.

– Bien sûr, répondis-je. Viens, Gigi.

– Si tu veux me féconder, je pense que ce serait mieux qu'on se marie avant, dis-je à Oh, alors que nous traversions la rue.

– Cette femme est folle. Tu sais bien quecomment les bébés humains et les bébés boovs ne sont pas fabriqués de la même façon. Autant essayer de fécondifier la voiture.

Nous approchions du musée des Ovnis, qui ressemblait à un vieux cinéma.

– À propos de Fraîchissime, comment allons-nous faire ? m'interrogeai-je. Il faudrait que nous nous éclipsions discrètement pour aller la réparer.

– J'ai peur que le problème soit plus grave que ça. Le panneau de la route est planté dans le collecteur ajustable de snark.

– Et c'est important ?

– Pff... Est-ce que ton cœur est important ? Est-ce que tu pourrais vivre avec seulement trois foies ?

– Mais tu peux le réparer ?

– Je ne sais pas. C'était une pièce de ma mobylette. Si je ne peux pas la réparer, il n'y en a pas de rechange.

Il nous fallait de toute façon retourner à la voiture, afin de récupérer Porky et la boîte à outils, mais nous pouvions l'abandonner si la situation l'imposait. Nous en emprunterions alors une autre – Roswell en était rempli. J'aperçus par exemple fugitivement un pick-up turquoise passer devant un restaurant à burgers en forme de soucoupe volante situé au bout d'une allée dont les réverbères étaient ornés d'yeux d'extraterrestres.

L'important était de parvenir en Arizona, certes, mais en vérité je voulais m'y rendre dans MA voiture. Fraîchissime. Nous n'emprunterions pas une autre voiture, me dis-je en ouvrant la porte du musée. Ce serait du vol.

Nos sens furent agressés dès nos premiers pas dans l'entrée : il y avait là des sacs de couchage usés et chiffonnés, telles des peaux de serpent étalées sur le sol, des sachets de chips et de couenne de porc grillée vides, une maquette de soucoupe volante, une odeur de chocolat et de pieds, un diorama sur le crash de 1947 intitulé « Chasseurs fantômes », une odeur d'œuf presque insoutenable, des morceaux d'emballages plastique et de papier, un cadavre d'extraterrestre en caoutchouc allongé sur un lit à roulettes et examiné par un mannequin humain en tenue de chirurgien, un livre ayant pour titre *La Vie, l'Univers et le Reste*, et suffisamment de slips pour trente bonshommes. Il y en avait vraiment énormément, comme si ces gars ne les portaient qu'une fois avant d'en prendre des neufs.

– Je me demande où ils sont, dis-je.

Oh avait le visage plaqué contre la vitre de la fausse autopsie d'extraterrestre.

– Qu'est-ce que c'est ? s'enquit-il.

– C'est un faux cadavre d'extraterrestre. Le faux chirurgien va le découper.

– Pas très amical pour ses voisins.

– Reconnais-tu cette créature ? Cette race existe-t-elle ?

– Hmm… non, pas à ma connaissance, même si on dirait un peu un M'Plaah. Ce sont des sortes de pieuvres qu'on élève pour leur lait.

– Bien sûr, j'allais le dire… Bon, OHÉ, IL Y A QUELQU'UN ?

– Oui ? me répondit une voix lointaine.

– Où êtes-vous ?

– Sur le toit… Les escaliers sont près des toilettes.

Nous trouvâmes les toilettes, sur les portes desquelles était indiqué EXTRATERRESTRES et FEMMEXTRATERRESTRES.

– Enfin des toilettes dont tu as le droit de te servir, dis-je à Oh.

– J'ai pas envie.

Derrière une porte pourvue d'une pancarte PRIVÉ se présenta un escalier qui nous mena au toit. S'y trouvaient un homme affublé de la pire barbe d'Amérique et les deux jeunes garçons, ainsi qu'une dizaine de télescopes de tailles et de formes diverses. L'homme était penché sur un instrument assez large mais plutôt petit, qu'il pointait vers le sud, tandis que les deux enfants couraient un peu partout.

– Qu'est-ce que c'est que tout ça ? m'étonnai-je.

– Néné ! s'écria un des garçons, ce qui les fit tous deux éclater de rire, après quoi ils répétèrent plusieurs fois ce mot.

– Tiens, voici les nouveaux gamins, dit l'adulte. Venez donc voir ça !

Son visage épais mais doux était posé sur un cou, tout aussi épais et doux. Une fine barbe les séparait comme un trait de crayon, telle une frontière sur une carte – sa mâchoire peu marquée incapable de figurer une chaîne de montagne, il avait délimité cette frontière de son mieux.

– Quoi donc ? dis-je. La grosse boule violette ? Nous l'avons déjà vue.

– Pas de si près, insista le barbu. Jetez un coup d'œil là-dedans.

Je savais ce que j'allais découvrir dans le télescope et je n'en avais aucune envie. Oh et moi nous approchâmes tout de même, puis je collai un œil sur l'oculaire.

– C'est étrange, non ? dit Barbu. Elle paraît presque vivante.

Grâce au zoom, on distinguait la texture de la peau de Gorg, ses pores, ses imperfections, ses croûtes et ses taches de rousseur.

– En effet, dis-je. Presque vivante.

– À mon tour, se plaignit Oh. Tu ne penses pas aux autres.

Je ne cédai pas ma place à Oh car j'aperçus alors quelque chose de bizarre dans un coin. Une portion de la peau du vaisseau semblait enfler.

– Qu'est-ce qu'elle est en train de faire, là ? Vous savez, quand la peau se met à bouillonner comme ça ?

– Je ne vois pas de quoi tu parles, me répondit Barbu. Laisse-moi regarder…

– Non, c'est à moi ! Je suis le prochain !

– Comment fait-on pour le tourner ? demandai-je, tout en faisant pivoter d'une main l'instrument.

– Houlà ! Pas comme ça.

Barbu avait raison, évidemment ; l'objectif avait beaucoup, beaucoup trop tourné sur la droite.

– Remettez-le en place, vite ! m'écriai-je.

– Tu aimes bien donner des ordres, toi ! commenta un garçon.

– Attends une seconde, dit Barbu, qui consultait un cahier. Comment était-il réglé… ? Hmm… Ascension droite : 17 heures, 29 minutes et 16,4 secondes… Déclinaison : - 40 heures, 47 minutes et 1 seconde.

Après un moment de flou dans le télescope, je retrouvai la portion enflée, au centre de laquelle se trouvait un point blanc, un peu comme un bouton.

– Levez-le un peu sur la droite, demandai-je.

La mise au point se fit juste à temps pour me permettre de voir la grosse protubérance frémissante soudain doubler de volume et cracher le point blanc comme on fait éclater un furoncle.

– Ouah ! m'exclamai-je, m'écartant du télescope.

Je levai aussitôt les yeux, afin de repérer le point blanc dans le ciel. Oh tenta de se pencher sur l'oculaire mais fut devancé par Barbu.

– Ah, je vois la bulle, dit ce dernier. Elle dégonfle et il y a un trou en son centre.

C'est alors que j'aperçus deux formes brillantes au-dessus des montagnes.

– Regarde ! dis-je à Oh, en lui agrippant l'épaule.

Très loin de nous, deux vaisseaux booviens fonçaient l'un vers l'autre. Lorsqu'ils se retrouvèrent, leurs jambes-tuyaux se mirent à tâtonner dans l'air. Ils durent s'interrompre assez vite, visés par des tirs en provenance de la boule gorg. La première salve ne fit pas mouche, à l'inverse de la suivante, qui fit exploser un des vaisseaux booviens comme un bocal en verre. L'autre appareil, qui s'éloignait mollement, subit le même sort.

Sur le toit, personne n'ouvrit la bouche pendant un moment, pas même les garçons, même si cela ne dura guère.

– C'était génial ! dit celui qui criait le plus fort.

– Super génial ! renchérit celui qui criait aussi fort que l'autre. La grosse boule a fait « BSHOOM ! » et, après, un des petits vaisseaux…

– A fait « KSHHH ! ».

– C'est moi qui raconte ! Papa !

Oh avait l'air immensément malheureux. On n'imagine pas qu'il est possible de le remarquer quand quelqu'un est déguisé en fantôme, mais c'est pourtant le cas.

– Ce n'est pas la première fois que nous voyons la boule détruire des vaisseaux booviens, dit Barbu, presque avec entrain. Elle l'a déjà fait deux fois.

Ce n'était bien sûr pas non plus la première fois que Oh et moi assistions à ce phénomène, cependant il s'était produit juste après le lancement de quelque chose depuis la lune gorg. La coïncidence était trop grosse. Les vaisseaux booviens n'avaient pas attaqué la sphère ; ils avaient seulement foncé l'un vers l'autre. Ou alors vers quelque chose d'autre dans le ciel, trop petit pour être aperçu…

– Ricki a dit que le dîner est prêt, dit Oh.

– Vicki ! sifflai-je.

– Bicki.

Nous ayant entendu, un des garçons se mit à brailler :

– La réunion du NÉNÉ est…

– C'est à moi de le dire…

– … officiellement terminée !

– Papa !

– Une minute, les petits, dit Barbu.

– Hé, mais… le NÉNÉ ? dis-je.

– C'est le nom de notre club, m'expliqua garçon numéro deux.

– Vous ne venez pas de Floride, par hasard ?

– Non, me répondit Barbu. Pourquoi ?

– Non, pour rien.

Les deux enfants se disputaient :

– Ça veut dire…

– … télescope…

– Tais-toi !

– … télescope National de… d'Espionnage des…

– …d'Espionnage des Nuls d'Extraterrestres !

– Abruti !

Nous redescendîmes au rez-de-chaussée.

– Je ne sais même pas pourquoi je vous pose cette question, mais votre acronyme ne devrait-il pas plutôt être TNÉNÉ, ou quelque chose comme ça ? fis-je remarquer.

– NÉNÉ, ça sonne mieux.

Ah, les garçons…

Le dîner fut sensationnel. Mais vraiment. Il faut avoir passé deux semaines à se nourrir de ce que, en l'honneur de l'une des exhibitions dédiées aux ovnis, j'appellerai les Quatre Groupes de Chasseurs fantômes (Salé, Pétillant, Formes d'animaux et Bleus) pour découvrir ce dont est capable une Cocotte-Minute.

– Tu en reprendras un peu ? me demanda Vicki.

– Oui, c'est délicieux !

– Ton frère ne semble pas du même avis.

– Oh, ne vous en faites pas pour Gigi. C'est un de ces gamins qui n'avalent jamais rien. On pense qu'il tire son énergie du soleil.

En vérité, je savais que Oh avait englouti tous les savons décoratifs de la salle de bains de Vicki, quand nous étions censés nous laver.

– Je l'espère, en tout cas, car vous risquez d'être coincés ici un moment, les enfants, dit Barbu.

Je posai ma fourchette.

– Que voulez-vous dire ?

– Eh bien, votre voiture semble très mal en point. De toute façon, nous ne pouvons pas vous laisser conduire seuls.

Je déglutis difficilement, un gros morceau de mon plat coincé dans la gorge.

– J'ai réussi à venir jusqu'ici, ça va aller.

– Quelle audace ! s'exclama Vicki. Tu as dû être difficile à élever, toi !

Je finis par avaler ma bouchée, mais elle me brûla le nez et me fit monter les larmes aux yeux. Je pensais à maman…

– D'accord… mais quelqu'un pourrait nous conduire jusque là-bas, non ? Pourquoi attendre ici ?

Vicki et peut-être deux autres gloussèrent.

– Personne ici n'a de voiture, Grace, m'expliqua Barbu.

– Empruntons-en une, la ville en est remplie.

Cette fois, ils éclatèrent tous de rire.

– Et comment allons-nous faire démarrer cette mystérieuse voiture ? me demanda Vicki.

– Nous avons déjà cherché un véhicule que nous pourrions utiliser, ajouta Kat. Tu serais étonnée si tu savais le nombre de personnes qui ont pris leurs clés de voiture avec eux quand Roswell a été évacué. Mais tu peux nous aider, si tu veux. Nous finirons bien par trouver une clé qui démarre quelque chose.

– Nous pourrions faire tourner un moteur en faisant se connecter des fils. C'est faisable, non ?

Des regards vides me parvinrent de tout autour de la table. Barbu toussota.

– Nous sommes chercheurs en paranormal, Grace, dit-il.

– Ce qui veut dire qu'ils ne savent rien faire d'utile, intervint Trey.

– Ce qui veut dire… que nous ignorons tout de ces trucs de films policiers. Pourquoi ne nous expliques-tu pas comment démarrer une voiture en reliant des fils, Trey, hum ?

Je les écoutais se disputer, la tête dans les mains. J'avais déjà oublié que des clés manquantes pouvaient créer des problèmes. Oh disposait sans doute d'un parfum capable de faire tourner un moteur, ou peut-être d'un chapeau-démarreur-de-voiture, ou quelque chose dans le genre.

À propos de Oh, je l'entendis à peine lorsqu'il m'adressa la parole :

– Le pick-up.

– Quoi ? marmonnai-je.

– Le pick-up bleuté, qu'on a vu.

– Ah oui ! Nous avons aperçu un pick-up turquoise un peu plus tôt, en arrivant en ville. Qui de vous était au volant ?

Un silence s'installa. Seul Trey souriait, et je commençais à comprendre que cela n'augurait rien de bon. Je ne dis pas que j'adhère ou pas à la thèse du complot visant à faire croire à l'invasion extraterrestre, je dis simplement que Trey aurait pu afficher son désaccord sans se comporter comme un imbécile.

– Vous comptez lui dire ? lança-t-il. Sinon, je m'en charge avec joie…

– Tu as vu l'Indien Ours qui Hurle, dit Barbu. C'est un… c'est seulement un vieil excentrique, un brocanteur qui récupère des rebuts. Il vit dans le quartier. C'est un peu une légende de la ville.

– Ha… Oui, la légende de l'Indien fou, ajouta Vicki, qui, après avoir jeté un regard de biais en direction de Oh et moi, se reprit. Sans vouloir vous vexer.

– Pourquoi le serions-nous ? m'étonnai-je. Nous ne sommes ni indiens, ni fous.

– Moi, j'ai un seizième de sang habadoo, tint à préciser Oh.

– Dis-leur le plus drôle, insista Trey. Dis-leur qu'Ours qui Hurle est le type qui a trouvé la soucoupe volante qui s'est écrasée en 1947. Dis-leur qu'elle est encore dans sa cave.

Barbu soupira.

– Cet Indien… prétend détenir la soucoupe volante, en effet. Il était vraiment ici à l'époque, il a fait partie de l'armée de l'air, ou quelque chose comme ça, pendant la Seconde Guerre mondiale.

– Il n'y avait pas d'armée de l'air pendant la Seconde Guerre mondiale, objecta Trey. Elle n'a été créée qu'en 1947. L'Indien a été viré de l'armée parce qu'il croyait aux ovnis !

– Et vous l'avez vue, cette soucoupe volante ? demandai-je.

– Oui, tous, me répondit Kat. C'est une sorte de rite de passage. Quand on s'installe à Roswell, on finit toujours par se retrouver dans la cave d'Ours qui Hurle, à regarder ce débris.

– Je veux le voir, déclara Oh.

– Ça n'en vaut pas la peine, gamin.

– Nous saurions reconnaître la soucoupe volante de 1947, dit Vicki. (Tout le monde hocha la tête, à l'exception de Trey.) La communauté ufologue sait à quoi elle ressemble. Nous la connaissons depuis des années.

– Des décennies.

Je ne sais pas si quelqu'un ajouta quelque chose, mais si ce fut le cas, ses propos furent noyés par de retentissantes explosions aux airs de feu d'artifice raté, qui illuminèrent la nuit. Toute l'assemblée se précipita à la fenêtre ; les Gorgs et les Boovs s'affrontaient de nouveau, peut-être autour d'un petit objet blanc dans le ciel couleur prune.

Le soir venu, je dis à Vicki que Oh et moi allions dormir au musée des Ovnis car les autres enfants s'y trouvaient, même si j'aurais préféré la compagnie de singes hurleurs atteints du mal de mer à celle des fils de Barbu.

– Je pensais vous installer dans le salon, dit Vicki, quelque peu vexée et les bras déjà chargés d'oreillers.

– Demain soir, peut-être, alors ? Allez, viens, Gigi.

Je trouvai la main de Oh, sous le drap, et l'entraînai hors de l'appartement.

– Je ne me sens pas très bien, m'avoua-t-il, alors que nous descendions l'escalier qui menait au rez-de-chaussée. Je crois que ces petits savons n'étaient pas comestibles.

– Tu trouveras de quoi mieux te nourrir dans la voiture. Dépêchons-nous, au cas où Vicki nous surveille par la fenêtre.

Nous nous dirigeâmes vers le musée le plus longtemps possible, puis, après que j'eus lancé un dernier regard vers l'immeuble de Vicki, nous nous engouffrâmes en toute hâte dans une ruelle, pour ensuite retrouver la rue principale quelques pâtés de maisons plus loin.

– J'ai envie d'aller voir le crieur d'ours, dit Oh. Il a l'air gentil. Et puis je voudrais voir sa soucoupe volante.

– Moi aussi. Nous irons le trouver quand nous aurons réparé Fraîchissime. Tu sais, il y a encore quelques semaines, j'aurais dit que les vaisseaux spatiaux ne pouvaient pas ressembler à des boulettes de viande géantes. Et il y a un an, je n'aurais pas cru qu'il puisse en exister en verre et avec des tuyaux. Celui de l'Indien ne ressemble peut-être simplement pas à ce à quoi les gens s'attendent. Tu reconnaîtras peut-être son origine.

– Les autres ne croient pas que ce soit un vrai.

– Oui, ce sont de braves gens, mais ils pourraient être léchés par un caniche et prétendre avoir été mordus par l'abominable homme des neiges.

– C'est vrai, et je me demande bien pourquoi.

Nous approchions de l'arroyo. J'étais à bout de souffle mais ravie d'agir de façon constructive, après être restée assise toute la journée. Porky miaulait derrière la vitre, côté passager. Je le laissai sortir et lui offris une petite caresse entre les oreilles.

– Désolée pour cette absence, Porky. Mais c'est terminé, on reste toute la nuit avec toi.

Oh retira son déguisement de fantôme et se mit immédiatement au travail. Il s'aspergea les mains d'un liquide qui se solidifia très vite en gants, puis il m'en versa une paire à mon tour. Ensemble, nous entreprîmes d'arracher le panneau indicateur du capot.

– Hmm... dit Oh.

– Quoi ?

– Rien. Au travail ! Passe-moi la poinçonneuse à capot floquée.

– Ça ressemble à quoi ?

– Rose, en fourrure et avec des morceaux courbés.

– Il y a au moins trois trucs comme ça, là-dedans.

– Ça doit légèrement trembler.

– Ah ! Voilà.

Deux heures s'écoulèrent, durant lesquelles je dus reconnaître que je n'étais pas bonne à grand-chose, si ce n'est pour tendre à Oh un outil très longtemps après qu'il eut commencé à me le décrire. Après avoir joué un peu avec Porky, je commençais à somnoler quand je me rendis compte que Oh, le regard fixe, ne bougeait plus.

– Que se passe-t-il ?

– Je ne peux pas la réparer. Fraîchissime a besoin d'un nouveau snark. Et un nouveau fesse-fredon bipaa'culaire ne lui ferait pas de mal.

– Bon, eh bien c'est réglé, dis-je en hochant la tête. Nous allons devoir voler une voiture. Ce n'est pas notre faute. On pourrait peut-être prendre une voiture de police, ou un autre véhicule qui n'appartient à personne.

Oh remballa ses outils.

– De toute façon, il faut le faire et vite s'en aller d'ici, poursuivis-je. J'ai l'impression que Vicki veut nous adopter. Et je n'aime pas l'air méfiant que prend Kat quand elle te regarde.

– Kat, c'est celui avec les lunettes et les cheveux noirs ?

– Non, Kat est une femme.

– Hmm...

C'est alors que retentit un grondement que je pris d'abord pour le tonnerre. Puis il se reproduisit, plus assourdissant que tout, et le ciel nocturne s'illumina d'orange au-dessus des collines du Nord.

– C'était tout proche, dis-je.

Des vaisseaux booviens passèrent au-dessus de nous, nous éclairant entre les branches de pins comme une lampe de poche à travers une toile d'araignée. Je me baissai par réflexe, puis les vis filer en direction de la source des explosions.

– Allons-y ! Je voudrais comprendre ce qui se passe.

– Mais je sais déjà ce qui se passe, dit Oh.

– Je t'écoute.

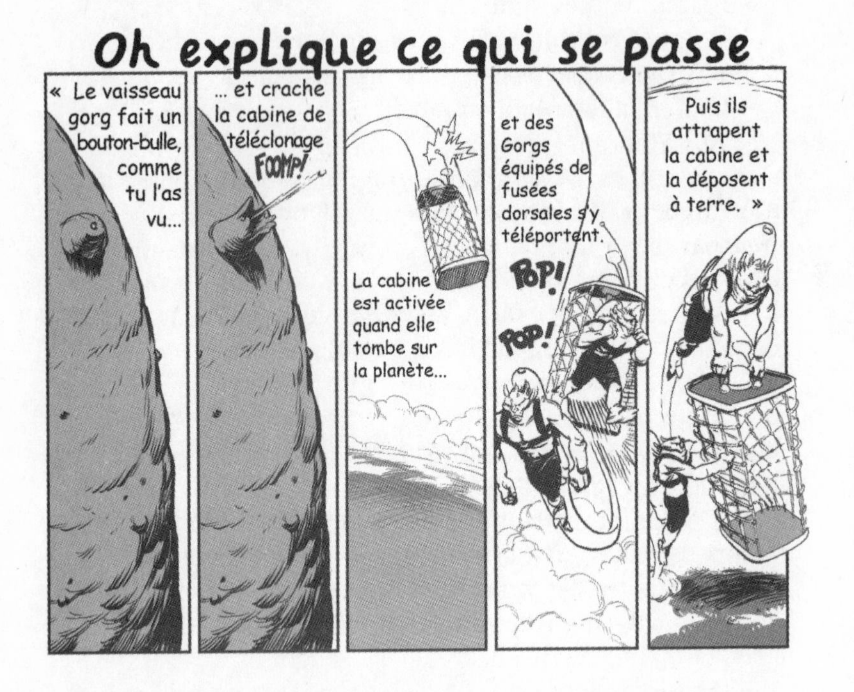

Oh explique ce qui se passe
« Le vaisseau gorg fait un bouton-bulle, comme tu l'as vu...
... et crache la cabine de téléclonage
FOOMP!
La cabine est activée quand elle tombe sur la planète...
et des Gorgs équipés de fusées dorsales s'y téléportent.
POP!
POP!
Puis ils attrapent la cabine et la déposent à terre. »

– Voilà pourquoi les vaisseaux booviens foncent systématiquement dessus quand une cabine est lancée, devinai-je.

– Ils la détruisent avant qu'elle touche le sol, conclut Oh. Ou peu après. Ensuite, le vaisseau gorg abat les vaisseaux booviens. Ça fonctionne très bien, jusqu'au jour où les Gorgs réussiront à installer une cabine de téléclonage, et tout sera terminé. Les Gorgs se déverseront sur la planète comme des fourmis sur un chewing-gum. Avec leur colère et leurs pistolets qui aboient, ils forceront les Boovs à évacuer, puis leur vaisseau dévorera le monde.

– Allons tout de même jeter un coup d'œil, dis-je en m'installant dans Fraîchissime. Nous apprendrons peut-être quelque chose.

– C'est dangereux.
– À cause des Gorgs ?
– Non, à cause du collecteur ajustable de snark défectueux.
– Je n'aurai pas besoin des freins si je fais attention. Ce n'est pas comme si nous roulions au milieu de la circulation. Monte.
– Ce n'est pas seulement les freins…
– Et attrape Porky. Allez !
– On pourrait explorer ! insista Oh, le regard en panique.
Je pris un moment pour tenter de décrypter son expression.
– Oui, c'est ça, on va voir ce qui se passe par là-bas.
Oh laissa passer une seconde, puis il embarqua, aussitôt imité par Porky. Il boucla sa ceinture de sécurité, qu'il ne lâcha pas de ses doigts bleus.
– Je resterai collé à toi, soupira-t-il.

***

Le ciel s'éclaircissait à mesure que nous progressions. Une odeur de cheveux brûlés planait par ailleurs dans l'air. Les déflagrations de l'affrontement galactique étaient assourdissantes. Un peu plus loin, un vaisseau boovien, étincelant mais endommagé, évoluait péniblement, conservant une basse altitude tandis que la boule gorg tirait des traits de feu de cent kilomètres dans le ciel.
– Fraîchissime réagit bizarrement, dis-je.
Secouée de tremblements, la voiture gîtait à droite et à gauche, comme si la route était recouverte de glace, en oubliant que nous étions en été, qu'il n'y avait pas de route et que nous ne l'aurions pas touchée s'il y en avait eu une.
– Oui, répondit Oh, les dents serrées. Ce sont les dangers de l'exploration.
– Oui, j'imagine, songeant qu'il était subitement affreusement philosophe.
Après avoir gravi une colline, nous nous aventurâmes au fond d'une large fosse où s'étaient autrefois tenues des opérations minières. Nous y découvrîmes les restes d'un second vaisseau boovien, ainsi que la cabine de téléclonage des Gorgs, non loin de là. La scène qui se déroulait

sous nos yeux était tout simplement écœurante : des Gorgs surgissaient sans interruption de la cabine, pour aussitôt être abattus par le vaisseau boovien qui luttait encore. Ce premier aperçu des Gorgs ne me permit pas vraiment de me forger une opinion à leur sujet. Ayant plaqué la cabine contre une paroi rocheuse très raide, ils s'y massaient autant que possible, afin de la protéger des tirs des Boovs. Dans cette obscurité uniquement ponctuée d'éclairs vacillants et répugnants, je ne vis qu'un amas de corps et de morceaux de corps. Le simple fait d'écrire ces mots m'y fait penser davantage que je ne le souhaite.

Pendant ce temps, quelque part au Mexique, les impressionnants tirs des Gorgs visaient le vaisseau boovien brillant. Profitant de l'abri offert par le ravin, le vaisseau enchaînait des manœuvres brutales qui rendaient certainement malades une bonne vingtaine de membres d'équipage.

– C'est quoi, ce gaz brillant, à l'intérieur des vaisseaux booviens ?

– C'est le cerveau, m'expliqua Oh. L'ordinateur principal.

– L'ordinateur est fait de gaz ?

– De minuscules molécules. Les ordinateurs humains sont composés d'interrupteurs électriques, très nombreux, qu'on allume et qu'on éteint, ce qui indique à l'ordinateur ce qu'il doit faire. C'est pareil pour les ordinateurs booviens, sauf qu'ils sont faits de gaz électrique. Chaque molécule est un interrupteur. Il y en a des milliards, et même des trillions.

Soudain, le vaisseau gorg abaissa sa visée, créant d'immenses percées dans le relief et s'ouvrant ainsi une ligne de tir sur les Boovs. Fraîchissime, qui tremblait déjà assez comme ça, fut secouée par les ondes de choc et les pluies de roche et de terre. Porky laissa échapper un gémissement profond qui faisait penser à une sirène de pompiers au ralenti.

– Euh… je crois qu'on devrait s'écarter, dis-je, avant d'éloigner la voiture de la colline.

Une file de Gorgs apparut soudain au bord de la fosse, tels d'énormes insectes lumineux, avec leurs fusées dorsales vertes. Ils se mirent aussitôt à tirer sur les Boovs, qui subissaient déjà le feu de la sphère géante. Le vaisseau boovien plongea tout de même en direction de la cabine.

– Ces Boovs sont des garçons courageux… dit Oh à mi-voix. Et des filles, des garçons-filles, des filles-garçons, des garçons-garçons, des garçons-garçons-filles et des garçons-garçons-garçons-garçons. Ils seront bientôt vaincus, mais ils vont faire une dernière tentative.

Le vaisseau boovien jaillit alors en trombe de la fosse, harcelé de tirs et pourchassé par dix ou douze Gorgs équipés de fusées dorsales. Exception faite du bourdonnement de la voiture, le silence était total.

– Je me demande si on a réussi, dit Oh. Si les Boovs se sont emparés de la cabine.

– Ils ne voulaient pas la détruire ?

– Il faudrait aller voir. Vite ! On n'a pas beaucoup de temps.

Je lançai Fraîchissime dans la fosse, malgré les secousses et claquements du moteur qui empiraient.

– Attraper une cabine de téléclonage gorg a toujours été le plus grand rêve des Boovs, déclara Oh. Ils espèrent ainsi comprendre comment téléporter et cloner des personnes et des choses complexiquées. Ils disposeraient alors eux aussi d'armées infinies.

– Qu'est-ce qui te fait croire que les Boovs l'ont récupérée, cette fois ?

– Je n'y crois pas vraiment, mais il n'y a pas eu de grand bruit dans le trou. D'habitude, quand les Gorgs comprennent qu'ils ne pourront pas installer la cabine, ils l'explorent en un million de morceaux !

– Ils… l'*explosent*, tu veux dire ?

– Ah oui, ils l'explosent. Je confonds toujours.

J'immobilisai Fraîchissime au bord du gouffre.

– Attends une minute, tu voulais dire « exploser » chaque fois que tu as dit « explorer », cette nuit ?

– Regardeça ! Dans le trou !

– Fraîchissime risque d'*exploser* ?

– Oui, d'une seconde à l'autre, mais regarde !

Malgré moi, je suivis la direction indiquée par Oh. Je vis d'abord des amas de Gorgs, un peu partout, puis je me rendis compte que la cabine n'était plus là.

– Les Boovs ont attrapé la cabine, dis-je.

– Non. Là-haut !

De l'autre côté de la fosse minière, le pick-up turquoise remontait la route en pente sévère. Et il transportait la cabine.

– Hé ! m'écriai-je. Ce truc est à nous, pas à lui !

– Je ne pense pas qu'il t'entende…

Accélérant à fond, je lançai Fraîchissime le long du bord de la fosse.

– Est-ce qu'on va exploser, Oh ?

– Peut-être. Le collecteur ajustable de snark est très instable. Mais Tif a dit qu'elle voulait quand même conduire.

– J'ai eu l'idée folle de vouloir explorer, pas exploser ! (Je tournai la tête vers Oh.) Tu m'as quand même accompagnée. Alors que tu pensais que la voiture risquait d'exploser.

Un éclair se produisit vers le nord-ouest ; les Gorgs avaient finalement eu raison du second vaisseau boovien. Oh plaqua de nouveau le visage contre la vitre.

– Ours qui Hurle est sorti de la fosse, dis-je. Je parie que Fraîchissime peut le rattraper si elle n'explose pas avant. Qu'est-ce que tu regardes ?

– Ils reviennent. Les Gorgs munis de fusées. J'en vois sept.

– Houlà… Et… qu'est-ce qu'on peut faire ?

Oh avait un air empli d'espoir, comme s'il voulait m'emprunter de l'argent.

– Les Boovs n'ont jamais réussi à s'emparer d'une cabine de téléclonage gorg, dit-il. C'est ça, le plus important. Il ne faut surtout pas la rendre.

Je soupirai et fermai les yeux, puis j'acquiesçai. Je me mis à réfléchir à toute allure, à la recherche d'une bonne idée.

– J'ai trouvé ! m'exclamai-je finalement. C'est parti !

Tournant le bouton de la radio à fond à gauche, je lançai Fraîchissime sur les Gorgs qui approchaient. Leurs feux arrière formaient d'étranges symboles dans les airs. Si seulement ils avaient pu réellement être aussi minuscules qu'ils en avaient l'air, vus de si loin, et s'écraser sur le pare-brise comme des insectes nuisibles ! Malheureusement, ils grossissaient à vue d'œil. Nous ayant aperçus, ils se rapprochèrent du sol, ce qui me permit enfin de correctement détailler ces êtres ; je fus alors ravie de ne jamais m'être approchée davantage d'une telle créature, et encore moins de sept d'entre elles. Désormais distants d'une trentaine de mètres, ils braquèrent sur nous des fusils de la taille d'un réverbère.

– Quoiça tu vas faire ? me demanda Oh.

– Ils nous barrent la route, je vais klaxonner !

J'écrasai la paume de la main sur le Klaxon. Comme deux semaines auparavant, en Pennsylvanie, le capot s'ouvrit et vomit une flamme orange dans le ciel, ce qui dispersa les Gorgs. Je virai aussitôt sur la droite et accélérai à fond.

– Je ne pense pas que ça suffise à nous en débarrasser, dis-je.

Le capot claquant sur la voiture et masquant la vue par le pare-brise, j'en étais réduite à conduire la tête sortie par la fenêtre.

– Il leur a fallu quelques secondes pour que leurs yeux se réadaptent, après avoir été éblouis. C'est pour ça, d'ailleurs, qu'ils n'ont pas vu le pick-up transportant la cabine. Ils nous ont pris en chasse.

Sur le capot, le collecteur ajustable de snark sifflait et crachait un feu d'artifice bleuté sur le pare-brise.

– Ce truc semble sur le point d'éclater ! criai-je, sentant cette chose vibrer jusque dans le volant et sous mes fesses.

– Oui, va dans l'arroyo.

– Tu es sûr de toi ? demandai-je à Oh, tandis que mon regard ne cessait de passer des Gorgs, dans le rétroviseur, au désert noir qui se présentait devant nous. Je me disais que…

– J'ai une idée.

Je pris la direction de l'autoroute, puis baissai les yeux vers le rétroviseur, juste à temps pour être aveuglée par le flash des armes gorgs. Celles-ci constellaient le sol d'impacts de tir et allèrent jusqu'à arracher les antennes de Fraîchissime, que je faisais zigzaguer entre divers poteaux et pieux de clôtures.

– Oh, je pense vraiment qu'on devrait…

– Fonce dans l'arroyo, s'il te plaît, insista-t-il, tout en fouillant dans sa boîte à outils.

Il finit par en sortir l'objet ressemblant à un taille-crayon à manivelle en gélatine au citron qui, quand on l'actionne, déroule un fil super résistant qui sent le soda au gingembre.

– Fabrique-moi confiance, ajouta-t-il.

Reprenant dans le sens inverse notre chemin de la veille, j'atteignis bientôt la zone vallonnée parsemée d'obstacles dont la traversée avait tant secoué la boîte à outils de Oh que tout son contenu en avait été éjecté. Ce passage eut au moins le mérite de nous rendre difficiles à viser. Les tirs des Gorgs déchiraient les sommets des dunes et éclaboussaient la nuit de terre pulvérisée. De mon côté, je me torturais le cerveau afin de décider si je devais suivre le plan de Oh ou ce que j'estimais vraiment être la meilleure façon de réagir. Je lui en voulais de m'avoir mise dans cette situation – nous savions tous deux que c'était moi, la plus intelligente.

– On est presque à l'arroyo, dit-il. (Il avait noué une extrémité du fil super résistant à son majeur, et l'autre autour du siège passager.) Plonge dedans.

Plus rapides et plus agiles, les Gorgs gagnaient du terrain. Ils seraient ravis de nous voir nous réfugier dans l'arroyo, qu'encombraient rochers, branches basses et souches relevées. Sans compter que je n'y verrais quasiment rien.

– J'espère que les humains et les Boovs vont au même paradis, dis-je, tandis que nous glissions vers le pied de la colline. Je crois que je vais avoir deux mots à te dire à propos de ton plan.

J'augmentai l'épaisseur du coussin d'air, sous la voiture, et plissai les yeux, agressée par le vent et les insectes. Fraîchissime évitait de peu rochers et arbres abattus, et frôlait les buissons ou branches fines surgies de nulle part qui fouettaient le pare-chocs, le capot et mon visage. Désormais eux aussi dans le fossé, les Gorgs se frayaient un chemin rouge et fumant à travers la végétation.

– Qu'est-ce que tu fais ?! hurlai-je à Oh, même s'il était évident qu'il se faufilait par sa fenêtre pour se jucher sur le pare-brise.

Il me cria quelque chose qui se perdit dans le vent rugissant.

C'est alors qu'un Gorg s'approcha affreusement près de la voiture et que Oh perdit prise. Il chuta et roula sur le côté de l'arroyo, jusqu'à ce que son filin soit tendu.

– Houah ! l'entendis-je crier.

Naviguer dans ce canal avec à mes trousses une petite armée de mort volante était bien assez difficile pour ne pas avoir besoin en plus de prendre garde que Oh ne s'écrase pas sur un tronc d'arbre. Au moment où je pris la décision de sortir de l'arroyo, son visage réapparut à sa fenêtre.

– Non ! cria-t-il. Encore une minute !

Une main après l'autre sur son fil, il se hissa de nouveau sur le pare-brise, puis il lança un regard en arrière et tendit la main vers le collecteur de snark. Je fus stupéfaite de découvrir que celui-ci brillait d'un rose incandescent.

Les Gorgs approchaient. Oh jeta un nouveau coup d'œil sur le collecteur, par-dessus son épaule, avant de revenir aux Gorgs.

– Mais bon sang, qu'est-ce que tu fi… hurlai-je.

Oh arracha le collecteur, qui faisait des étincelles, et le lança par-dessus la voiture, vers l'arrière. Traînant dans son sillage un arc d'éclairs bleus, le projectile retomba dans un amas de branches d'épineux, juste devant l'essaim de Gorgs. Et soudain, ce fut l'explosion. L'habitacle de la voiture fut illuminé d'une lueur bleutée, puis l'onde de choc propulsa Fraîchissime dans une série de sauts périlleux vers l'avant, qu'amortirent ses coussins de sécurité roses.

Enfin, elle s'immobilisa.

– Wroooooo, dit Porky.

– Oui, moi aussi, lui répondis-je. Oh ?

Je vis une de ses mains s'agiter.

– Ça va, ça va, me rassura-t-il.

Il était en effet indemne, seulement coincé entre deux coussins, sur le capot.

– C'était un bon plan, Oh.

– Oui, je suis assez beaucoup fier de moi, conclut-il, sous les gémissements aigus des ballons qui se dégonflaient.

Impossible à conduire après la perte du collecteur ajustable de snark, Fraîchissime était tout de même encore en mesure de flotter sur son coussin d'air. Il ne nous fut donc pas trop difficile de la pousser, quand les coussins eurent réintégré leurs emplacements, aussi loin que possible de l'arroyo, au cas où un Gorg montrât le bout du nez. Nous progressâmes ainsi en périphérie de la ville, jusqu'aux alentours de 5 ou 6 heures du matin, au moment où l'air s'éveille et ouvre ses grands yeux bleus. Les oiseaux chantaient et je me sentais étrangement heureuse, surtout si l'on considère que nous discutions de tout ce qui n'existait plus depuis l'arrivée des Boovs et des Gorgs. Nous cachâmes Fraîchissime dans une station de lavage de voitures, entre les énormes rouleaux et l'appareil qui ressemblait à une machine à faire de la pâte géante.

– Il y avait plein de chaînes de télévision, peut-être des centaines. Et maintenant, il n'y a plus que le système d'émission d'urgence.

– Hmm…

– Et nous n'aurons pas de championnat de base-ball cette année. Et sans doute pas d'équipe du tout, puisque les États n'existent plus. Et… les pays non plus, d'ailleurs. Enfin, plus vraiment.

– Hmm… Je ne sais pas si c'était une bonne idée, au départ, d'avoir des pays. (Oh fronça les sourcils, les yeux rivés sur la carte.) Comment s'appelait cet endroit, au début ? Le Delaware ?

– Tu as peut-être raison, à propos des pays.

– Oui. Et je me dis aussi que si on jouait au base-ball avant, on peut toujours y jouer aujourd'hui.

– Oui, peut-être.

– Et la télévision reviendra. De toute façon, il n'y a jamais eu grand-chose de ce côté, sur Terreland.

– Tu plaisantes ? Nous avions tant de chaînes qu'il y en avait même une réservée aux vieux dessins animés. Et cinq ou six pour les plus récents. Et aussi une chaîne musicale qui ne passait même pas de clips.

– Pff… Sur Boovmonde, il y avait cinq millions de chaînes, avant la Purge.

– La quoi ?

– La Purge.

– La Purge… ?

– Oui. Pendant la Purge, toutes les chaînes ont été éliminatifiées, sauf une, pour empêcher que la société meure.

– Ah oui, ici aussi, des gens disent tout le temps que la télévision finira par ruiner la planète.

– C'est prouvé. Mettons qu'après l'invention de la télévision il y a seulement quelques chaînes. Trois ou quatre. Appelons-les A, G, Point-virgule et Pointue.

– Pourquoi pas A, B, C… et ABC ?

– Si tu veux. Imagine que ces chaînes sont quatre tasses remplies d'œufs. On trouve les œufs des informations dans la tasse A, ainsi que les œufs des sports et les œufs des variétés. La tasse B contient aussi des œufs d'informations, et d'autres, des dessins animés et du comique de situation. Et ainsi de suite. Puis on ajoute d'autres grosses tasses, parce que les gens veulent plus de choix.

– Moui…

– Bientôt, on se rend compte qu'entre les tasses il y a de la place pour des tasses plus petites.

« Elles ne peuvent pas contenir beaucoup de choses ; il y en a peut-être une avec seulement des œufs d'informations, tout le temps. Et une autre avec que des œufs comiques. Mais si les œufs comiques sont tes préférés, alors cette tasse te plaira beaucoup.

« On place ensuite entre les petites tasses des tasses encore plus petites, puis encore d'autres, plus petites encore, entre celles-ci. Plus il y a de tasses, plus il y a d'espace à combler. Et donc on invente toutes sortes d'émissions, comme *Chasseurs d'oreillers !* ou *Qu'est-ce que les gens veulent mettre dans leur bouche ?* Ou encore *Une semaine en équilibre*, *Attention, bébés animaux lancés à toute allure*, *Poomps célèbres*, *Un type sur la table…* bref, énormément d'émissions.

– Et alors ? Où est le problème ?

– On a perdu le contrôle, dit Oh. On enregistrait des émissions pendant que d'autres, encore plus, étaient regardées. Il n'y avait plus assez de temps pour voir tout ce qu'un

Boov a envie de voir. Certains ont arrêté de travailler ou ont loué les services d'autres Boovs pour regarder les émissions à leur place.

– Hmm…

– Les scientifiques télévisionnels ont fini par théoriser un moment, dans l'avenir, où chaque Boov aurait sa propre émission, qui le montrerait en train de regarder la télévision. Les Grands Boovs ont donc décrété que la télévision ne diffuserait plus que les émissions qu'ils voudraient bien autoriser. Et les Grands Boovs ont décidé qu'il y aurait surtout des émissions de cuisine.

– Hmm… Je suis vraiment fatiguée, Oh.

– Oui, je aussi.

Je me blottis contre Porky, sur la banquette arrière de Fraîchissime.

En me réveillant, dans l'après-midi, je trouvai un message de Oh, qui me disait qu'il était parti manger du savon chez Vicki. Pour être exacte, il avait écrit « OH(BiKi5AVON », mais j'appréciai l'effort. Je nourris Porky puis me dirigeai à pied vers le centre-ville.

J'entrai dans l'appartement de Vicki, prête à déballer immédiatement mes explications quant à l'endroit où nous avions passé la nuit, mais je ne vis personne. Pas même Oh. Je redescendis et inspectai la rue chauffée par le soleil.

Trey fit alors son apparition à l'angle d'une rue.

– Bonjour ! Grace, c'est ça ? dit-il. On te cherchait.

– Désolée, nous sommes allés voir si le chat allait bien et, une fois sur place, nous étions si fatigués que nous avons dormi dans la voiture. Avez-vous vu Oh ?

– Oh ?

– Non, Gigi, je veux dire.

– Pas aujourd'hui, non.

Je poussai un soupir et mis ma main en visière sur le front, afin de m'abriter du bouillant soleil de juillet qui rendait tout le décor sans relief et délavé.

– Il a peut-être été enlevé par les extraterrestres, plaisanta Trey.

Cela ne me fit pas rire, sachant ce que je savais, mais je ne m'attardai pas sur cette remarque.

– Vous ne croyez pas tout ce en quoi croient les autres Roswelliens, n'est-ce pas ?

– Je ne vois pas pourquoi je devrais, dit-il. Il existe des explications parfaitement rationnelles pour tout événement.

– Comme les ballons météorologiques ?

– Les ballons scientifiques, en effet. Sais-tu que la NASA possède une base de lancement de ballons à seulement deux heures d'ici ? Ils en envoient sans arrêt. J'ai même assisté à un lancement. Mais les fanas d'ovnis n'en parlent jamais, pas vrai ?

Puis je repensai à autre chose, que ces gens n'avaient sans doute pas envie de me révéler :

– Savez-vous où habite Ours qui Hurle ?

– Tu veux voir la soucoupe volante, c'est ça ?

– Pour rigoler, oui.

Il m'indiqua comment me rendre dans la bonne rue, que je devais suivre jusqu'à la grande casse, à l'extérieur de la ville, qui cernait la maison de l'Indien.

– Vas-y, m'encouragea Trey. Rends-toi compte par toi-même, comme je dis toujours. Ne crois pas tout ce que racontent ces petits plaisantins. Tu n'es pas comme eux, je le devine, mais comme moi en plus jeune.

– C'est vrai, mais j'y travaille.

– Comment ça ?

– Merci. Si vous voyez Gigi, pouvez-vous lui dire de retourner chez Vicki ? Oh… regardez !

Je faillis laisser échapper « Le voilà », mais me contins à temps ; je n'avais en effet pas aperçu un Boov déguisé en fantôme, mais un Boov tout court !

– Waouh ! s'exclama Trey.

Ce Boov ne portait pas un uniforme de la même couleur que celui de Oh, mais arborait du blanc parsemé de vert et de rose. Il, ou ça, regarda derrière lui, puis devant lui, et enfin à droite et à gauche. Il nous aperçut mais ne nous accorda qu'une très brève attention. D'autre Boovs se présentèrent derrière lui, portant diverses couleurs. Nombre d'entre eux étaient armés, en particulier les verts, ce qui incita Trey à reculer jusqu'à la devanture d'une boutique. Je m'approchai quant à moi du groupe.

– Que se passe-t-il ? demandai-je. Pourquoi êtes-vous ici ?

– Et toi, pourquoiça tu es ici ? cria un Boov en vert, brandissant son pistolet.

Le Boov en blanc lui dit quelques mots en boovien, puis il rengaina son arme.

– Tu devrais être partie pour une Préservation humaine, me dit le Boov en blanc.

– Je sais, j'essaie de m'y rendre, justement. Que se passe-t-il ?

Plus d'une centaine de Boovs traversaient à présent Roswell d'un pas pressé. Tous affichaient une mine sinistre.

– Les Gorgs ont été mis en place un… avant-poste au sud d'ici, me répondit le Boov, qui prit ensuite pour la première fois un instant pour m'observer. Les Gorgs sont ceux qui viennent d'arriver, dans le gros vaisseau sphérique.

– Je sais… enfin, j'en ai entendu parler, je veux dire.

– Certains d'entre nous étaient à bord d'un vaisseau de guerre, en train de se battre pourcontre les Gorgs, et d'autres s'étaient simplement installés ici, au Nouveau-Smecksique. Nous fuyons tous les Gorgs. Tu devrais en faire autant.

– Ils arrivent ?

– C'est à craindre. Et ils ne traiteront pas les humains avec le même respect que l'ont fait les Boovs.

– Du respect ? s'écria Trey. *Du respect ?!*

– Chut ! lui intimai-je, en lui faisant signe de se taire.

– Dis-moi, tu ne posséderais pas un chat, par hasard ? me demanda le Boov, qui s'était arrêté à côté de moi.

Mon cœur fit un bond.

– Quoi ? Non. Mais pourquoi vous… Pourquoi ?

Le Boov haussa les épaules.

– Les Gorgs adorent les chats. Ils veulent prendre tous les chats pour eux.

– Pourquoi ? Est-ce qu'ils… enfin, pour en faire des animaux de compagnie, pour les manger ou… ?

– Qui peut comprendre ce qui se passe dans un cerveau gorg ? Je me disais seulement qui si nous avions des chats, nous pourrions les leur donner, en échange de leur promesse de nous laisser la vie sauve.

Le Boov vêtu de blanc rejoignit ses compagnons, dont les derniers passaient à ma hauteur. Trey et moi les regardâmes s'éloigner.

– Hé, tu as un chat, non ? me dit Trey lorsqu'ils furent hors de portée de voix.

– Il faut que je retrouve Oh, marmonnai-je pour moi-même.

– Gigi, tu veux dire, rectifia Trey.

Je décrivis un huit autour de deux pâtés de maisons, puis reproduisis deux fois la manœuvre ailleurs, en vain. Pas de Oh. Enfin, alors que je revenais sur mes pas, j'aperçus un petit fantôme devant l'immeuble de Vicki.

– Où étais-tu ? lui demandai-je.

– Au musée des Novenis. Pour aller aux toilettes pour Boovs.

– Je te signale que je te cherchais !

– Désolé. Je ne pouvais pas rester près de Bicki ; elle a essayé de me nourrir d'un plat qu'elle appelait des pâtes, mais c'étaient surtout des nouilles, à mon avis.

– Oui. Bon, et qu'est-ce que tu as là ?

Oh avait les bras chargés d'un paquet, par-dessus le drap.

– Quand je suis parti, Bicki m'a donné des barres de céréales et des canettes de Goca. Tif peut manger les barres et moi les canettes !

– Parfait. Allez, viens. Trey m'a dit où habite l'Indien, et on est pressés.

J'avalai les barres de céréales en marchant. Oh releva son drap et mordit dans une canette, ce qui fit jaillir des jets de soda dans tous les sens dans sa bouche et jusque dans son nez.

– Miam, c'est épicé ! déclara-t-il.

Ce fut une longue marche. Les vastes avenues de la ville défilèrent. Peu à peu, les bâtiments furent remplacés par des arbres, qui cédèrent bientôt eux-mêmes la place à des broussailles. J'entendis des aboiements avant même d'apercevoir la décharge, des cris réguliers qui faisaient davantage penser à un mécanisme imitant un chien qu'à un véritable animal. Je finis par découvrir un énorme danois gris, confortablement installé, plié comme une chaise longue.

– Ce n'est pas aujourd'hui qu'on surprendra l'Indien, dis-je, alors que ce chien aussi grand qu'un poney, qui s'était mis à trottiner, fourrait son museau un peu partout.

Derrière la bête se dressait une haute palissade en bois couverte d'affiches délavées et déchirées qui m'évoquèrent des publicités pour un cirque ou un carnaval.

VENEZ DÉCOUVRIR LES MERVEILLES DE DEUX MONDES ! disait l'une. Il y avait également ADMIREZ L'ASTRODISQUE AÉRONAUTIQUE QUI STUPÉFIA L'ARMÉE ! et « FORMIDABLE », ONT DIT LES SERVICES DE RENSEIGNEMENT ! Ce genre de choses.

La clôture était trop haute pour me permettre de voir ce qu'il y avait de l'autre côté.

De là où je me trouvais, je distinguais à présent le sommet d'un château d'eau lointain, un bâtiment tout sec et rouillé, avec un trou béant sur son flanc.

– C'est là que l'ovni s'est écrasé, dit une voix faible.

Baissant les yeux, je découvris un individu au teint mat, aussi maigre qu'un filet de viande séchée. C'était l'Indien. Il était coiffé d'une casquette rouge délavée à rabats latéraux, pourvue d'une sangle passée derrière les oreilles, semblable à celles que portaient les pilotes d'autrefois. En dehors de ce détail, il était vêtu comme n'importe qui, sans peau de daim ni collier de perles. Je ne sais pas pourquoi je dis ça, c'est idiot de ma part.

– L'ovni… s'est écrasé sur le château d'eau ? dis-je.

Malgré les affiches, il n'avait pas aboyé comme un présentateur de carnaval. Il avait simplement énoncé un état de fait auquel il s'était depuis longtemps habitué.

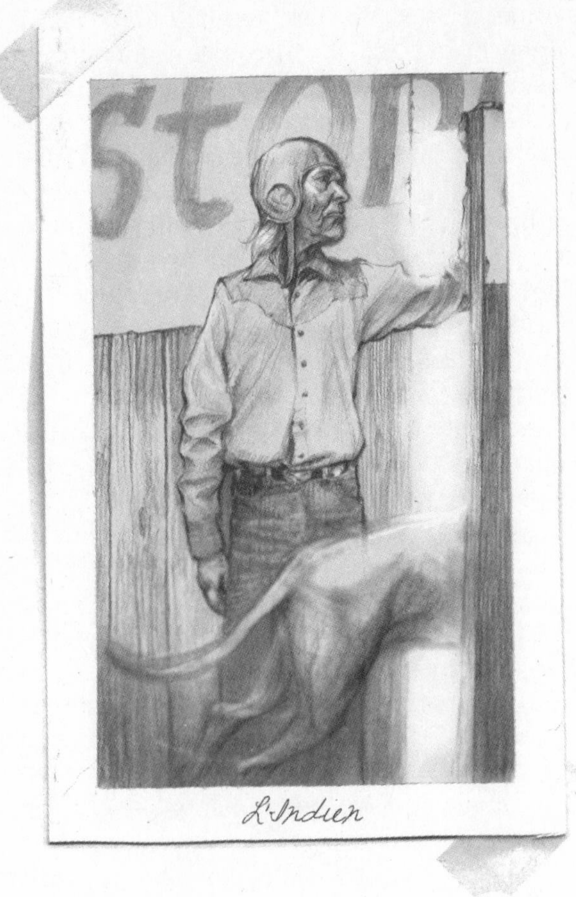
L'Indien

– Vous êtes les deux nouveaux ? Ceux qui sont arrivés hier après-midi ?

– Oui. Les autres vous ont parlé de nous ?

– Non, j'vous ai seulement vus traîner dans l'coin.

Nous avait-il également aperçus la nuit précédente, à la mine ?

– Vous êtes venus seuls en voiture jusqu'ici ?

– Oui.

– Hmm... Si vous êtes là pour voir la soucoupe volante, ne traînons pas, j'ai du boulot. Viens, Lincoln.

Je compris qu'il s'adressait au chien, car cette grande

bestiole cessa de renifler autour des pieds de Oh et s'élança vers la clôture, laissant derrière lui une traînée de bave.

– Quel genre de boulot ? m'enquis-je, suivant avec Oh Lincoln jusqu'au portail.

– Top secret. Allons-y.

De l'autre côté du portail s'étendait une vaste casse où s'empilait une multitude de rebuts : des moitiés de voiture, des motos brûlées, des appareils électroménagers rouillés. Il y avait également ce qui me parut être un nez d'avion entier, rempli d'enjoliveurs, ainsi que des feuilles d'aluminium nouées par paquets, d'immenses tas de poussettes pour enfant empilées dans des baignoires disposées en cercle, comme les pierres de Stonehenge, et un juke-box sur lequel poussaient des tournesols. Nous nous dirigions vers une maisonnette située au centre de toutes ces choses, entièrement recouverte de pièces de monnaie et avec des plaques de cuivre terne en guise de bardeaux. L'Indien se lança alors dans ce qui me fit l'effet d'un discours préparé qu'il était las de prononcer :

– Contemplez les merveilles du monde des rebuts, les trésors-qui-jonchent-les-ordures bla-bla-bla… la crasse oubliée par le temps, voyez-l'antique cercle de baignoires-menhirs, comme les appelaient les druides, admirez-la-pile de pièces détachées de poupées qui, selon l'honorable bla-bla de l'université de bla-bla, cache la plus petite des pyramides égyptiennes, mystérieusement-transportée-jusqu'aux-hautes-plaines de Roswell en l'année bla-bla-six de notre ère. Mais ce n'est pas cela que vous êtes venus voir, n'est-ce-pas-mes-amis ?

– Euh…

– Non ! répondit-il lui-même, tout en déverrouillant une double-porte qui permettait d'accéder au sous-sol. Vous-êtes-venus-voir-le-fantastique-vaisseau qui s'écrasa-ici-venu-de-l'inconnu-il-y-a-quelques-décennies-de-cela.

Des marches en ciment nous menèrent en bordure d'une vaste pièce plongée dans l'obscurité. L'Indien se retourna vers nous, une main prête à actionner une rangée d'interrupteurs fixés au mur.

– Je vous offre… (une pause pour la dramaturgie) la soucoupe volante *clic*, la musique, *clic*, la fumée, *clic*, l'éclairage !

De la musique s'éleva, tandis que, quelque part, un appareil se mettait à grogner pour souffler une épaisse fumée et que des spots verts et bleus révélaient les contours d'une forme de la taille d'une piscine gonflable pour enfants, et peut-être deux fois plus haute. La fumée était mystérieuse, l'éclairage était mystérieux. Quant à la musique, il s'agissait de la chanson *A-Tisket A-Tasket*.

– Désolé, dit Ours qui Hurle. J'ai mis Ella Fitzgerald, quand tout l'monde a quitté la ville. Avant j'passais *Ainsi parlait Zarathoustra*. Ça donne un sacré effet, attendez un instant.

Il coupa la musique.

– La soucoupe volante ! déclama-t-il de nouveau, actionnant un dernier interrupteur.

L'éclairage principal révéla alors le pire ovni de l'univers. On aurait dit un jeu d'école primaire. Plutôt difforme, il avait vaguement l'allure d'une soucoupe volante et était fait de papier-mâché, couvert de papier d'aluminium et porté par trois pieds constitués de tuyaux en PVC et de paraboles. Sur le côté était inséré un hublot de machine à laver, avec encore la mention « La reine de la vitesse » sur le bord. Et au sommet de l'engin, une antenne de télévision.

– Je peux prendre une photo ? demandai-je.

– Fais-toi plaisir.

– Remonte dans la décharge et essaie de repérer le télécloneur, murmurai-je à Oh. Pendant ce temps, je l'occupe ici.

– Pourriez-vous… vous placer dans le coin de la pièce, pour que je puisse avoir toute la soucoupe ? demandai-je à Ours qui Hurle. Merci.

Dès que l'Indien fut hors de vue, Oh s'élança dans l'escalier, où il fut renversé par le danois. Je tripotai un moment mon appareil photo, pour lui donner le temps de se remettre. Enfin, je pris ma photo. Le cliché sortit aussitôt par l'avant de l'appareil.

– Un vieux Polaroid, commenta l'Indien. On en voit plus.

– Oui, euh… merci de m'avoir montré l'ovni. J'ai hâte de raconter à tous mes amis que j'ai vu le célèbre ovni de Roswell, tout ça…

– Mais… cette chose t'paraît pas bizarre ? me demanda-t-il, avec un air curieux. Elle t'semble authentique ?

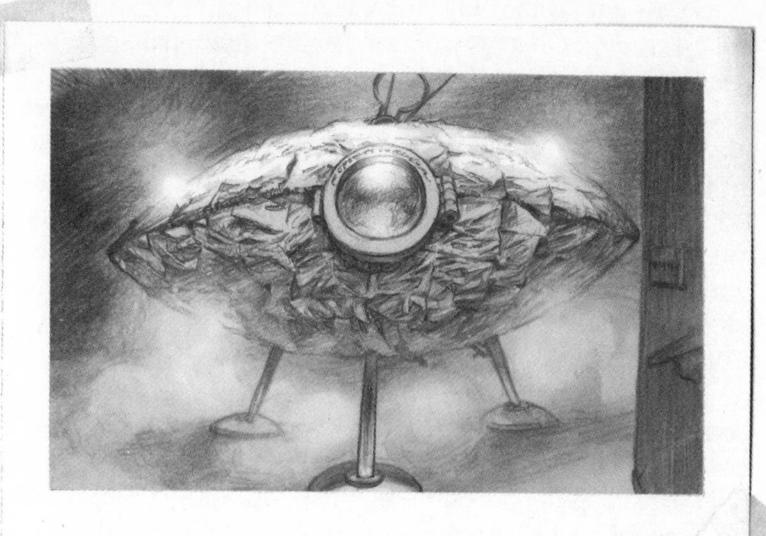

– Euh… je ne sais pas. J'aime bien, vous savez… avoir l'esprit ouvert. Pourquoi, ce n'est pas un vrai ovni, d'après vous ?

– J'ai des choses à faire, fillette. Où est passé le p'tit fantôme ?

– C'est mon frère.

– D'accord, mais où est-il ?

– Il ne doit pas être loin.

Ours qui Hurle remonta aussitôt à l'air libre.

– C'est pas un terrain d'jeu, ici. Hé, Fantôme ! Il est temps d'partir, pour ta sœur et toi.

À l'autre bout de la décharge, Oh inspectait divers objets, tout en gardant un œil méfiant sur le danois. Le chien, qui le suivait à un pas, reniflait son costume de fantôme ; on aurait juré qu'ils reconstituaient une scène de *Scooby-Doo*.

– Lincoln apprécie ton frère, on dirait, dit l'Indien.

Plutôt son odeur de poisson, ajoutai-je en pensée.

– Je n'ai pas l'impression que ce soit réciproque.

– Lincoln est inoffensif, à moins d'être allergique à la bave de chien.

– Pourquoi vivez-vous dans une décharge ?

– J'fais du troc et j'revends les objets qu'les gens jettent, me répondit l'Indien. Enfin, avant, en tout cas.

– Oh… Et beaucoup de clients sont intéressés par les pièces de récupération ?

– Plus qu'tu l'imagines.

J'eus un instant envie de lui raconter comment Oh et moi avions failli être tués dans un endroit similaire, en Floride, mais je n'en fis rien, ne sachant pas si cela ferait bon effet ou non.

Notre discussion fut interrompue lorsque Oh revint vers nous en courant, remuant les mains sous son drap, Lincoln gambadant juste derrière lui. Son agitation avait pour conséquence de lever le drap de quelques centimètres, ce qui suffisait pour dévoiler ses pieds de Boov. Changeant de position afin de masquer la vue de l'Indien, je pris les quinze kilos de Oh de plein fouet dans les tripes.

Nous nous effondrâmes en un tas, sur lequel se jeta Lincoln, dont le museau humide vint se coller sur mon œil.

– Houmf… Qu'y a-t-il ? Si c'est à cause du chien… Hé ! Arrête de me lécher, Lincoln ! Si c'est à cause du chien, tu réagis bien trop vi… Ça suffit, Lincoln !

Ce n'était pas à cause du chien. Oh se releva et m'agrippa de sa petite main couverte du drap pour que j'en fasse autant.

– Je crois qu'il veut me montrer quelque chose, dis-je, tandis que Oh m'entraînait vers un coin sombre de la décharge.

– Quoi ? repris-je quand j'estimai que l'Indien ne pouvait plus m'entendre. Qu'y a-t-il ? Tu l'as trouvé ?

Lincoln décrivait des cercles autour de nous, jusqu'au moment où Oh s'immobilisa devant une étrange cage métallique de la taille d'un ascenseur. Certains barreaux étaient noircis et tordus, vers le bas. Je compris instantanément que ce n'était pas un objet de facture humaine car le métal avait une drôle d'allure, sans parler de la machinerie typiquement boovienne fixée à l'arrière. À chaque intersection de barreaux était fixée une sorte d'embout en plastique ressemblant à un bouton de rose. D'autres morceaux avaient été retirés et disposés sur une serviette étalée non loin de là.

– C'est le télécloneur ! siffla Oh.

J'entendis alors la terre crisser dans notre dos. Je me retournai ; c'était l'Indien.

– Ton frère est un petit futé, dit-il. Il a deviné qu'cette chose n'était pas d'ici.

– Oui… et, euh… qu'est-ce que c'est ?

– J'sais pas trop. J'ai quelques idées là-dessus. J'peux au moins t'dire qu'ça a appartenu aux extraterrestres. Aux nouveaux. J'ai entendu des explosions cette nuit, j'ai foncé par là-bas et j'ai piqué c'truc pendant qu'y s'battaient contre les Boovs.

Oh sautillait autour du télécloneur, qu'il inspectait sous tous les angles. Chaque fois qu'il s'arrêtait pour examiner quelque chose, Lincoln s'en approchait et donnait un grand coup de langue dessus, pour faire bonne mesure.

– Alors, comme ça, vous êtes *attiré* par les explosions ?

– J'suis r'vendeur de ferraille, m'expliqua l'Indien. Pour quelqu'un comme moi, une explosion, c'est comme une clochette qui annonce que l'dîner est prêt.

– Et vous avez transporté seul cette chose sur votre pick-up ?

– C'est plus léger qu'ça n'y paraît.

J'acquiesçai ; en effet, jusqu'à présent, tous les objets extraterrestres que j'avais eus en main m'avaient étonnée par leur légèreté.

– Bon… combien vous en voulez ?

– Combien j'en veux ?

– Oui, évidemment. Vous êtes revendeur de ferraille, non ? Combien vous en voulez ?

– C'est pas à vendre, gamine.

Je ne pouvais pas accepter cela. Nous avions trouvé un objet que les Boovs cherchaient à se procurer depuis des décennies. Et l'Indien ne savait même pas ce que c'était. Oh, en revanche, saurait certainement le faire fonctionner et en fabriquer d'autres.

– Vous avez forcément envie de quelque chose, insistai-je.

– Non…

Fallait-il lui avouer la vérité ? Fallait-il que je lui révèle que mon frère était un Boov et qu'il était en mesure de faire fonctionner l'objet mystérieux ? Ou cela ne ferait-il qu'empirer la situation ?

Sous son drap, Oh fit mine de tenir un volant dans les mains. Je soupirai quand j'eus compris ce qu'il voulait dire, et qu'il avait raison.

– Notre voiture. Je vous donne notre voiture en échange. Un Boov nous a aidés à la bricoler ; elle flotte sur un coussin d'air.

L'Indien me considéra avec méfiance.

– Ta voiture est équipée de pièces booviennes ? Vraiment ?

L'air fut soudain déchiré par ce qui me fit l'effet du cri perçant d'un énorme oiseau :

– Grace ! Gigi ! Vous êtes là ?

De l'autre côté de la palissade, Vicki Finefluette cherchait un accès à la décharge.

– Une d'vos amies ? grogna l'Indien.

– Elle nous nourrit, dis-je en haussant les épaules.

Vicki passa son visage rond à l'air rêveur entre les barreaux du portail, imitée peu après par Kat.

– Ah, vous voilà ! Je savais qu'il fallait que je m'occupe de vous. Tenez, prenez ces bouteilles d'eau.

Même si entendre quelqu'un dire qu'il devait « s'occuper de nous » me faisait horreur, je me rendis compte – et seulement à cet instant – que la nuit tombait et que j'avais la gorge sèche. Je me désaltérai donc. Oh, lui, versa la moitié de sa bouteille sur sa tête avant de la glisser sous son drap pour boire.

– Hmm... Voici Vicki et Kat, dis-je. J'imagine que vous connaissez Ours qui Hurle ?

– ME VOLEZ PAS MA TERRE, BANDE DE SALOPARDS ! cria soudain l'Indien, me faisant au passage sursauter d'au moins un mètre. VISAGES PÂLES DIABOLIQUES !

Je me tournai vers lui, les yeux écarquillés. Quelle mouche l'avait piqué ?

– Eh bien, je crois que tout le monde, au sein de notre petite communauté, connaît Ours qui Hurle, à présent, me répondit Vicki, dont la voix n'évoquait plus un gazouillis d'oiseau mais plutôt un essuie-glace raclant une vitre sèche.

En dehors de ce détail, rien n'indiqua qu'elle ou Kat aient été surprises par cet accès de fureur.

– M'dames, les salua l'Indien.

– Ne pensez-vous pas que nous devrions tous rentrer chez nous ? dit Vicki.

– Viens me voir demain avec ta voiture, me suggéra l'Indien. J'aimerais y jeter un coup d'œil.

– Eh bien, elle est un peu cassée mais on peut la pousser. D'accord, nous viendrons.

– Je croyais qu'on avait décidé que vous resteriez toute la journée de demain avec moi, les enfants, dit Vicki.

– Ah oui ? Depuis quand ?

– LAISSE-LEZ VENIR, DONNEUSE D'INDIENS ! J'LES GARDERAI PAS TOUTE LA JOURNÉE !

– Jouer au milieu de toute cette ferraille rouillée est dangereux pour des enfants, gazouilla Vicki. Ils risquent d'attraper le tétanos.

– Ça leur fera du bien. Il restera bientôt plus qu'des détritus rouillés sur cette planète. HAWOOOO WOO WOO WOO ! (Lincoln s'assit au pied de son maître et se mit à hurler avec lui.) SALOPARDS !

Vicki émit un claquement de langue réprobateur.

– Vous pourriez voir les choses de façon plus positive, dit-elle, avec un sourire angélique. Moi, je dis que quand la vie nous donne du citron, nous pouvons faire de la limonade.

Ours qui Hurle détailla à Mme Finefluette ce qu'il estimait avoir reçu de la vie, ce qui fissura de façon infime le visage radieux de notre bienfaitrice, un peu comme une fêlure sur un œuf de Pâques.

– Je ne sais pas quoi vous dire à ce propos, dit-elle.

– Écoutez, ça ne pose pas de problème, intervins-je, m'adressant à l'Indien. Nous viendrons vous rendre visite quelques heures dans la matinée. À demain.

Ours qui Hurle hocha la tête.

***

Une fois le portail franchi, Kat laissa échapper un sifflement.

– Eh bien, je me demande comment vous faites pour le supporter, les enfants. Ses hurlements ne finissent donc pas par vous porter sur les nerfs ?

– C'est un pauvre homme, affirma Vicki. Un pauvre homme malade.

– À vrai dire, il n'a pas crié une seule fois avant votre arrivée, précisai-je. Il ne crie peut-être que sur les adultes.

Vicki renifla.

– En tout cas, vous n'y retournerez pas demain. Nous ne pouvons pas laisser deux enfants rester seuls en compagnie d'un fou. Trey n'aurait jamais dû vous indiquer comment venir ici.

Je tournai la tête vers Oh, qui se pencha vers moi et me chuchota un plan d'évasion à l'issue duquel Vicki Finefluette se retrouvait ligotée de fil super résistant et aspergée de mousse froide. Même si j'espérais ne pas en arriver à cette extrémité, c'était un bon plan.

Nous suivîmes Vicki chez elle, pour y dîner et dormir dans son salon, non sans poliment décliner sa proposition de bâtir un fort avec les coussins du canapé. Pour être tout à fait précise, je dois ajouter que Oh, emballé par la perspective du fort, se mit aussitôt à dessiner des plans et à comparer divers types d'isolation. Il alla jusqu'à me demander si les tremblements de terre étaient fréquents ici, au Nouveau-Mexique. Je lui répondis par un regard assassin qui voulait dire : « Je ne peux pas tout t'expliquer en détail pour le moment, mais arrête de débattre de chauffage central. Dis plutôt quelque chose à propos des Power Ninjas ou autre chose dans le genre avant que quelqu'un se rende compte qu'il est impossible que ce drap cache un enfant de dix ans, espèce d'idiot d'extraterrestre ! »

Par chance, il n'y avait que Vicki et Andromède dans l'appartement. Or Vicki était trop surexcitée d'avoir enfin ce dont elle rêvait pour prendre conscience de la réalité, à savoir qu'elle avait face à elle non pas deux enfants heureux et reconnaissants, mais un extraterrestre et une fillette de onze ans qui étouffait et commençait à se dire qu'elle pourrait se rendre en Arizona en courant, pour peu qu'on lui offre un bon repas avant.

– Debout, debout les bébés ! chantonna Vicki, le lendemain matin. Œufs et bacon au petit déjeuner.

Elle gloussa, enchantée par sa rime, puis fronça les sourcils.

– Quel est donc ce bruit ? dit-elle. Le détecteur de fumée ?

Elle fila aussitôt pour le vérifier. Oh se pencha vers moi et tendit l'oreille.

– Hmm... ça vient de toi, affirma-t-il.

Je pris une profonde inspiration, ce qui fit cesser le bruit.

– Désolée, dis-je en me frottant les yeux. J'ai dû crier la bouche fermée. Je meurs d'envie de reprendre la route. Et je m'inquiète pour Porky.

Je fis part à Oh de ma rencontre avec la troupe de Boovs, la veille, sans omettre le fait que les Gorgs semblaient adorer les chats. Il laissa échapper un hoquet de surprise, se plaqua aussitôt les mains sur la bouche, puis prit un air pensif.

– Je n'ai jamais entendu dire que les Gorgs aimaient des animaux autres que des bêtes énormes et dangereuses, avec des grosses dents, des grosses pattes, ou qui s'assoient sur toi, *PAF!* avec leur gros derrière.

– Ils aiment peut-être le goût du chat, hasardai-je. Ou alors ils les trouvent mignons. Je ne sais pas.

– Peut-être. Les Gorgs ont la réputation d'être difficiles, pour la nourriture.

Le petit déjeuner avalé, je déclarai à Vicki, que j'estimais à présent bien cerner, qu'il fallait que j'aille nourrir mon chat, changer sa litière et jouer un peu avec lui, car posséder un chat était une grande responsabilité et que je voulais être une bonne maîtresse.

Vicki afficha un sourire qui, s'il s'était un tant soit peu davantage élargi, aurait fait basculer le sommet de son crâne. Elle s'extasia, ravie d'être en compagnie de si gentils enfants, et promit que nous nous mettrions en route dès qu'elle se serait habillée et coiffée. Je dois avouer que je bus son compliment avec autant de plaisir que mon petit déjeuner, car cela faisait très longtemps que je n'avais pas été la gentille enfant de qui que ce soit.

Je la suivis dans sa chambre.

– Génial, dis-je. Et après, nous irons rendre visite à Ours qui Hurle, car je le lui ai promis. C'est important de tenir ses promesses parce que… parce que ceux qui ne le font pas…

L'expression radieuse de Vicki se voila d'un coup, et ses sourcils plongèrent comme des vautours.

– Quand tu te seras occupée de ton chat, ton frère et toi vous me suivrez tous les deux, tonna-t-elle. Je compte vous offrir une visite éducative du Roswell historique. Nous verrons notamment *l'ancien palais de justice*.

L'écriture italique étant limitée, je me dois de préciser qu'elle prononça «l'ancien palais de justice» comme si c'était la chose la plus terrifiante au monde.

– Viens, O… Gigi, dis-je, manquant de peu pour la centième fois de l'appeler par son véritable nom.

– Revenez… revenez tout de suite! cria-t-elle. Je n'ai pas encore enfilé mes chaussures! (Elle nous suivit jusqu'au sommet de l'escalier.) Et si tu tenais plutôt ta promesse de faire ce tour de la ville avec Andromède et moi ?

– De quoi parlez-vous ? dis-je en descendant les marches. Nous n'avons jamais promis ça.

– Attends ! Mais attends ! Je...

Vicki fit brusquement demi-tour et se précipita dans son appartement.

– Waouh ! Qu'est-ce qui lui prend ? Elle a le feu aux fesses ou quoi ?

Oh se tourna vers Vicki qui s'éloignait et déclara :

– Non, je ne vois rien, mais il y a de la matière à brûler, c'est vrai.

Redescendus dans la rue, où l'air était aussi chaud que dans un four, nous marchâmes sur deux pâtés de maisons.

– Tu sais, je crois que Mme Finefluette est un peu cinglée.

– Un peu cinglée ?

– Oui, un peu folle, si tu préfères.

– Ah ! Oui, je me suis dit la même chose quand elle a tenté de me remplir de ces pâtes aux nouilles. Figure-toi qu'elle les a recouvertes de sauce tomate ! Ça ne se fait pas.

J'aperçus du coin de l'œil une poire géante et reconnus aussitôt Vicki Finefluette, vêtue d'un chemisier vert et d'un pantalon fuseau assorti qui faisait un bruit de fermeture Éclair quand elle marchait.

– Mince, la voilà ! Accélère !

À présent chaussée, elle portait un sac à langer en bandoulière sur une épaule et Andromède de l'autre bras. Le bébé était vêtu d'une combinaison Legolas *et* de chaussons Keebler ! Mélanger ainsi deux sortes d'elfe ne se fait pas, évidemment ; cela me confirma que Vicki était folle.

– Attendez-nous ! chantonnait-elle. Nous allons commencer par un point de convergence magnétique très puissant, où deux lignes de sites se croisent sous un restaurant Arby's. C'est là que la race des Agarthiens a...

– Nous allons à la voiture, l'interrompis-je. Nous allons nous occuper de mon chat, vous vous rappelez ? Vous étiez d'accord.

– Je ne peux pas lancer de boulette de mousse froide, me chuchota Oh. On ne doit pas s'en servir sur des bébés.

– Ce n'est pas grave.

Vicki nous suivit jusqu'à la station de lavage de voitures, nous expliquant en chemin que les chiens faisaient de meilleurs animaux de compagnie que les chats, que, quand elle était enfant, elle écoutait ses parents, que remplacer l'eau froide par du soda au gingembre pour faire de la gélatine donnait un petit goût supplémentaire, et nous demandant si nous estimions que la saison 4 de *Babylon 5* était trop condensée, ce qui n'était pas son avis.

Habituée à vivre en ville, j'avais beaucoup d'expérience en matière d'ignorance des gens, pourtant Vicki Finefluette me poussait à bout. Après avoir reçu quelques caresses de ma part et de celle de Oh, Porky eut le droit de sortir un peu, pendant que nous poussions Fraîchissime jusqu'à la sortie de la station de lavage, où Vicki se planta devant nous.

– Nous n'avons pas besoin de votre petite voiture, espèces d'idiots, dit-elle.

Andromède n'était plus dans ses bras. Il ne nous fut pas difficile de la repérer, grâce à ses cris ; elle était allongée sur le dos, non loin d'une haie, et Porky reniflait sa tête.

– Je crois que vous ne saisissez pas ce qui se passe, les enfants, poursuivit Vicki. On ne peut pas continuer à faire ses petites affaires et… tout changer ! Les enfants ne conduisent pas, pas plus qu'ils ne rendent visite à de vieux Indiens vivant dans des décharges. Comment la situation redeviendra normale si tout le monde change tout ?

Ayant décidé que ce n'était qu'une question de rhétorique, je récupérai Porky et le remis en sécurité dans la voiture. J'avais en effet le sentiment qu'il était à tout moment possible que nous ayons à prendre la fuite.

– Toute ma vie… toute ma vie, j'ai attendu l'arrivée des extraterrestres, et maintenant ils sont là ! *Ils sont là !*

Elle ne se doutait pas à quel point elle avait raison. Tandis qu'elle discourait, deux monstres aux allures de crabe et de la taille d'une gazinière débouchèrent en courant d'une avenue lointaine. L'un d'eux tourna et s'élança dans notre direction.

– Les choses n'étaient pas censées se passer comme ça, dit Vicki, d'une voix grinçante. *Mes* extraterrestres ne bousculent pas les gens, ne séparent pas les familles, ne forcent pas les gens à déménager ni les hommes à abandonner femme et enfants ! *Mes* extraterrestres sont plus gentils.

Hideux mélange de chair et de métal, la créature s'immobilisa juste derrière Vicki. Je ne fus aucunement surprise lorsque Oh me murmura qu'il s'agissait d'un robot envoyé par les Gorgs. Vert et violet, il était équipé dans son dos d'une cage sphérique, dans laquelle deux chats errants frissonnaient, malgré la chaleur.

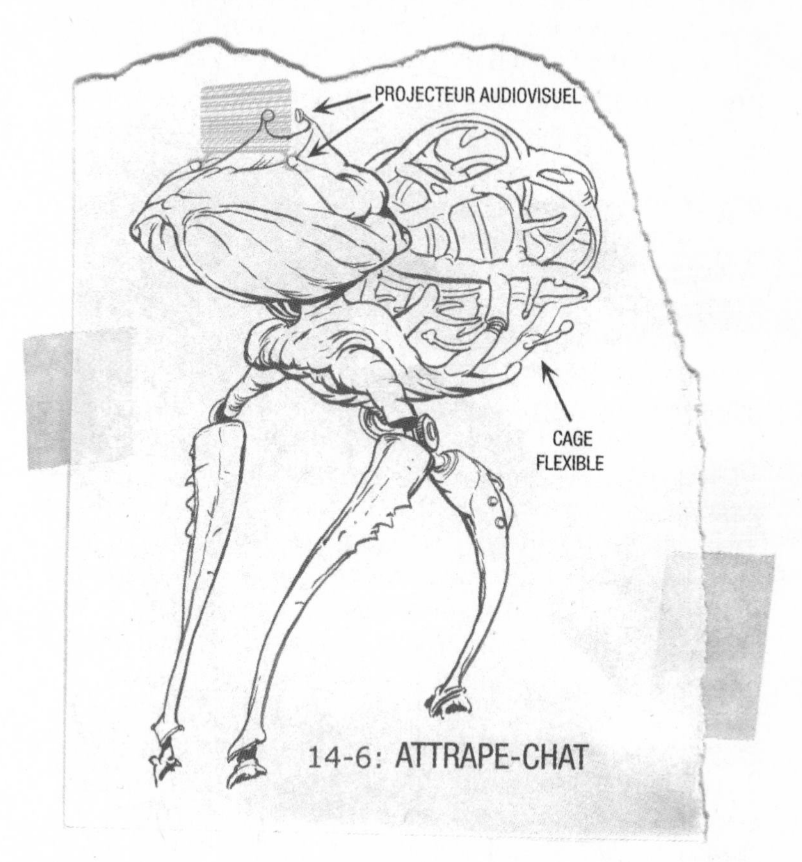

Un léger miaulement émis par l'un des deux prisonniers fit se retourner Vicki, qui, découvrant le robot-crabe, poussa un glapissement et se précipita vers Andromède pour la serrer contre sa poitrine.

À l'avant du robot, une portion évidée s'éveilla à la vie, projetant une image en mouvement qui me parut représenter une tête de Gorg. La réception était très mauvaise.

– MESSAGE DU DÉVASTATEUR RÉGIONAL ADJOINT GORG TROIS-GORG ! dit la tête dans un rugissement métallique. MESSAGE DU DÉVASTATEUR RÉGIONAL ADJOINT GORG TROIS-GORG ! MESSAGE DU DÉVASTATEUR RÉGIONAL ADJ… DÉBUT DU MESSAGE. HUMAINS ! VOUS ENTENDEZ CE MESSAGE PARCE QU'UN OU DES CHATS ONT RÉCEMMENT ÉTÉ DÉTECTÉS DANS VOTRE ZONE ! ÊTES-VOUS EN POSSESSION D'UN OU DE PLUSIEURS CHATS, OU SAVEZ-VOUS OÙ PEUT-ON TROUVER UN OU PLUSIEURS CHATS ?

Je jetai un rapide coup d'œil en direction de Oh, puis de Mme Finefluette, qui me regardait et… souriait ? Je retins mon souffle.

– VOTRE RÉPONSE N'A PAS ÉTÉ COMPRISE. POUR CONTINUER EN ANGLAIS, DITES « ANGLAIS » ! GU POZGIZLU IS NIMROC, FEL…

– Euh… anglais ! répondis-je.

– ÊTES-VOUS EN POSSESSION D'UN OU DE PLUSIEURS CHATS, OU SAVEZ-VOUS OÙ PEUT-ON TROUVER UN OU PLUS…

– Non ! dis-je, espérant que Porky aurait le bon sens de se faire discret.

Le robot ne l'avait apparemment pas détecté dans la voiture. Oh répondit également par la négative, tandis que Vicki restait muette.

– TOUT LE MONDE DOIT RÉPONDRE ! dit le robot, tournant ses yeux clignotants vers Vicki. ÊTES-VOUS EN POSSESSION D'UN OU DE PLUSIEURS CHATS, OU SAVEZ-VOUS OÙ PEUT-ON TROUVER UN OU PLUSIEURS CHATS ?

– Eh bien, laissez-moi réfléchir… dit-elle, souriant cruellement, comme si elle était en train de dévorer un gâteau devant de pauvres orphelins.

– TOUT LE MONDE DOIT RÉPONDRE ! répéta le robot, qui se rua sur Vicki et Andromède.

Se dressant de toute sa taille, il s'approcha du bébé. Vicki poussa un cri perçant et tenta de l'empêcher de toucher sa fille.

– CHAT POTENTIEL ! brailla la chose. ENQUÊTE EN COURS !

– Ce n'est pas un chat ! m'écriai-je. C'est un humain ! Un bébé humain !

Le chasseur de chats cessa de harceler Vicki et reprit une posture plus détendue.

– EXACT. SUITE DU MESSAGE. TOUS LES CHATS DOIVENT ÊTRE REMIS À UN GORG OU À UN REPRÉSENTANT GORG AVANT LE COUCHER DU SOLEIL ! TOUT HUMAIN SURPRIS EN TRAIN D'ABRITER UN CHAT APRÈS CE DÉLAI SERA DÉMONTÉ ! ET SES PLUS PROCHES VOISINS, SÉVÈREMENT PUNIS ! FIN DU MESSAGE.

Sur ces mots, le crabe s'éloigna à toute allure, ses pattes et articulations faisant des bruits de mastication et claquant sur la chaussée. Quant à moi, j'avais l'impression d'avoir pris un coup de soleil sur tout le corps.

– Merci, dis-je à Vicki. De ne pas avoir…

Ses yeux ne se posèrent pas vraiment sur moi quand elle me répondit ; elle aurait regardé mon chapeau, si j'en avais porté un.

– Tu ferais mieux de libérer ton chat, me dit-elle platement. Ou de le donner aux Gorgs avant ce soir. Tu ne peux pas lutter contre ces choses. (Elle fit demi-tour pour s'en aller.) Je passerai peut-être te voir plus tard, pour vérifier comment ça va.

Puis elle s'éloigna dans un bruit de fermeture Éclair.

– Allons-y, dis-je à Oh.

Il nous fallut pousser Fraîchissime en courant aussi vite que possible, puis sauter dedans jusqu'à ce qu'elle perde son élan, pour ensuite recommencer la manœuvre.

– Pourquoi se sent-elle obligée de tout « vérifier » ? Comme si on avait besoin qu'on nous arrose comme une plante.

Suite à notre poussée, la voiture avança une minute dans le silence, puis une énorme boule de queues-de-cheval bordeaux et de tresses noires traversa la chaussée devant nous.

– Regarde ! dis-je sans enthousiasme. Encore une boule d'herbes sauvages mêlée à de vieux cheveux.

– Une boule de cheveux sauvages, résuma Oh.

– Les gens étaient-ils aussi fous que ça avant votre invasion ? dis-je, lançant un regard grimaçant dans le rétroviseur.

– Je ne sais pas, je n'étais pas là avant notre invasion.

– C'était une question rhétorique…

– Ah ! Dans ce cas, la réponse est oui.

Nous dûmes ouvrir les portières et de nouveau pousser la voiture. D'autres chasseurs de chats sillonnaient la ville, à l'autre bout de rues où l'air miroitait.

– Oh ?

– Oui ?

– Ce n'est pas que je veuille tout le temps commander, c'est simplement la situation qui l'impose. Tu comprends ?

– Oui.

– C'est peut-être ça qui me rend folle. De toujours devoir faire ce que je veux. C'est peut-être ça qui *nous* rend folles, Vicki et moi.

– Ours qui Hurle est peut-être fou, dit Oh, alors que nous venions de nous réinstaller dans l'habitacle.

– Oui, ou alors il veut que les gens le croient.

La haute palissade se présenta bientôt devant nous, puis Lincoln la franchit d'un bond et se mit à décrire des cercles autour de la voiture. L'Indien vivait sur une petite colline, à peine une petite bosse, mais j'eus du mal à trouver un endroit pas trop pentu où Fraîchissime puisse se stabiliser.

– Par ici, dit l'Indien, qui, émergé de la décharge, ouvrit la grande double porte.

Il agrippa la voiture par le pare-chocs avant et nous aida à la faire entrer dans l'enceinte.

Haletants, Oh et moi nous réfugiâmes dans une fine bande d'ombre, contre Fraîchissime. L'Indien disparut dans la maison et en ressortit avec de l'eau.

– Merci !

– J'aurai dû vous en proposer hier, dit-il, tandis que je buvais. Pas très accueillant d'ma part.

– Eh bien… sans vouloir être impolie, vous n'avez pas vraiment la réputation de l'être, par ici. J'imagine que ça fait partie de votre… du personnage que…

Il resta un moment à me regarder, ses cheveux de paille recouvrant son visage foncé par le soleil.

– Tu veux parler des cris ?

– Oui, voilà. Pourquoi faites-vous ça, exactement ?

– C'est un passe-temps. J'suis à la r'traite.

– Vous n'avez pas élevé la voix quand nous n'étions que tous les trois, à part très légèrement pendant votre baratin de carnaval. À ce propos, il faudrait revoir deux ou trois choses, si vous voulez mon avis. (Il souffla bruyamment.) Mais quand Vicki et Kat sont apparues, vous vous êtes mis à crier : « ALLEZ VOUS-EN, CASSE-BONBONS ! NE ME… euh… NE ME… »

– J'les ai jamais traitées d'casse-bonbons.

– Oui, enfin, c'était dans cet esprit.

– Généralement, j'crie que contre les Blancs. Par tradition. J'ai rien contre toi.

– Je suis à moitié blanche, dis-je en croisant les bras.

– Hrrm… Quelle moitié ?

– Euh… Aucune idée. Mettons de la taille aux pieds.

– Ça marche. J'déteste donc que tes jambes.

Nous nous dévisageâmes un moment, durant lequel je l'entendis respirer comme une vieille maison.

– Je m'appelle Gratuity, dis-je enfin. Mais les gens m'appellent Tif. Et dans la voiture, c'est Porky.

– Frank, se présenta-t-il, en me tendant la main.

– Ah bon ! m'exclamai-je, en la lui serrant. Je croyais que… j'ai entendu dire que…

– Que j'm'appelais Ours qui Hurle. Peu importe. Tu peux m'appeler comme tu veux, Jambes Stupides.

– Marché conclu, Chef.

Oh s'approcha et tapota sur l'épaule de l'Indien.

– Salut, Fantôme, dit celui-ci.

Oh lui tendit une petite carte que je l'avais aidé à rédiger. Vu la façon dont les garçons du NÉNÉ de Roswell le regardaient chaque fois qu'il ouvrait la bouche, nous étions convenus qu'il n'avait pas intérêt à prendre de risque avec l'Indien.

– « Je m'appelle Gigi, lut l'Indien d'une voix monocorde. J'ai dix ans. J'ai fait vœu de silence et je porte ce costume par solidarité avec nos cousins les Boovs, qui luttent face aux maudits Gorgs. » (Il rendit la carte à Oh.) Ça m'pose aucun problème. J'ai longtemps porté une coiffe à plumes, pendant les années soixante, vous savez !

J'ouvris le capot de Fraîchissime, non sans prendre soin de ne pas faire tomber les pneus, tandis que l'Indien refermait et verrouillait le portail.

– C'est donc un Boov qui a bricolé ta voiture ? dit-il en revenant sur ses pas.

– Oui, en Pennsylvanie.

– Et elle fonctionne plus.

– C'est ça. Elle flotte toujours mais elle n'avance plus.

– Elle fonctionnait pas hier, quand t'as essayé d'me la vendre ?

– Euh… non, en effet.

– Hrm…

Il toucha les tuyaux et les joints décollés. *Pourvu qu'il ne fasse rien de dangereux*, songeai-je, car Oh avait soudain disparu. Sans doute était-il reparti examiner la cabine de téléclonage.

– Il devrait y avoir quelque chose ici, dit l'Indien, un doigt pointé sur l'emplacement du collecteur ajustable de snark. C'est pour ça qu'elle n'avance plus.

J'écarquillai les yeux. C'était en effet pour cela que Fraîchissime était en panne. Mais comment l'avait-il deviné ? Il est vrai qu'il y avait un trou béant au milieu du capot ; il ne fallait pas être ingénieur en engins spatiaux pour déduire qu'il manquait quelque chose.

– Vous êtes doué en mécanique. Nous avons en effet dû retirer cette pièce parce qu'elle explosait trop. Comment l'avez-vous deviné ?

– J'pourrais te l'dire mais, après, il faudrait que j'me r'mette à hurler.

J'affichai une moue interrogative.

– C'est bizarre de dire ça.

– À qui l'dis-tu.

Alors que j'imaginais Lincoln parti je ne sais où en compagnie de Oh, il surgit d'un coup et se mit à aboyer comme un fou. L'Indien, qui avait la tête plongée sous le capot, jeta un regard par-dessus son épaule.

– Qu'est-ce qui t'arrive, Lincoln ? dit-il, avant de cracher. Il aboie pas beaucoup, d'habitude.

– Chef… dis-je d'une voix réduite à un filet.

Des Gorgs équipés de fusées dorsales survolaient Roswell, aussi nombreux que des mouches au-dessus d'un pique-nique. L'un d'eux quitta ses collègues et se dirigea droit vers nous.

Dès qu'il les aperçut, Ours qui Hurle se précipita vers la maison.

– Il faut que j'déplace la cabine, dit-il. Toi, cache-toi sous la voiture.

– Chef !

Il s'arrêta en une glissade et se tourna vers moi.

– Ils traquent les chats, haletai-je.

Après un instant de réflexion, il revint en courant vers moi. Comme Porky ne voulait pas sortir de la voiture tant que Lincoln se trouvait dans les parages, je dus l'en arracher avec le tapis de sol accroché à ses griffes. L'Indien le prit avec lui et repartit en courant.

– Sous la voiture ! m'ordonna-t-il.

Il n'eut pas à me le répéter une troisième fois ; je me glissai aussitôt à quatre pattes sous Fraîchissime, où je crus étouffer à cause de la poussière.

Il n'y avait plus un bruit. Ce n'est que lorsqu'ils se turent que je me rendis compte que les oiseaux avaient jusqu'alors gazouillé.

Je ne sais pas trop à quoi je m'étais attendu en me réfugiant sous la voiture – je n'avais pas du tout imaginé cette situation, à vrai dire – mais j'eus très vite froid. J'avais l'impression d'être devant un réfrigérateur ouvert.

Quelque part dans mon dos, j'entendis distinctement le bruit d'un Gorg équipé de fusées dorsales se poser dans la décharge.

Je tâchai de ne pas respirer, de ne pas penser combien mes poumons me grattaient à cause de la poussière du Nouveau-Mexique. Soudain, Fraîchissime fut écartée. Je me retrouvai alors face au visage le plus hideux de l'univers.

Oh n'est pas d'accord avec moi sur ce point. Selon lui, ce titre honorifique revient aux Gooz de la nébuleuse du Crabe, qui sont apparemment ni plus ni moins que des masses informes de carbone. Il me semble qu'une masse de carbone peut être agréable à regarder sous un éclairage tamisé. Mais là, se dressant au-dessus de moi, c'était un Gorg, soit une demi-tonne de colère pure en cuissard de cycliste.

Sa peau d'un vert olive terne était tachée de points rouge sang à hauteur de la tête et des épaules et pourvue ici ou là de plaques violettes plantées comme des ongles géants. S'il est vrai que les créatures évoluent en fonction de leur environnement, alors les Nimrogs étaient à coup sûr adeptes des coups portés par-derrière, à en juger par la carapace et les cornes qui leur protégeaient le dos.

Fallait-il que je reste à terre ou que je me lève ? Le Gorg m'aida à me décider en manquant de peu de m'arracher le bras. Je me retrouvai debout, évitant de le regarder dans les yeux.

– OÙ EST LA CABINE VOLÉE, HUMAIN ? aboya-t-il, la bouche grande ouverte, comme celle d'un poisson.

Ah, d'accord… Au bord des larmes, je fus agressée par sa puanteur, qui aurait suffi à friser n'importe quelle chevelure.

– Euh… quoi donc ?

– ES-TU LE CHEF OURS QUI PARLE FORT ? me demanda-t-il en faisant craquer les jointures de ses doigts, un bruit si grave que je le sentis vibrer dans mes os.

– Qui ça ?

– LE CHEF OURS QUI PARLE FORT !

Gorg fit quelques pas autour de moi, observant les amas de détritus et de ferraille. Il parut particulièrement intéressé par les baignoires-menhirs. J'ignorais où l'Indien comptait cacher Porky et la cabine mais, à mon avis, il n'en avait pas encore eu le temps.

– Je… euh… je ne vois pas de qui vous parlez, répondis-je. Vous avez dû vous tromper d'endroit.

Il revint, trottant sur ses épaisses jambes, et se pencha au-dessus de moi. Je faisais de mon mieux pour rester calme en apparence, alors qu'en moi-même tout dansait et envoyait des étincelles comme une fourchette dans un four à micro-ondes.

– CE N'EST PAS LE MAUVAIS ENDROIT. VOUS ÊTES LE MAUVAIS ENDROIT !

– Hum…

– ON M'A DIT DE TROUVER L'HOMME-ANIMAL QUI CRIE DANS SA CAGE REMPLIE D'ORDURES !

– Je suis désolée mais… je suis désolée ! glapis-je, bondissant en arrière quand Gorg avança vers moi. On vous a mal informé. C'est sans doute la faute d'un humain.

– JE SUIS LE COORDINATEUR PRINCIPAL DE COLÈRE ASSOCIÉ-DU-MOIS GORG QUATRE-GORG ! LES HUMAINS QUI ME DONNERONT DE FAUX RENSEIGNEMENTS LE FERONT À LEURS RISQUES ET PÉRILS !

Il n'avait pas du tout l'air d'un coordinateur principal, mais plutôt d'une chose qui aurait dû lutter avec Hercule en décoration sur un vase.

Il se pencha davantage et brandit son poing au-dessus de ma tête. *Il bluffe* ! me dis-je. *Il cherche seulement à m'effrayer pour que je réponde autre chose. Pour me faire tout avouer.* Me faisant aussi grande que possible et respirant par la bouche, je le regardai droit dans les yeux. Mais comme ce fut très vite insupportable, je le regardai droit dans le nez.

Ton nez est ridicule, lui dis-je en pensée, le visage strié de larmes. *Regarde-moi ça, on dirait une feuille de chêne taillée dans un steak.*

Soudain, ce fut comme si j'étais dotée de pouvoirs mentaux. Le nez de Gorg se mit à frétiller. Et encore. Tout son visage se chiffonna, puis son nez se referma comme une plante carnivore.

Il pencha le torse en arrière, puis en avant, et émit le bruit le plus bizarre que j'aie jamais entendu. Ce fut sans doute un éternuement mais on aurait plutôt cru entendre un éléphant que l'on forçait à se glisser dans une paille.

– IL EST OÙ ? hurla Gorg, en regardant à mes pieds.

Je baissai également les yeux, perplexe. S'il parlait de la cabine, je n'étais certainement pas montée dessus.

– Où est quoi ?

– RÉPONDS-MOI, GARÇON ! ON NE PLAISANTE PAS AVEC LES GORGS !

– Je suis une fille ! protestai-je, le regard mauvais.

Il se pencha pour m'examiner et huma mes cheveux. Une substance qui ressemblait à de la mélasse coulait sur son visage de chauve-souris.

– VOUS VOUS RESSEMBLEZ TOUS.

– Ha ! Tu peux parler !

– OUI, JE PEUX PARLER ! beugla-t-il. LES GORGS SONT TRÈS FORTS POUR PARLER ! POUR PARLER ET POUR FRAPPER !

– Hé ! cria une voix, depuis la maison, ce qui me permit enfin d'expulser l'air bloqué dans mes poumons.

J'allais vite regretter que l'Indien n'ait pas jugé bon de rester caché mais, sur le moment, je fus soulagée. Si les pensées avaient pu former des mots, elles auraient dit : « Occupez-vous de moi comme d'une enfant, s'il vous plaît. Venez me secourir. »

– Laisse-la tranquille ! cria Ours qui Hurle en s'approchant de nous. Si t'as envie de t'en prendre à quelqu'un, tu ferais mieux de...

D'un geste ample et vif, Gorg abattit son bras, aussi épais qu'un tronc d'arbre, sur la tête de l'Indien, qui fut mis à terre par ce seul coup.

Désolé pour cette expression, « mis à terre » – je me rends compte seulement maintenant que j'aurais pu simplement dire qu'il était tombé –, mais il me fallait ces mots précis pour décrire correctement la scène. Mark Twain a dit que la différence entre le mot juste et le mot presque juste était de l'ordre de celle qui sépare la foudre de la luciole. Et c'est un écrivain plutôt reconnu, non ? Il n'a jamais créé de personnage féminin digne de ce nom, à ma connaissance, mais sinon, c'était un bon écrivain.

Le Gorg *mit à terre*, donc, Ours qui Hurle. Les jambes fauchées, celui-ci chuta violemment sur le dos, dans un fracas dont je n'aurais pas cru un corps humain capable. Puis il resta allongé. Il avait sur le front un X rouge qui s'agrandissait ; c'était la seule chose qui bougeait en lui.

– NE SOIS PAS EFFRONTÉ, GARÇON. LES GORGS PEUVENT TE FAIRE TERRIBLEMENT MAL.

Je cherchais une repartie intelligente, en vain ; cette partie de mon cerveau était figée. Je ne réussis qu'à garder les yeux grands ouverts.

Gorg me jaugea une fois encore d'un regard, puis il hocha la tête, satisfait, fit demi-tour et fila en trombe, tel un immeuble furieux doué de mouvement. Il retourna Fraîchissime, éparpilla de nombreuses piles de ferraille, jeta des machines à laver comme s'il avait affaire à des dés de géant et fissura chaque baignoire d'un coup de poing. D'importantes portions de la palissade s'écroulèrent sous des tirs de pneus et de blocs-moteurs. Il s'attaqua ensuite à un mur de la maison de l'Indien avec une berline rouillée, avant de démonter le reste pièce par pièce. Quand il n'en resta plus rien, je me demandai où étaient passés Oh et Porky. Et Lincoln. Et la cabine. Gorg arracha de ses gonds la porte menant au sous-sol et glissa sa grosse carcasse dans l'escalier. De furieux rugissements me parvinrent de la cave et, une minute plus tard, le monstre en ressortit. Enfin, lorsque tout fut en ruine, Gorg jeta un regard dans ma direction – j'étais en train de tamponner le crâne ouvert de l'Indien avec son chapeau –, poussa un grognement et s'envola dans le ciel, d'où il était venu.

Les secondes s'étirèrent comme autant d'éternités. Je ne bougeais pas, accroupie, espérant que l'Indien allait reprendre conscience. Soudain, Oh se matérialisa à côté de moi, Porky dans les bras.

– Va chercher des draps ou une serviette, lui dis-je.

Il lâcha le chat et partit en courant. Porky fila se réfugier quand il aperçut Lincoln qui, sorti de je ne sais quelle cachette, vint lécher la tête de son maître.

– Non, Lincoln… laisse-le…

Oh fut de retour traînant un drap derrière lui. J'en fis une boule et le plaquai fermement sur la blessure. Le tissu donna instantanément l'impression d'éclore comme un œillet rouge.

– Je ne sais pas quoi faire, dis-je. Je pense qu'il faudrait le conduire en ville.

Nous attachâmes Lincoln à quelque chose de lourd, puis nous réussîmes à retourner Fraîchissime à l'endroit, avec le cric pour seul outil. Elle était à présent dans un triste état. L'aileron gauche était de nouveau cabossé et le toit, froissé comme un sac en papier. Heureusement elle flottait encore, et c'était pour Oh et moi la seule façon de transporter soixante-dix kilos d'Indien inconscient jusqu'au musée des Ovnis.

Nous déployâmes le drap, pour ensuite le glisser sous le corps du blessé. Ce n'est qu'à cet instant que je remarquai deux trous circulaires dans le tissu.

– C'est ton costume de fantôme ! Tu n'es plus déguisé !

– Non, je ferai un saut de Fraîchissime avant d'arriver là-bas, puis je me cacherai.

Il nous fallait une sorte de rampe pour hisser l'Indien dans le coffre. Par chance, nous étions entourés de tout un bric-à-brac. Oh cala deux tuyaux blancs en PVC, sur lesquels il posa une vieille porte de réfrigérateur, ce qui nous permit de pousser l'Indien dans la voiture.

Le départ se passa plutôt bien, grâce à la pente de la colline, que Fraîchissime descendit sans souci, tandis que le soleil se couchait dans notre dos. Je ne cessais de surveiller l'Indien, dans le rétroviseur, puis je finis par me tourner vers Oh.

– Où étais-tu ? Tu as vu ce qui s'est passé ?

– J'ai seulement entendu. Je me suis dissimulé car je craignais que le Gorg renifle mon odeur. Ils ont un très bon nez.

– Pas celui-ci. Il était enrhumé.

– Tu rigoles ?

– Non, il avait vraiment un rhume.

– C'est impossible, les Gorgs n'ont jamais malades.

– Il a éternué.

– Tif a sans doute eu très peur. Elle a dû l'imaginer.

– Non, je n'ai pas…

Je m'interrompis car nous approchions d'un chasseur de chats mécanique.

– Fais descendre Porky sur les tapis de sol et tiens-le pour qu'il y reste. Mince, nous aurions dû le laisser à la déchetterie.

– Pas de Gorg dans les environs. Quelques robots à chats mais pas de Gorg.

– Ça me convient.

– À moi aussi. Mais si les Gorgs ont positionné un télécloneur qui fonctionne sur le sol, ils peuvent être partout. Pourquoi n'en voyons-nous pas ?

– Les Gorgs n'aiment peut-être pas plus que nous la compagnie des Gorgs. Allez, on descend, il faut encore pousser la voiture.

Dix minutes nous suffirent pour retrouver l'appartement de Vicki et le musée des Ovnis.

– Tu ferais mieux de filer, dis-je à Oh. Prends ta boîte à outils et vois si tu peux dénicher de la nourriture et de l'eau, ainsi qu'une voiture de police ou autre chose qu'on pourrait emprunter. S'il te plaît.

Oh parti en courant, je me mis à crier :

– Au secours ! Il y a quelqu'un qui m'entend ? À l'aaaaide !

Tous les membres du NÉNÉ de Roswell surgirent en courant du musée.

– Que lui est-il arrivé ? me demanda Trey quand il découvrit l'Indien.

– Il a tenté d'empêcher un Gorg de me frapper, expliquai-je.

– C'est quoi, un Gorg ? Ce sont ces nouveaux extraterrestres ?

– Tu en as vu un de près ? glapit un des garçons.

– Il a essayé de te frapper ? Génial !

– Du calme, les enfants, intervint Barbu.

– Bonjour, Chef, dit Kat, qui, avec Trey, sortait le blessé de la voiture.

– Bonjour… répondit celui-ci.

– Il est revenu à lui ? m'écriai-je, avant de me précipiter auprès de lui.

– Salut, Jambes Stupides.

Il avait un peu de mal à articuler.

– Il est ivre ? demanda Vicki, qui venait de traverser la rue pour nous rejoindre.

Je lui jetai un regard mauvais, qui ne fit que rebondir sur elle. J'étais dans une telle colère que j'aurais pu cracher de l'acide.

– Non, Vicki, dit Barbu. Il a été frappé par un des gros extraterrestres.

– Ne me regarde pas comme ça, me dit-elle. Je posais simplement la question. Les Indiens boivent beaucoup, j'ai vu un reportage à ce sujet.

Ours qui Hurle fut transporté au musée des Ovnis, sur la scène de l'autopsie de l'extraterrestre. Le faux cadavre fut écarté et l'Indien prit sa place sur le lit à roulettes. Tandis que les adultes se penchaient vers lui, les garçons, déjà lassés, filèrent dans le hall d'entrée jouer à un jeu de leur invention à base de claques.

– Il souffre probablement d'une commotion, estima Trey. Tu n'aurais même pas dû le déplacer.

– Je ne pouvais pas appeler une ambulance, pas vrai ? Et comment les Gorgs ont-ils su où le trouver, d'abord ? Ils savaient tout de lui, à commencer par son nom.

Personne ne répondit mais tous les regards convergèrent sur Vicki Finefluette, qui baissa les yeux et entreprit d'arracher un morceau de peau autour d'un ongle. Il ne m'en fallut pas davantage pour comprendre. Elle marmonna quelque chose comme quoi il fallait qu'elle surveille Andromède, puis elle s'en alla.

– Qui peut l'aider ? dis-je, après avoir lâché un soupir.

– J'ai juste besoin d'une poche de glace, dit l'Indien. Vous avez d'la glace ?

– Je ne sais pas, Chef, lui répondit Kat. Je ne crois pas que quelqu'un en ait.

– Sortez et rapportez-moi d'la neige. (Nous échangeâmes tous des regards inquiets.) Et du whisky. Demandez à un des pilotes.

– Qui peut l'aider ? répétai-je.

– Moi, dit Trey. Mon ex-petite amie était étudiante infirmière.

– Ça ne compte pas vraiment, Trey.

– Vous pouvez dire mieux, peut-être ? Je lui ai fait réviser ses cours avant les examens, jusqu'au diplôme. Je suis presque une infirmière !

L'Indien leva la tête et me regarda.

– J'ai toujours dit qu'c'était toi la plus jolie infirmière, croassa-t-il. N'écoute pas c'que disent les autres garçons.

Je m'essuyai les yeux, humides de larmes, du talon de la main. Et l'Indien d'ajouter :

– Mais n'en parle à personne ; j'ai une petite amie au pays.

– Chef… dit Kat. (Le blessé cligna des yeux à deux reprises et considéra les autres visages.) Savez-vous en quelle année nous sommes, Chef ?

Pas de réponse.

– Comment s'appelle le Président ? enchaîna Barbu. Le dernier élu.

– Roosevelt, répondit l'Indien, ce qui fit grimacer Barbu. Roosevelt est l'dernier Président digne de c'nom. Tous ceux qui lui ont succédé n'ont été qu'des crétins.

Je me détendis quelque peu quand il devint évident que Trey savait vraiment ce qu'il faisait. Je sortis du musée, en compagnie de Barbu.

– Il faut que nous quittions tous Roswell au plus tôt, dit-il. Ça devient dangereux. Ces… Gorgs ?… ont volé tout l'après-midi dans le quartier pour tirer sur des chats. Tu ferais bien de surveiller le tien de près.

– Quoi ? Ils les mangent ? Je croyais qu'ils les appréciaient.

– Je crois qu'ils aiment simplement leur tirer dessus ; il n'y a plus rien à manger, une fois que ces bêtes ont été effacées par ces armes.

– Effacées ?

– Oui, dit Barbu, levant les yeux vers les étoiles. Tu as vu comment fonctionnent ces pistolets, non ? Ils font disparaître ce qu'ils visent sans un bruit. D'après Kat, ils projettent des particules d'antimatière. Moi, je n'en sais rien du tout.

– Ce sont plutôt les Boovs qui se servent de ce type d'armes qui effacent, fis-je remarquer. Les Gorgs préfèrent le bruit, les explosions, tout ça…

Barbu me cloua d'un regard intense qui s'éternisa.

– Où est Gigi ? me demanda-t-il finalement.

– Il est resté chez l'Indien. Je vais aller le chercher, d'ailleurs.

– Kat est persuadée que ton frère est en réalité un Boov qui se cache sous un drap, tu sais. Et elle n'a pas encore d'opinion à ton sujet.

Je restai trop longtemps silencieuse avant de répondre.

– C'est ridicule. Pourquoi mon frère serait-il un Boov ? C'est impossible. Cette Kat devrait se faire soigner le cerv...

– Moi, je m'en fiche, dit Barbu. Va le chercher et, ensuite, ne t'éloigne pas de moi. Kat est assez agacée par cette histoire.

Tout était dit. Oh et moi devions partir d'ici de toute urgence.

– Comment vous appelez-vous, à propos ? Je ne vous l'ai jamais demandé.

– David.

– Entendu, dis-je, avant de rejoindre Fraîchissime.

J'ouvris la portière et fis pivoter la voiture, de façon à l'orienter vers la décharge. Porky ne s'y trouvait plus ; avais-je laissé une vitre ouverte ? Non, elles étaient entrouvertes mais pas abaissées. Peut-être avait-il profité de la confusion lors du débarquement de l'Indien pour s'échapper. Ou peut-être avait-il été récupéré par Oh.

– Oh ! sifflai-je.

Contrairement aux feux de route qui avaient déclaré forfait deux jours plus tôt, les feux de position fonctionnaient encore. Je les allumai et les éteignis à plusieurs reprises, jusqu'à ce qu'apparaisse une silhouette sous cet éclairage orangé.

C'était Vicki Finefluette. Avec Porky dans les bras.

– Oh, vous l'avez retrouvé ! dis-je, tâchant de me montrer polie.

En l'observant plus attentivement, je vis qu'elle était penchée sur sa prise comme un gobelin, les mains serrées autour du cou du chat. Son regard était éloquent ; elle était en pleine crise de folie.

– J'ai trouvé ton petit Oh, en effet, dit-elle. Et heureusement pour nous tous ! C'est un chat ! Tu as encore un chat !

Il y a des moments où on a envie de dire « Sans blague ? » mais on ne peut pas. C'est dû au fait de grandir, j'imagine.

– Je vais le reprendre, dis-je. Je suis désolée de l'avoir laissé sortir...

– Oh non, personne ne va prendre le petit Oh, à part les extraterrestres. Sais-tu ce qui nous serait arrivé s'ils avaient appris que tu cachais toujours un chat après le coucher du soleil ? Non, je ne crois pas que tu le saches.

Porky se mit à miauler ; Mme Finefluette lui faisait mal. Je tournai la tête de tous les côtés, dans l'espoir d'apercevoir David et terrifiée à l'idée de voir surgir des points lumineux dans le ciel ou d'entendre le vrombissement d'un chasseur de chats.

– Ça ne m'étonne pas, de la part de la petite Grace. Je sais tout sur toi. Tu as peut-être dupé les autres, mais moi, j'y-vois-clair-en-toi !

Ce qu'elle ne voyait pas, en revanche, c'était Oh, qui s'approchait sans un bruit dans son dos. Ayant récupéré un autre drap, il était de nouveau déguisé en fantôme. Comment pouvais-je lui faire signe de s'accroupir, ce qui me permettrait de faire tomber Mme Finefluette en la poussant contre lui ? J'avais toujours voulu tenter cette ruse, que j'avais vue dans un film des Marx Brothers. Mon cerveau se figea lorsque Oh retira son drap et fit rentrer son casque dans sa combinaison. Il ne portait plus de costume ; il ne manquait plus qu'une chose : que Vicky se retourne.

– Excusez-moi, dit-il.

Et Vicki se retourna.

Je ne fus que modérément ravie de l'entendre hurler en se retrouvant nez à nez avec un Boov, car je n'avais aucune idée de ce que Oh avait en tête.

– Bonsoir, reprit-il. Je suis Cher, inspecteur principal du contrôle des animaux. J'ai cru comprendre que vous aviez un chat à nous remettre.

Vicki en resta clouée sur place. Porky, lui, émit un son proche de celui d'une brosse à dents électrique.

– Comment… avez-vous su qu'il fallait venir ici ? demanda-t-elle.

– Puissants télescopes.

– Oh… Ah, d'accord…

– Déposez le chat dans ce sac, s'il vous plaît, dit Oh, déployant son drap devant lui.

Mme Finefluette obtempéra.

– C'est cette fille qui le cachait ! dit-elle. Je comptais vous le donner !

Porky se débattit quelque peu, puis renonça quand Oh referma les pans du drap sur lui.

– Nous sommes au courant, et nous vous en remercions. Pour vos bons services, vous recevrez une récompense. Des fleurs ! Et un chapeau de luxe !

– Oh ! C'est très… très… mais ce n'étaient pas les autres extraterrestres qui voulaient récupérer les chats ?

– Mmmmmoui. Les Boovs… leur rendent quelques services. Pour qu'ils arrêtent de nous tirer dessus. Circulez, maintenant. Que chacun rentre chez soi !

Mme Finefluette me lança un regard suffisant et s'éloigna en toute hâte. Oh monta dans la voiture, où il libéra le chat.

– Pfff… dit-il, considérant son déguisement. Il est plein de poils de chat !

Oh n'avait pas chômé pendant que j'étais au musée des Ovnis. En plus de provisions et d'un nouveau costume, il nous avait dégoté une voiture de police. Enfin, plus ou moins.

– Ce n'est pas une voiture de police ! dis-je.

– Si. Observe, il y a des gyrophares.

– C'est vrai.

– Et des inscriptions sur les côtés.

– Oui, mais tu as vu ce qui est écrit ? « Patrouille de Bullshake ».

– Oui, et alors ?

Le Bullshake était une boisson énergisante. En avez-vous toujours, dans le futur ? Présentée dans des canettes assez fines, elle était censée vous donner la vitalité nécessaire pour rester concentré au volant et ainsi épargner des vies, pour courir un kilomètre de plus ou pour résoudre tel ou tel problème de maths ou autre.

– On dirait vraiment une voiture de police, dit Oh.

– Sauf qu'elle est plus petite. Et les voitures de police ne sont pas rouges, en général. Et elles n'ont pas une canette de boisson énergisante de deux mètres de long sur le toit.

– On ne peut pas la posséder, alors ?

Eh bien si. Nous remorquâmes Fraîchissime jusqu'à la décharge. L'endroit nous parut triste et totalement aplati, en dehors de l'énorme château d'eau éventré, qui se dressait à quelque cinquante mètres de là. Oh se mit aussitôt à bricoler la voiture de patrouille, afin qu'elle soit plus facile à conduire et qu'on y voie à travers le pare-brise, ce qui n'était pour l'heure pas possible à cause du capot relevé.

– Attends une seconde, dis-je. Avant de perdre du temps sur cette voiture, voyons si le télécloneur entre dedans.

Après avoir détaché Lincoln pour lui permettre de gambader autour de nous, Oh me mena jusqu'au centre du parquet qui avait été le sol de la maison de l'Indien. Puis il se baissa et chercha quelque chose à nos pieds.

– Au fait, après avoir éternué, le Gorg a lui aussi cherché quelque chose à mes pieds.

– Le Gorg n'a pas éternué.

– Si. Et ensuite il a crié « Il est où ? » et baissé les yeux juste devant moi. Y a-t-il un détail que j'ignore, à propos des cabines de téléclonage ? Est-ce qu'elles rapetissent jusqu'à devenir microscopiques quand on ne s'en sert pas, ou quelque chose comme ça ?

– Je ne cherche pas la cabine, mais le trou. Aha ! Le voilà !

Il glissa les doigts dans une fente et souleva une planche. Un imposant panneau carré se détacha proprement du sol.

– Ouah, super ! laissai-je échapper.

Je vous mets au défi de dire quoi que ce soit de moins stupide en découvrant une trappe secrète.

Oh trouva un interrupteur sur la paroi. Des ampoules nues s'allumèrent et nous offrirent un éclairage terne.

– C'est ici que tu t'es caché ? lui demandai-je, alors que nous descendions une échelle métallique fixée… eh bien à l'intérieur d'un gros boyau, d'une énorme conduite en béton dont le fond se trouvait une dizaine de mètres en contrebas.

– Oui. Et c'est aussi là que nous avons caché la cabine. Dans un coin.

Parvenue au fond, je constatai que nous nous trouvions à l'intersection de deux immenses tuyaux qui formaient un T à l'envers. Du côté qui filait vers la ville régnait une obscurité impénétrable. En revanche, des lumières se succédaient sur une longue distance dans la direction opposée. Parfaitement sèche, la conduite renfermait de nombreux objets, à commencer par la cabine de téléclonage. Étaient également empilés des coffrets métalliques pourvus d'une serrure et des cartons ordinaires remplis d'antiquités. Il y avait aussi de gros casques sphériques de l'armée, de vieux journaux, une Bible en allemand et une plaque en étain sur laquelle était gravée la Déclaration d'Indépendance des États-Unis.

– Et regarde, dit Oh. Des talkies-walkies.

Ceux-ci avaient sans doute appartenu à l'Indien pendant la guerre. Comparables en taille et en poids à une brique de lait de deux litres, ces gros appareils verts étaient par ailleurs pourvus d'une longue antenne et d'un micro comme un téléphone.

Sur la paroi était collée une affiche en chinois, juste à côté d'une photo dédicacée de Betty Grable et d'un tableau un peu embarrassant représentant un pélican soulevant la jupe d'une fille.

Oh s'agenouilla près de la cabine et entreprit de desserrer des attaches.

– Je peux la démonter en plusieurs morceaux, expliqua-t-il ; comme ça, elle sera plus facile à transporter.

– D'accord, c'est parfait. Au fait, pourquoi l'Indien a éclairé cette partie du tunnel sur toute sa longueur, à ton avis, alors qu'il a entassé toutes ses affaires ici ?

Oh marmonna quelque chose pour lui-même en boovien.

– Cinq minutes ! ajouta-t-il, sans lever les yeux de la cabine.

Je partis explorer le tunnel, jusqu'à atteindre un coude à partir duquel le boyau remontait vers la surface, avec une échelle fixée sur la paroi. J'eus alors l'étrange sensation de ne jamais avoir quitté la Floride, et que cette échelle allait déboucher sur Broadway, l'avenue principale du Royaume de la Souris joyeuse.

Poursuivant mon avancée grâce aux barreaux, je me rendis compte que le conduit se rétrécissait et s'assombrissait à mesure que je grimpais. J'apercevais tout de même, très loin au-dessus de moi, un petit carré de clair de lune.

– Un de ces jours, maman me demandera ce que j'ai fait pendant tout ce temps toute seule, me dis-je. Je lui répondrai que j'ai escaladé des échelles.

Je fus une fois de plus saisie par un sentiment de déjà-vu lorsque je me rendis compte que je montais depuis trop longtemps pour ne pas avoir dépassé le niveau du sol de la décharge. *Je suis certainement dans le château d'eau, je dois approcher du réservoir.* Le conduit s'éclaircissant, sans doute grâce au clair de lune filtrant par le trou provoqué par le crash de la prétendue soucoupe volante de l'Indien, je finis par distinguer un grillage posé sur une trappe, au-dessus de moi. Parvenue à hauteur de l'ouverture, j'y glissai la tête afin de voir ce qui se présentait à ce niveau.

– Ça alors ! m'écriai-je. C'est une blague ou quoi ?

– Ne me pousse pas ! dit Oh. Je ne suis pas très excellent avec les échelles.

– Ah oui, tu crois ?

– Tu pourrais me dire ce qu'on voit de là-haut, au lieu de me faire fabriquer toute cette escalade.

– On y est presque.

Oh fit jaillir son casque de son encolure et s'en servit pour, tout en grimpant, pousser de la tête la trappe grillagée située à hauteur du sol du réservoir du château d'eau. Puis il le fit réintégrer sa combinaison.

– Des koobishs !

Il se hissa d'un bond dans la vaste pièce cylindrique et se rua vers le plus massif des deux animaux.

– Naaaaaa-aa-aa-a-a-aa-aaah ! dit la bête.

– Maa'apla nah ! répondit Oh.

– Il me semblait bien que c'étaient des koobishs, dis-je. Ils ressemblent beaucoup à ceux que tu as dessinés.

Couverts de poils bouclés, ces quadrupèdes étaient dotés de sabots ronds qui produisaient un son creux quand ils marchaient. Le plus petit des deux s'approcha de Oh, qui lui arracha un morceau d'oreille d'un coup de dents.

– Hé ! Qu'est-ce que tu fais ?

– Pas de souci, dit Oh, rayonnant. Ils ne sentent pas la douleur. Ils sont d'accord tant qu'on ne mange pas leur tête.

– Ah oui…

– Goûte un bout de la queue, c'est croustillant.

– Non.

Je préférai caresser le petit koobish, qui se mit à meugler joyeusement. L'Indien leur avait aménagé un coin tout à fait agréable, avec des abreuvoirs et beaucoup de foin. Il y avait même un petit arbre en pot, juste en dessous du trou béant censément dû à l'ovni.

Ah d'accord…

– Oh ?

– Oui ?

– Et si un vaisseau s'était vraiment écrasé sur cette tour, en 1947 ? Un vaisseau boovien ?

– OUI ! Bien sûr ! L'appareil qui s'est écrabouillé à Roswell était certainement la Mission Haanie !

La capsule de Haanie était censée avoir exploré il y a 294 ans. Explosé, je veux dire.

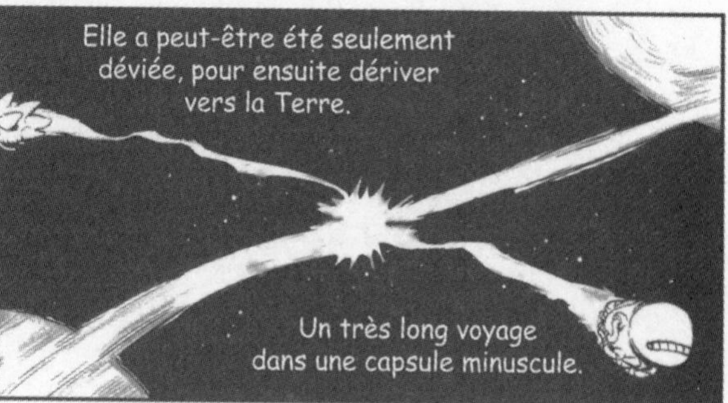
Elle a peut-être été seulement déviée, pour ensuite dériver vers la Terre.
Un très long voyage dans une capsule minuscule.

Les koobishs se reproduisent tous seuls.
Bébé koobish pousse comme un bouton, puis tombe.

S'il tombe dans l'eau, alors ça fait un nouveau koobish.
VOOP!

Sinon, il se dessèche dans l'air.

Haanie a dû avoir un bouton dans sa capsule. Quand celui-ci est tombé, il n'y avait pas d'eau pour le faire grandir, mais pas d'air pour le faire se ratatiner.

La capsule était une conserve de bébé koobish.
KOOBISH

Puis la

capsule

s'est écrasée dans de l'eau.

ET TADAAAM ! UN NOUVEAU KOOBISH !

– Mais... ça veut dire que l'Indien possède réellement une soucoupe volante.

Nous restâmes un moment à nous regarder dans les yeux.

Je redescendais déjà l'échelle quand Oh se précipita vers la trappe. Puis il fit demi-tour, s'offrit un nouveau morceau de koobish et se mit à descendre à son tour.

– Les koobishs vont se débrouiller ? demandai-je, ma voix résonnant dans le long conduit. Nous ne pouvons pas les emmener avec nous en Arizona.

– Oui, ça devrait aller. Ils ont assez d'eau pour fabriquer des centaines de bébés, et l'Indien leur a laissé assez de chlore pour au moins un an. Une année terrienne.

Beaucoup plus rapide que Oh sur une échelle, j'avais pris une large avance sur lui lorsque je ressortis à l'air libre. L'entrée du sous-sol de l'Indien n'était plus qu'un trou béant, des restes de porte tenant à peine sur les gonds tordus. Je descendis les marches à toute allure, cherchant à tâtons l'interrupteur. Quand ce fut fait, seule une ampoule sur deux s'alluma. On n'entendait plus *A-Tisket A-Tasket*. Le Gorg avait tout détruit. Il avait même projeté l'ovni contre un mur. La soucoupe volante gisait sur le flanc, ses parois de papier-mâché froissées contre le béton.

– Je ne comprends pas, murmurai-je, constatant que l'engin spatial avait tout aussi mauvaise mine – voire pire – que deux jours plus tôt. Cette chose ne peut pas être authentique, c'est impossible.

Oh me rejoignit enfin, haletant.

– Est-ce que tu... c'est... Tif aurait dû... m'attendre... trop... couru.

– Il n'aurait quand même pas...

Ma voix s'estompa ; cette scène avait quelque chose de bizarre.

– Oui... ? Quoi ?

Je m'approchai et arrachai un morceau de papier-mâché déchiré du faux vaisseau. Il en recouvrait un vrai.

***

– Qu’est-ce que ça donne ? m’enquis-je.

Il nous fallait partir avant le lever du jour, et j’étais aussi épuisée que nerveuse.

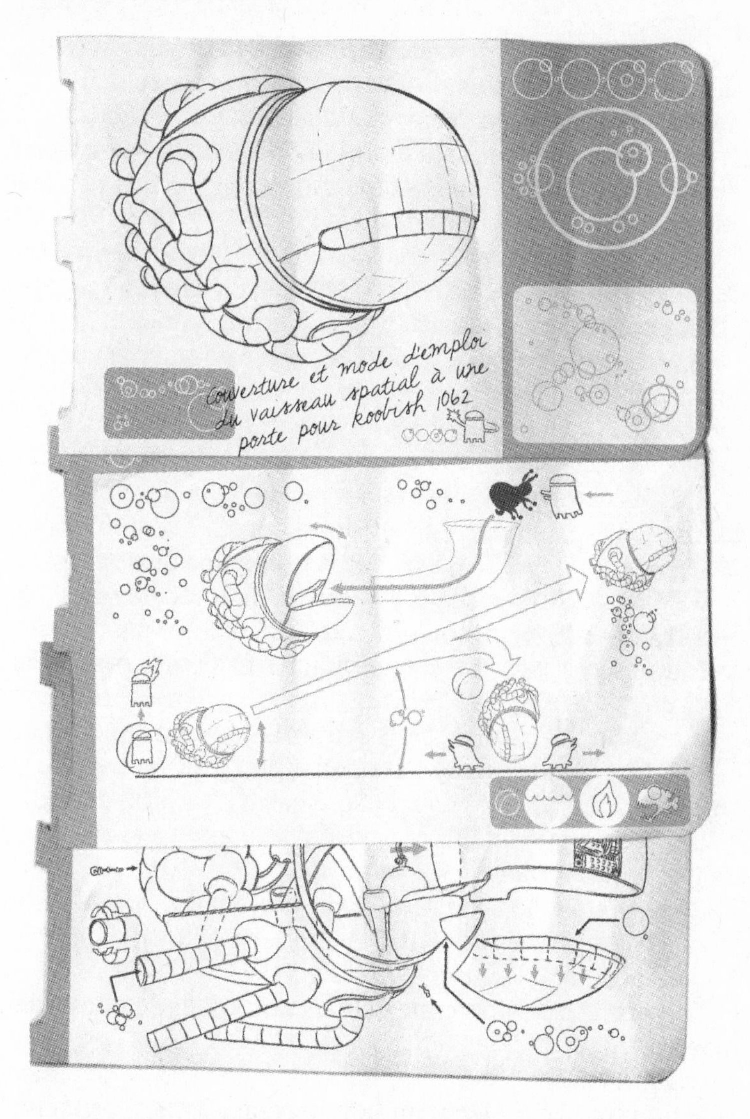

Couverture et mode d'emploi
du vaisseau spatial à une
porte pour koobish 1062

– Superimpeccable, me répondit Oh. Cet Indien, Ours qui Braille, est un type intelligent. Figure-toi qu’il a vidé et nettoyé lui-même le collecteur ajustable de snark ! Il a aussi réparé le fesse-fredon, et je peux t’assurer que je n’ai pas la moindre idée de la façon dont il s'y est pris. Il a dû y passer des heures. Et commentva le Bullshake ?

La canette géante de boisson énergisante était attachée à l'arrière de Fraîchissime, avec à l'intérieur la cabine de télé-clonage en pièces détachées. Oh achevait les réparations. Il avait bricolé un nouvel aileron à partir de l'écoutille du vaisseau spatial vieux de trois siècles et lissé le toit de la voiture. Il avait changé quelques pièces, dont le collecteur ajustable de snark, le nouveau étant un peu plus gros que le précédent et très ancien, mais l'Indien l'avait apparemment bien entretenu. À propos de l'Indien, j'espérais que les membres du NÉNÉ s'en occupaient convenablement.

Oh posa ses outils et leva sa tête pleine de cambouis.

– Terminé ! m'annonça-t-il avec entrain.

Oh allait devoir conduire, car j'étais épuisée. Je sortis un paquet de croquettes et de l'eau pour Lincoln et laissai un message adressé au NÉNÉ et à l'Indien sur le pare-brise du véhicule de patrouille de Bullshake. Puis nous nous élançâmes, nous éloignant aussi vite que possible de Roswell et tâchant de couvrir la plus grande distance possible avant qu'un Gorg ne remarque notre fuite. Allongée sur la banquette arrière en position de point d'interrogation, avec Porky à mes pieds, je m'assoupissais de temps à autre. Je me sentais bien, j'avais l'impression d'être redevenue une petite fille, au point que quand, une heure plus tard, je m'éveillai pour de bon car la voiture s'était arrêtée, je m'attendis presque à ce que ma mère me prenne dans ses bras et me porte jusqu'à mon lit.

Une douce lueur orangée filtrait par la vitre arrière. Me dressant sur la banquette, je levai la tête, puis je rejoignis Oh dehors, près du pare-chocs arrière.

Nous nous trouvions à environ cent trente kilomètres au nord-ouest de ce qui avait été Roswell. Peut-être avez-vous reconstruit cette ville, vous autres, dans le futur ; ce serait une bonne chose. À présent plus proche de nous, l'énorme sphère gorg était de la couleur d'un hématome tout frais, sous le clair de lune. Quant à Roswell, la ville flambait dans l'obscurité.

– Qu'est-ce que... Pourquoi font-ils ça ? demandai-je.

Oh considéra notre grosse canette, puis l'incendie, dans notre dos, réponse qui me fut amplement suffisante. N'ayant pas retrouvé leur cabine de téléclonage, les Gorg brûlaient tout dans un rayon de plusieurs dizaines de kilomètres pour que personne d'autre ne s'en empare.

– Ils ont eu le temps de partir, n'est-ce pas ? dis-je. L'Indien, David et les autres ? Et Lincoln ?

L'horizon était embrasé par les tirs de canon, tandis que des Gorgs d'une taille inimaginable écrasaient les ruines de la ville. Sans les photos, j'aurais fini par croire que j'avais rêvé.

– Nous ferions mieux de repartir, dit Oh.

Nous relayant au volant et dormant à tour de rôle, nous filions plein nord car les Gorgs semblaient sur le point de bouger. Même s'il était difficile d'en être certains, vu la taille de leur vaisseau et la distance à laquelle il se trouvait, ils nous donnaient l'impression de se diriger vers nous. Nous aurions atteint la frontière avec l'Arizona en quelques heures si nous ne nous étions pas distraits mutuellement à cause de stupides disputes. Ne vous méprenez pas :

j'aime beaucoup Oh et j'assume le fait de m'être retrouvée dans cette situation. Cela étant, je doute qu'il existe une personne au monde avec laquelle je puisse rester vingt-quatre heures sur vingt-quatre pendant trois semaines sans devenir un peu agressive. Si je croise un jour une telle personne, je l'épouse sur-le-champ. Nous étions probablement tout près de Four Corners, le point où l'Arizona, le Colorado, le Nouveau-Mexique et l'Utah se touchent à angle droit, quand le ton monta entre Oh et moi, alors que nous cherchions à déterminer si l'eau était mouillée ou non. Je savais que j'avais tort de m'emporter, j'imagine, mais il était impossible de m'arrêter une fois lancée.

Nous traversions une contrée étrange, extrêmement aride, avec des arches et des empilements de rochers évoquant du nappage versé puis solidifié. Je devinai que nous approchions de la frontière avec l'Arizona quand j'aperçus les premiers filets de fumée dans le ciel. *Ils proviennent de feux de camp*, me dis-je. *De feux de camp entretenus par des humains.*

– Tu ferais mieux d'enfiler ton costume de fantôme, suggérai-je à Oh. Et à mon avis, tu ne vas pas pouvoir parler aux gens que nous allons rencontrer avec ta voix d'extraterrestre. Kat t'avait percé à jour.

Il s'éclaircit la gorge.

– ET SI JE PARLE COMME ÇA ?

Je fis un bond sur mon siège ; on aurait dit une voix sortie d'un poste de télévision.

– LES CONCURRENTS QUI NOUS QUITTENT RECEVRONT LES LOTS DE CONSOLATION SUIVANTS.

– C'est stupéfiant ! Et maintenant, essaie de prendre une voix d'enfant.

– JE NE SAIS IMITER QUE CETTE VOIX.

– Ah… Bon, je crois que ça ne nous aidera pas beaucoup.

– Ce n'est pas plus mal, car ça me fait souffrir des dents.

Il remit son drap sur sa tête. Nous y avions percé des trous pour les bras et ajouté des manches blanches qui se terminaient par des moufles.

– Ouuuuh ! dit Oh le fantôme. Ouuuuuuuh !

– Parfait, répondis-je en souriant. Merci.

Un grand panneau

BIENVENUE AUX ÉTATS-UNIS D'ARIZONA

me fit lâcher un soupir de soulagement. D'après ce qui y était inscrit, l'Arizona est réputé pour son coton et son cuivre. L'oiseau typique de l'État est le troglodyte des cactus et son canyon principal, le Grand Canyon. Chapeau, l'Arizona !

Quelques minutes plus tard, j'aperçus des tentes et de petites maisons parsemées un peu partout. Et des gens ; je n'avais pas vu tant d'humains d'un coup depuis trois semaines. Des centaines de personnes, qui nous dévoraient toutes des yeux.

– Pourquoi ils nous regardent ? m'étonnai-je.

Je me répondis aussitôt en pensée : pourquoi ne nous auraient-ils *pas* regardés ?

Je fis de mon mieux pour paraître âgée de seize ans, ce qui est très difficile sans un minimum de concentration, et j'abaissai Fraîchissime près du sol, jusqu'à faire glisser ses pneus arrière sur l'asphalte. Elle était cependant toujours équipée de ses ailerons et tuyaux, sans parler de la canette géante et du fantôme installé sur le siège passager. Donc, les gens nous observaient. Et Oh leur rendait leurs regards.

– Ah ! Tu voislà ? Les Boovs secourent les humains.

Je n'eus aucun effort à fournir pour saisir à quoi il faisait allusion : non loin de la route se dressait une sorte d'énorme ballon de football transparent rempli de shampooing. Chargés de seaux et de glacières, les humains s'y massaient. Tous s'interrompirent pour nous regarder passer.

– C'est un télécloneur, m'expliqua Oh. Ces personnages peuvent s'en servir pour fabriquer de l'eau et de la nourriture.

– De la nourriture ? Je croyais que les télécloneurs ne savaient pas faire ça. Enfin, ceux des Boovs, je veux dire.

Je regrettai aussitôt d'avoir ajouté cette précision concernant les Boovs. Même si je n'avais pas pensé à mal, je sentis l'agacement de Oh quand il me répondit :

– Ce n'est pas si compliqué… Les télécloneurs peuvent produire un milk-shake nourrissant qui contient tout ce qu'il faut.

– C'est bien aimable de la part des Boovs.

Le plus fou, c'est que je le pensais vraiment. Les Boovs avaient envahi notre planète, détruit nos monuments, pris nos maisons et nous avaient parqués dans un État dont ils ne voulaient pas, pourtant j'étais déjà tellement habituée à cette situation que le fait qu'ils ne nous laissent pas mourir de faim dans la nuit me paraissait un geste noble de leur part.

Je laissai Fraîchissime glisser jusqu'au pied d'une colline, au-delà d'un magasin Buy-Mor où semblaient à présent loger un tas de personnes. Les voyant désigner bouche bée notre voiture, je criai « C'est un tour de magie » ! par la vitre ouverte en passant à leur hauteur. Cela ne voulait rien dire, pourtant la moitié d'entre eux acquiesça et reprit ses activités.

Moins de dix minutes plus tard, on nous arrêta. J'aperçus

dans un premier temps un gyrophare rouge et bleu derrière moi, puis une sirène se déclencha. Ce bruit me fit l'effet le plus agréable qui soit ; ce n'était qu'une sirène, sans rien d'extraordinaire, sans rien de nouveau, seulement une banale sirène de voiture de police, dans laquelle se trouvaient deux flics ordinaires et probablement terrifiés.

Je me garai. Le véhicule de patrouille ralentit et s'immobilisa derrière moi, à une certaine distance. Un policier en sortit et s'abrita derrière sa portière ouverte, son pistolet braqué sur Fraîchissime. Sa collègue sortit à son tour, du côté conducteur, et avança avec précaution vers nous, comme si elle s'attendait à voir la voiture se métamorphoser en robot. Après une minute de cette progression, elle se pencha et regarda par ma vitre.

Alors que j'imaginais que les policiers étaient censés mener la conversation, dans ce genre de situation, celle-ci resta muette en nous dévisageant. Je lui offris un sourire.

– Bonjour, dis-je.

Elle fronça les sourcils ; à mon avis, son instinct reprenait le dessus.

– Savez-vous pour quelle raison nous vous avons arrêtée, mademoiselle ? me demanda-t-elle.

– Parce que je n'ai que onze ans et que ma voiture flotte en suspension dans l'air ?

Elle m'observa un long moment, puis toussota.

– En effet, dit-elle enfin.

– Dans ce cas, vous devriez sans doute me conduire au commissariat.

Comme je ne me voyais pas retrouver ma mère en sillonnant l'Arizona tout en criant « Maman ! » par la vitre ouverte, j'avais compris que je finirais quoi qu'il advienne par contacter les autorités, si toutefois il y en avait. Au commissariat, j'expliquai que ma mère avait été enlevée, qu'un mystérieux Boov avait bricolé ma voiture et que mon frère Gigi vomirait pendant dix minutes si quelqu'un tentait de le toucher ou de lui parler. Je finis par être bien rodée car je dus répéter mon récit à pas moins de cinquante personnes au cours des jours qui suivirent. Puis une voiture de police nous accompagna à Flagstaff, où beaucoup d'anciens membres du gouvernement tâchaient de rassembler des informations et d'aider les gens à retrouver leurs amis et leur famille. C'était plutôt rigolo, quand on y pense, que tant de personnes soient à la recherche de proches, alors que nous étions tous réunis dans le même État. Il est vrai, j'imagine, qu'à moins d'avoir fait le voyage dans la même fusée qu'eux on n'avait aucun moyen de savoir s'ils étaient installés à Mohawk, Happy Jack ou Tuba City. Je vous promets que je n'invente pas ces noms.

Le Bureau des personnes disparues de l'État-Uni d'Amérique était situé dans un bâtiment universitaire. On m'y présenta un homme maigrichon vêtu d'un costume et nommé Mitch. Deux autres individus, portant le même costume que Mitch, se tenaient derrière lui, les mains dans le dos.

– Nom, dit Mitch.

J'étais alors en train de regarder les pins et les montagnes aux cimes enneigées par une fenêtre, en me demandant pourquoi j'avais toujours cru qu'on ne trouvait que des cactus et des dunes de sable en Arizona. Il me fallut quelques secondes pour me rendre compte qu'il me posait une question.

– Oh ! Euh… Gratuity Tucci.

Il me fusilla du regard, par-dessus son porte-bloc.

– Je n'ai pas de temps à perdre avec des plaisanteries, compris ? J'ai beaucoup de gens à voir, d'accord ? Votre nom.

– Gratuity. G. R. A.

– Ce n'est pas un prénom, ça.

– Vous devriez plutôt en discuter avec ma mère, non ?

– Ah oui ? Et c'est elle, votre mère ? dit-il, désignant la policière qui nous avait guidés jusqu'ici et qui, dans un coin de la pièce, tentait d'amuser Oh sans parler ni faire de mouvements brusques.

– Waouh ! Vous êtes fort, vous ! Je suis venue vous voir parce que je recherche ma mère, et vous la trouvez avant même que je reparte.

– J'ai beaucoup de monde à voir, vous saisissez ? Pour le moment, je note que vous vous prénommez « Gratuity ».

– Il le faut bien.

– Nom de famille.

– Tucci.

– Deuxième prénom.
– Je n'en ai pas.
Mitch me considéra comme si j'avais volontairement décidé de ne pas avoir de deuxième prénom.
– Nom de la ou des personnes que vous souhaitez retrouver.
– Lucy Tucci. C'est ma mère.
– Son âge.
– Euh… trente ans.
– Relation avec Lucy Tucci.
– Hmm… bonne. On se dispute parfois, bien sûr, mais…
– Non. Qui est-elle pour vous. Le lien qui vous unit à elle.
– C'est ma mère. Je suis sa fille.
Tandis que Mitch griffonnait, une promesse que j'avais faite me revint soudain à l'esprit.
– Oh ! Et si vous pouviez également localiser… euh… Marta ! Marta Gonzales. Et lui dire que son fils Christian et Alberto vont bien et habitent sous le Royaume de la Souris joyeuse.
Je crus que Mitch allait se mettre à pleurer ; il agrippa son porte-bloc et le cala contre son estomac.
– Il n'y a pas de formulaire pour cela, déclara-t-il.
– Eh bien, pourriez-vous…
– S'il n'existe pas de formulaire correspondant, je ne vois pas comment il nous serait possible de… Michaels ! Voyez si nous avons un formulaire pour ça, voulez-vous ?
– Bien, monsieur, répondit l'un des hommes en costume, avant de filer d'un bon pas.
Jusqu'alors, j'avais imaginé qu'ils n'étaient là que pour retenir Mitch s'il basculait en arrière. La policière s'approcha de moi.
– Ton frère est en train de manger des crayons.
– Oui, ça lui arrive, répondis-je.
– Tu sais, tu devrais inscrire le nom de ta mère sur la Liste des perdus.
– Mon Dieu… intervint Mitch. Autant lui suggérer de lancer une fléchette au hasard sur une carte de l'État.
– Qu'est donc la Liste des perdus, exactement ? m'enquis-je.
Manifestement, les Américains n'attendaient pas que le

Bureau des personnes disparues retrouve leurs proches. Certains avaient eu l'idée de distribuer des listes de dix noms un peu partout. Chacun en gardait une sur lui et, quand une personne y figurant était retrouvée, barrait ce nom et en ajoutait un autre. Tout en vaquant à leurs affaires, ils criaient de temps à autre « John Hancock recherche Susan B. Anthony » ou « Madonna recherche Britney Spears ». Qui entendait cet appel et connaissait une Susan B. Anthony ou une Britney Spears les interpellait et leur livrait ce qu'ils savaient à propos de ces personnes.

– Beaucoup de gens se sont retrouvés comme ça, précisa la femme.

– Faites comme vous voulez, d'accord ? dit Mitch. Mais le Bureau est le moyen le plus simple et le plus rapide que je connaisse pour localiser des personnes disparues. Voici votre reçu.

Il me tendit un bout de papier bleu sur lequel était inscrit « Dossier #9003041 – CHARLIE BRAVO » au stylo bille noir, et juste en dessous « LUCY TUCCI, MÈRE DU DEMANDEUR ». Le verso était un bon pour un lavage de voiture.

– Merci, marmonnai-je.

– Ne le perdez pas, me dit Mitch. Vous ne pourrez pas réclamer votre mère sans ce reçu. Revenez nous voir d'ici dix à quatorze jours ouvrables.

Ils finirent par me détester, au Bureau des personnes disparues. Je ne revins pas les voir « dix à quatorze jours ouvrables » plus tard, mais dès le lendemain, puis le surlendemain, et encore le jour suivant. Pendant ce temps, Oh et moi logions dans Fraîchissime, en périphérie de la ville. J'avais résisté quand ils avaient voulu nous trouver un endroit où nous installer. Nous bougions beaucoup, afin d'être difficiles à épier (il fallait bien que Oh retire son déguisement de temps en temps), et utilisions les douches et toilettes du campus universitaire. J'inscrivis le nom de ma mère sur la Liste des perdus, dont les responsables occupaient un genre de bureau dans l'arrière-boutique d'une animalerie. Rares étaient les lignes téléphoniques qui fonctionnaient ; heureusement ils possédaient une radio à ondes courtes. Je me rendis rapidement compte que ce type d'appareil différait d'une radio ordinaire sur deux points. Premièrement, on pouvait parler, en plus de recevoir des émissions. Si quelqu'un était branché sur votre fréquence, il vous entendait. Et les bureaux de la Liste des perdus établis dans les autres villes étaient en permanence branchés sur la bonne fréquence. Par ailleurs, les utilisateurs de radios à ondes courtes adoraient leur appareil. Je dus ainsi subir quarante minutes de discours d'un certain Phil, un type au teint blafard, à propos de sa radio.

Oh, Porky et moi ne nous débrouillions pas trop mal. Nous n'avions plus de nourriture, mais il y avait du milk-shake à profusion. Oh avait eu raison sur ce point. La plupart des communautés installées près des villes possédaient un télécloneur pour l'eau et la nourriture. Les gens tentaient malgré tout de faire pousser des fruits et légumes, car le milk-shake avait un goût de carton froissé.

Le soir venu, Oh s'affairait sur notre cabine de téléclonage. Je ne cessais de m'interroger sur le coin carbonisé et arraché de la cage.

– Il manque quelque chose d'important, à cet endroit ? finis-je par lui demander. C'est sérieux, comme dégât ?

– Je ne pense pas. La cabine n'a perdu que deux boutons. Elle est encore fonctionnable. Tiens bien la lampe, s'il te plaît.

– Tu en es sûr ? Si on essaie ce machin, je ne tiens pas à me retrouver avec un pied en moins ou je ne sais quoi à l'arrivée.

– Tu posséderas toujours tes deux pieds. En fait, c'est la partie réception qui a été désactivée, et tant mieux.

– C'est une bonne chose ?

– Oui. Sans récepteur, le télécloneur ne peut plus fabriquer ou téléporter des Gorgs. C'est aussi pour ça que le vaisseau gorg n'a pas pu déclencher l'autodestruction de cet appareil. Hmm…

– Si les Boovs n'avaient pas précisément endommagé le télécloneur de cette façon, l'Indien n'aurait même pas été en mesure de le voler. Et tu peux le réparer ?

– Chut… Je me concentre.

Il inspecta minutieusement chaque détail de la cage, ainsi

que la machinerie et les pièces qu'il avait démontées et mises de côté, puis il remonta le tout en quelques minutes, avant de tout démonter de nouveau.

– Je ne comprends pas, dit-il enfin. C'est exactement comme un télécloneur boovien. Tout est pareil.

– Il y a forcément quelque chose de différent.

Oh ne répondit pas. Accroupi près d'un bouton, il grimaçait.

– Je suis sûr qu'ils ont pu déserter Roswell, dit-il. Ils possédaient une voiture, ainsi que le pick-up de l'Indien.

Il frappa sur le bouton avec un bâton.

– Et la voiture de patrouille, ajoutai-je. Tu as laissé la clé dessus ?

– Hmm… ?

– La clé que tu as fabriquée, pour la voiture Bullshake, tu l'as laissée sur le contact ?

– Ah ! Oui.

– Ils ont donc également pu s'en servir, s'ils l'ont voulu.

Non loin de nous, deux grillons discutaient, se renvoyant indéfiniment la même question :

Tu es là ?

Oui. Et toi, tu es là ?

Oui. Et toi, tu es là ?

Oui. Et…

Oh se donna un coup de bâton entre les deux yeux.

– C'est exactement la même chose ! s'écria-t-il.

– Chut !

Il se pencha sur la cabine et caressa du bout des doigts les boutons, tout en grommelant pour lui-même. Les grillons, qui s'étaient interrompus, reprirent leur conversation là où ils l'avaient laissée.

– Donc, d'après toi, il faut la brancher à un ordinateur, c'est bien ça ?

– Oui, confirma Oh. Par un signal aérien, mais ça ne change rien.

– Mais… un ordinateur ne peut-il pas garder en mémoire les…

– Non, non, non, c'est trop compliqué. Aucun Boov n'a jamais fabriqué un ordinateur assez puissant pour garder la trace de toutes les partitudes d'une personne.

– Pas même un de vos ordinateurs-nuages de gaz ?

– Non. Pour que ce soit assez sûr, il faudrait que cet ordinateur soit des milliers de fois plus gros qu'un vaisseau boovien. Et même que le plus gros de tous les vaisseaux booviens. Si seulement c'était fabricable ! Qui construirait une telle chose ? Et où l'entreposerait-on ?

– Il serait si gros que ça ?

– Aussi gros qu'une petite lune !

Nous nous dévisageâmes quelques secondes sans rien dire. Même les grillons cessèrent de discuter. Puis nos regards se tournèrent ensemble vers la petite lune violette suspendue au-dessus du Mexique.

– Tu ne crois quand même pas que…

– Non, dit Oh, qui me parut tout de même moins sûr de lui. Le cerveau électrique prendrait presque toute la place dans ce vaisseau. Il n'en resterait plus pour les Gorgs et les provisions.

– Combien de Gorgs et de provisions faut-il entasser, quand on peut se contenter d'en cloner ?

– Hmm…

Oh explique comment s'y sont pris les Gorgs, selon lui. Par Oh

Les Nimrogs ont sans doute envoyé un satellite dans l'espace, qu'ils ont bombardé de boutons de télécloneur.

Les boutons ont cloné une grosse boule de peau de Nimrog autour du satellite.

Puis de nouveaux cloneurs ont été posés à sa surface.

L'opération s'est répétée, jusqu'à obtenir un ballon de peau magnormissime, aussi gros que...

J'ai compris, Oh. Merci.

Vachement gros.

Le cloneur situé au centre du satellite a ensuite produit du gaz électrique d'ordinateur pour remplir la sphère. Les partitudes d'ordinateurs se sont multipliées pour former le plus intelligent ordinateur jamais construit !

Assez intelligent pour cloner des gens ?

Possiblement. Passe-moi la colle, j'ai faim.

Je n'en reviens pas que tu aies dessiné la colle !

– C'est parfait, dis-je. Si tu as raison, alors tu peux réparer le récepteur et construire d'autres cabines de téléclonage, dont nous pourrons également nous servir. Les humains utiliseront les ordinateurs des Gorgs pour les combattre.
– Possiblement, oui.
– Il faut en parler à quelqu'un sans tarder. Peut-être à un membre du Bureau des personnes disparues. De toute façon, je compte y faire un saut demain, pour voir s'ils ont retrouvé ma mère.

En nous rendant au Bureau le lendemain matin, nous trouvâmes les locaux vides, à l'exception de l'homme en costume nommé Michaels.
– Ah, c'est toi, dit-il, sans la moindre nuance de surprise dans la voix. Nous n'avons pas encore retrouvé ta mère.
– Sans vouloir me montrer impolie, vous ne donnez pas l'impression de beaucoup y travailler, dis-je, désignant les lieux désertés.
– Tss… c'est seulement à cause du meeting.
– Quel meeting ?
– Je pensais que tout le monde était au courant, dit Michaels, sourire aux lèvres. Le meeting avec les représentants booviens, sur le terrain de base-ball. Il se déroule en ce moment même.

– Pourquoi les Boovs ont-ils voulu ce rassemblement avec nous ? m'interrogeai-je à haute voix, alors que nous marchions en direction du campus pour nous faire une idée à ce sujet.
– Nous devrions peut-être discuter du télécloneur à ces Boovs, suggéra Oh.
Cette idée ne m'emballait pas, je l'avoue. Je ne pouvais pas en vouloir à Oh de toujours penser le meilleur à propos des siens, toutefois je craignais qu'ils l'arrêtent, profitent de l'information que nous leur aurions livrée pour vaincre les Gorgs, puis continuent de traiter les humains comme les rebuts qu'ils voyaient en nous.
Le terrain de base-ball était bondé ; il y avait là au moins mille personnes massées devant une estrade en contreplaqué, sur laquelle se trouvaient cinq Boovs. Coiffé d'un

chapeau un peu plus sophistiqué que les quatre autres, l'un d'eux s'adressait à la foule.

Oh en resta bouche bée.

– Smek ! finit-il par murmurer. C'est le capitaine Smek en personne !

– C'est une race affreuse, qui n'accordera pas aux Nobles Sauvages de Smekland la respectitude dont vous jouissez de la part des Boovs. Dans toute la Galaxie, les Gorgs sont surnommifiés les Preneurs ! Ils ne savent que prendre, prendre et encore prendre !

Les gardes du corps de Smek se mirent à claquer des doigts – c'est la façon d'applaudir des Boovs – et poursuivirent un long moment.

Tout tremblant, Oh se plaquait contre moi. Le guidant d'une main sur son épaule, je l'entraînai vers les derniers rangs du public.

– Nous sommes au courant de la réunion qui s'est accrochée entre les dirigeants des Gorgs et ceux de Smekland hier, dit Smek. Les Gorgs vous ont probablement fabriqué de belles promesses. Ne les croyez pas ! Ils mentent !

Ils esclaveront votre race, comme ils ont esclavé tant d'autres peuples ! Ils détruiront notre monde !

On entendit de nombreuses personnes rouspéter dans le public. Pour d'évidentes raisons, Smek n'était pas très populaire dans cette région de la Voie lactée.

– Pour conclure, les Boovs vous en conjurent, n'offrez pas notre monde aux Gorgs à cause d'une insignifiante rancune à notre égard. Combattez-nous…

Un garde-Boov murmura quelque chose à Smek.

– Combattez *avec* nous, reprit le chef des Boovs. Pour une Smekland plus belle, plus étincelante !

Les gardes-Boovs claquèrent de nouveau des doigts.

Smek reprit son souffle et poursuivit :

– *Repito. Señoras y caballeros del Estado Unido de America…*

– Ce meeting ne va rien apporter de bon, murmurai-je à Oh, ce en quoi j'avais tort, comme je le comprendrais plus tard.

Certaines personnes finiraient en effet par se joindre aux Boovs pour lutter contre les Gorgs. Ce qui ne changerait rien.

Dans l'assistance, on commençait déjà à partir en discutant par petits groupes, surtout pour dire qu'on ne croyait pas un mot du discours du chef extraterrestre. Quelques-uns jetèrent des regards étonnés en direction de Oh, qui pouvaient s'expliquer par tout un tas de raisons autres que des soupçons quant à sa véritable nature. Personne ne nous ennuya, aussi fou que cela puisse paraître, mais je pense que les gens ont généralement tendance à ne voir que ce à quoi ils s'attendent. En nous voyant, on pouvait, au choix, imaginer une fille de onze ans et son ami extraterrestre portant un costume de Halloween en plein mois d'août, ou alors juste deux enfants se comportant comme des enfants. Qu'auriez-vous vu, vous, franchement ?

– Ne le regarde pas, dit même une mère à sa fille, qui dévorait Oh des yeux. Il essaie d'attirer l'attention.

Je finis par revenir à Smek, qui répétait la dernière phrase, retentissante, de son discours :

– *… para una Tierra luminosa de Smek !*

Puis vinrent de nouveau les claquements de doigts, que reprenaient à présent quelques jeunes enfants, dans les premiers rangs. Des adultes huèrent, mais le public resta en grande majorité silencieux.

Le capitaine Smek descendit de son tabouret et quitta l'estrade, cédant la place à un humain d'une taille assez modeste.

– Regarde, c'est Mitch, du Bureau ! dis-je à Oh.

Mitch leva les mains et secoua la tête en direction des gens qui conspuaient encore Smek, tout en tentant de retenir l'assistance, qui se dispersait. Quant à Smek et à ses gardes, on aurait dit un groupe d'enfants honteux qui s'éloignaient en toute hâte du terrain.

– Écoutez-moi, tous ! dit Mitch. Ne pouvons-nous pas faire preuve d'un minimum d'hospitalité ? Le capitaine Smek a pris le temps de nous expliquer la situation dans laquelle il se trouve, ce qui dénote un certain courage. Je pense que nous devrions l'aider. Non ? Tout le monde s'en va ? Bon, deux annonces, alors ? Dan Landry, le chef du district de l'aéroport de Tucson, s'exprimera ce soir à propos de sa récente conférence avec les Gorgs, d'accord ? À 20 heures, à l'auditorium Prochnow… Il y a aussi… Vous m'écoutez ? De nouvelles dates ont été fixées pour les recertifications des médecins, c'est compris ? Elles sont affichées sur le gros arbre situé près du… de la chose… enfin, vous voyez. Tant que nous ne savons pas avec certitude qui est médecin et qui ne l'est pas, faites preuve de bon sens. Ce n'est pas parce que quelqu'un possède un scalpel qu'il doit vous opérer de l'appendicite.

Il ne restait presque plus personne. Oh et moi nous approchâmes de l'estrade.

– Une dernière annonce ? Non ? Ne venez pas pleurer au Bureau si vous ne savez pas où vous procurer vos bons pour milk-shake. Tiens, bonjour, Gratuity.

Sa voix étant toujours amplifiée, il écarta le micro et s'assit sur le rebord de l'estrade.

– Nous retrouverons bientôt ta mère. Sois patiente, d'accord ?

– J'ai déjà vu Michaels aujourd'hui, dis-je. Nous sommes juste venus écouter le discours.

– Tu veux bien entendu te faire ta propre opinion ? Moi, je ne crois pas qu'il faille écouter ces Boovs. Ils sont sur le point de repartir. Et nos dirigeants ? Ils font des progrès, de gros progrès, avec les Gorgs. Surtout Dan Landry. Tu devrais aller l'écouter en parler ce soir.

– Oui, j'irai peut-être. À demain, Mitch.

– Ah, au fait ! J'allais oublier. Quelqu'un te cherche, tu sais ? Un Indien qui est à l'hôpital, je crois.

– Chef ! m'écriai-je en entrant en trombe dans la chambre de l'Indien.

Non, ce n'est pas tout à fait ça.

– Chef ! m'écriai-je, après, avec Oh, avoir foncé à l'hôpital à bord de Fraîchissime, lutté pour nous faufiler dans la foule qui se massait à l'entrée et au travers d'un labyrinthe de malades assis sur des chaises, allongés sur divers brancards et lits à roulettes et branchés à des perfusions suspendues à des porte-chapeaux, obtenu le numéro de la chambre de l'Indien auprès d'une femme de la réception, avoir été informée par une infirmière ou je ne sais plus qui que seule la famille était autorisée à rendre visite aux malades, avoir poliment crié à cette infirmière, ou autre, « Vous ne voyez pas que nous formons tous une famille, désormais, pauvre cloche ? », m'être glissée dans son dos pendant qu'un chien dans une chaise roulante attirait l'attention de cette personne et, enfin, être entrée en trombe avec Oh dans la chambre de l'Indien.

Voilà. Enfin, bref.

L'Indien partageait sa chambre avec un patient endormi, que cachait un rideau tiré.

– M. Hinkel, dit-il, tendant le menton en direction de son voisin. D'après lui, les Indiens comme moi devraient vivre ailleurs. Il adore me l'répéter.

Je n'avais pas vraiment envie de parler de M. Hinkel.

– Ils vont peut-être bientôt le laisser sortir, dis-je.

– J'en doute. Il s'est fait tabasser par quelqu'un qui pense que les homosexuels comme lui devraient vivre ailleurs. Ça m'fait plaisir d'vous r'voir, Jambes Stupides et le Boov.

Je souris, puis percutai.

– C'est Kat qui vous l'a dit ?

– Non, c'est moi, intervint Oh. En faisant chuter mon drap, quand je l'ai aidé à cacher le télécloneur. J'ai oublié de te le dire.

Ces mots me firent grimacer.

– Et… ça ne vous pose pas de problème, Chef ? Vous n'allez pas nous dénoncer ?

L'Indien haussa les épaules.

– Quand on est indien, on passe sa vie à entendre des gens vous parler d'ceux qui vous ont pris vot' terre. On peut pas tous les détester, sinon on passe sa vie à crier sur tout l'monde.

– Bien sûr. De toute façon, vous criiez déjà tout le temps. Mais c'était de la comédie, pas vrai ? En laissant croire que vous êtes fou, vous pouvez dire sans précaution que vous abritez un ovni, personne ne vous croira.

L'Indien esquissa un sourire. Il avait de bonnes dents, pour un homme de quatre-vingt-treize ans.

– Et encore plus en planquant cet ovni sous une couche de papier-mâché, ajouta-t-il.

– Ainsi, si quelqu'un croit que vous cachez une authentique soucoupe volante, il passera pour un idiot en venant la voir, c'est ça ?

– Ça a marché pendant soixante-six ans. Jusqu'à c'que tu découvres mes deux bêtes, j'imagine.

– Les koobishs, précisa Oh. Ce sont des koobishs.

– Et toi, tu t'appelles toujours Gigi ?

– Non, mon véritable nom est Oh.

– Hors de question que j't'appelle comme ça.

– Vous pouvez continuer à m'appeler Fantôme.

– Marché conclu.

Je piaffais d'impatience, dévorée vivante par l'angoisse.

– Est-ce que tout le monde a pu s'enfuir de Roswell, Chef ? Avant que…

– Ouaip. Grâce à fanas d'ovnis. Ils étaient sur l'toit, à regarder dans leurs télescopes, quand ils ont vu les Gorgs arriver à des kilomètres de distance. Certains sont partis dans la voiture qu't'as laissée là-bas, même si la clé en plastique les a un peu intrigués. D'mon côté, j'ai entassé Lincoln et les… koobishs dans mon pick-up et j'suis parti juste à temps avec Trey.

– Trey vous a accompagné ?

– Je… j'étais pas en état de conduire. Trop d'vertiges. On a laissé les koobishs près du Rio Grande. Trey s'occupe de Lincoln jusqu'à c'que j'arrête de… jusqu'à c'que j'sorte d'ici.

Il toussa un peu. Loin de moi l'idée de vouloir sous-entendre quoi que ce soit de dramatique ; c'est vrai, dans les films et les romans, quand quelqu'un se met à tousser, c'est seulement pour annoncer une sérieuse maladie ou même qu'il va mourir. En fait, l'Indien toussait beaucoup depuis que je le connaissais. Tout le temps, même avant d'être frappé par le Gorg. Mais je n'en pris conscience que dans cette chambre d'hôpital.

– Vous allez guérir ? lui demanda Oh.

– Minute, c'est à mon tour d'poser des questions, dit l'Indien. Parlez-moi d'cette cage gorg. Elle est bien à l'abri quelque part ?

Oh lui expliqua ce qu'était la cabine de téléclonage, pourquoi elle était si importante et comment nous l'avions dissimulée tout en nous assurant qu'elle soit presque prête à l'emploi.

– Je pensais en parler à un dirigeant, mais le type du gouvernement qu'on connaît est favorable à un accord avec les Gorgs, dis-je. J'ai peur qu'il la leur rende. Je ne sais pas à qui faire confiance.

– Garde-la en sécurité jusqu'à c'que j'sorte d'ici, et on s'en occupera ensemble. J'ai appris beaucoup d'choses à l'armée, qui nous seront déjà utiles si j'm'en souviens que d'la moitié.

– D'accord, mais… je n'ai pas vu ma mère depuis Noël, Chef. Si on me dit où elle se trouve, je file la retrouver.

– Je filerai aussi, dit Oh.

L'Indien hocha la tête et ferma les yeux. Il était temps de nous en aller.

Une deuxième semaine, interminable, s'écoula à Flagstaff. Nous rendions visite à l'Indien, faisions la queue au télécloneur boovien pour obtenir de l'eau et du milk-shake, faisions des petits boulots pour des gens en échange de véritable nourriture et de divers produits, et lisions ensemble. Je fis ainsi découvrir à Oh *Huckleberry Finn*, qu'il apprécia, et *La Guerre des mondes*, récit qu'il estima trop partial.

Nous organisâmes notre propre déchetterie, ce qui permit à Oh d'essayer de fabriquer d'autres cabines de téléclonage, à partir de technologie humaine, ou de gonfler les cloneurs de milk-shake de façon à leur permettre de créer de plus gros objets.

Quant à moi, j'en appris davantage sur l'Indien.

– Et donc, après la Seconde Guerre mondiale, vous avez été envoyé au Nouveau-Mexique ? lui demandai-je, lors d'une visite.

J'étais venue seule, cette fois, afin de découvrir sa nouvelle chambre, dans la maison de retraite où on l'avait installé quand on avait eu besoin de son lit d'hôpital. Il avait cet endroit en horreur.

– Oui, j'me suis r'trouvé sur un terrain d'sport de Fort Summer. J'ai pas beaucoup aimé ; l'histoire d'mon peuple est assez sombre, par là-bas. J'ai grandi près d'ici, tu sais ? Dans la réserve indienne.

– Oui, vous me l'avez dit. Vous êtes donc… un Navajo ?

J'avais appris à connaître un peu la région.

– J'préfère l'terme « Diné » mais oui, en effet.

– Et donc, après Fort Summer…

– J'ai d'mandé à être transféré à la base aérienne de Roswell. Puis j'ai acheté un terrain quand j'ai entendu dire qu'la ville voulait y construire un château d'eau. Ils ont donc dû m'verser un loyer pour ça.

– Ah d'accord. Mais parlez-moi du crash de l'ovni.

– Hrm… Qu'est-ce que tu sais déjà ?

– Je sais que quelque chose s'est écrasé près de Roswell en 1947, et que des témoins ont vu des choses bizarres dans le ciel peu avant. Des lumières. Des débris d'une épave ont bien été retrouvés, mais le gouvernement a déclaré qu'il ne s'agissait que d'un ballon scientifique. D'après les ufologues, c'était un vaisseau spatial, avec en plus des cadavres d'extraterrestres.

– Bien. Bon, alors déjà, il y a vraiment eu un ballon scientifique.

– Attendez, dis-je, les sourcils froncés. Comment est-ce possible ?

– La capsule boovienne l'a percuté au cours d'sa descente. Pas d'chance. Elle l'a détruit, ainsi qu'sa cargaison.

– Donc, l'épave…

– Était bien celle du ballon. La capsule du koobish a ensuite touché le sol, ricoché sur cent trente kilomètres pour finalement s'encastrer dans l'château d'eau d'mon jardin. Y a pas eu trop d'dégâts. Pour la capsule, j'veux dire, pas pour l'château d'eau. La ville a renoncé à s'en servir ; ils avaient jamais apprécié notre arrangement, d'toute façon. Payer un Indien pour la location d'son terrain hérissait l'poil d'ces p'tits Blancs. (Il eut droit à un regard appuyé de ma part.) M'en veux pas, c'est juste un vieux réflexe d'Indien. Donc, quand le gouvernement dit qu'c'est un ballon qui s'est écrasé, il l'pense vraiment. Ils sont pas au courant, pour l'vaisseau spatial. Ils sont restés bouche cousue à c'propos parce que c'était un ballon top secret censé espionner les Russes. D'mon côté, j'ai essayé d'dire à mes patrons qu'j'avais une soucoupe volante et un extraterrestre dans mon sous-sol, mais tout l'monde m'a pris pour un fou. « Fatigue mentale consécutive aux combats », j'crois bien qu'ils ont dit.

– Et ils n'ont jamais découvert la vérité ?

– Si, plus ou moins, finalement. En analysant les éléments du crash, ils ont compris que tout ne collait pas. Ils m'ont alors rappelé, pour vérifier si, après tout, j'avais pas dit la vérité, mais à c'moment-là j'en avais assez d'l'armée. J'avais beaucoup d'autres raisons d'me plaindre d'eux. Alors j'ai joué à fond la carte de l'Indien fou, j'ai caché la capsule sous une couche de débris récupérés et fait semblant d'être ravi d'la leur montrer. Ils m'ont crié dessus et m'ont reproché d'leur avoir fait perdre leur temps, ils se sont un peu chamaillés, et ils sont jamais revenus.

– J'ai passé les soixante et quelques dernières années à essayer d'réparer c'vaisseau. J'ai réussi à l'faire décoller, une fois.

– Non !

– Si. J'l'ai programmé pour m'faire grimper à mille cinq cents mètres, faire une boucle et r'descendre pour s'poser dans mon jardin. Bon, en fait, il s'est posé à trente kilomètres de chez moi. Ça m'a valu une sacrée marche.

– Vous l'avez programmé ? Mais comment ?

– Avec des cartes perforées. C'est c'qu'on avait dans les années cinquante, avant les CD-ROM. Du papier troué, quoi.

– Oh dit que vous en avez pris grand soin.

L'Indien m'observa un moment.

– D'après une rumeur, les Boovs vont bientôt s'rendre et s'en aller.

– Oui, je sais.

Je regardai par la fenêtre, comme si je pouvais voir les vaisseaux booviens se masser à la frontière de l'Arizona, ou les Gorgs approcher.

– Oh le sait aussi, ajoutai-je.

– Quand est-ce qu'il va rejoindre son peuple ?

– Je ne sais pas s'il… s'il a pris une décision. Nous n'en avons même pas parlé.

– Hrm…

– Je ferais mieux d'y aller.

De retour à notre campement, je trouvai Oh adossé contre la voiture, dans son costume de fantôme, face à un type en vélocross. Porky sifflait par la vitre. Je les rejoignis en courant. Pourquoi cet inconnu menaçait-il Oh ? Avait-il deviné que c'était un Boov ?

– Enfin ! s'écria Oh, quand il me vit approcher. J'essaie de raconter à cette personne que je ne parle pas sa langue, mais il ne désire pas me laisser tranquille !

D'un demi-tour sur son engin, l'inconnu me fit face.

– Dernière édition ! brailla-t-il. Demandez le *C, l'hebdomadaire des célébrités* ! Quel mari volage a subi un placage pour une star à la page ? Quelle dame adorée a rouspété après avoir été huée ? Seul le *C* le sait !

L'estimant dans un premier temps un peu dérangé, je m'apprêtais à lui donner un petit quelque chose lorsque je remarquai sa musette pleine de journaux. Voilà qui était nouveau.

– Spielberg prépare un nouveau thriller pendant que les producteurs font leur beurre ! Et cette semaine, supplément spécial, la carte révisée de l'État-Uni d'Amérique !

Je n'avais rien compris aux titres précédents mais j'eus immédiatement envie de découvrir la carte.

– Combien ?

– Un dollar dix, me répondit le vendeur de journaux. Mais pour toi, ce sera un dollar seulement, parce que ta bouille me plaît.

– Comment ça, un dollar ? Un vrai dollar, vous voulez dire ? Un vrai billet ?

– Je n'ai pas de temps à consacrer aux haïkus, gamine. Tu l'as, ce dollar, ou pas ?

– Mais tout le monde fait du troc, par ici. L'argent ne vaut plus rien.

– Ça vaudra de nouveau quelque chose un jour. Bon, alors, tu le veux, ce journal, ou pas ?

Je lui dis d'attendre, le temps pour moi de fouiller dans la voiture et de réunir un dollar en petite monnaie, car je n'avais pas conservé le moindre billet. Un peu plus tard, je m'assis avec Oh pour parcourir le *C, l'hebdomadaire des célébrités*.

– Qu'est-ce que ça discute ? me demanda Oh.

– Je n'en reviens pas, dis-je en feuilletant la publication. C'est vraiment un journal qui parle de la télévision et des stars de cinéma. Alors que ces gens ne font plus rien.

LES STARS DU CINÉMA CONTINUENT D'ATTENDRE QUE QUELQU'UN RÉALISE UN FILM

New Hollywood (anciennement Scottsdale) – Les acteurs américains remplissent leurs journées avec des activités telles que sourire et faire des signes aux voitures, convaincus que l'industrie cinématographique finira par repartir.

« Avant l'invasion, je travaillais sur une comédie racontant l'histoire d'un chien qui parle et combat le crime », nous dit Evan Vale, dont on ne compte plus les fans, devant la concession Lexus qu'il a élue pour demeure. « Si le tournage de *Bon flic et sale cabot* ne se termine pas, ça voudra dire que les extraterrestres ont gagné. » Marty Allen, producteur délégué de *Bon flic et sale cabot*, assure que le tournage reprendra sans tarder : « Dès que nous aurons réussi à rasseoir Tom [Stone] dans son fauteuil de réalisateur, nous pourrons nous remettre au travail. » Actuellement cultivateur de pommes de terre à Holbrook, Tom Stone, le réalisateur, n'a pas pu être joint pour répondre à nos questions.

DES STARS DE LA CHANSON EN CONCERT AU *LIVE FACE AUX EXTRATERRESTRES N° 6*

SEDONA – Les artistes musicaux américains, dont 70 % vivent dans la ville de Sedona, au nord de l'Arizona, se produiront une nouvelle fois bénévolement en concert, afin d'éveiller les consciences à propos de l'invasion extraterrestre. L'événement, intitulé *Live face aux extraterrestres n° 6*, regroupera davantage d'artistes que les cinq précédentes éditions. Il sera pour la première fois équipé d'une sono fonctionnelle et ouvert au public.

La soirée sera présentée par Mandi, la reine de la pop, dont on attend qu'elle interprète *Cette terre est ma terre, cette terre n'est pas Smekland*, son nouveau tube.

Sont également confirmés Bruce Springsteen, DJ Max Dare, les New Draculas, Madonna, Displacer Beast et Big Furry.

Cela se poursuivait comme ça sur des pages et des pages. Mais j'étais surtout intéressée par la carte.

Je ne sais pas vraiment si, avant l'invasion, j'avais cru au fameux melting-pot américain mais, maintenant qu'on avait entassé toutes ces ethnies en Arizona, je me disais que nous allions tous encore plus nous mélanger. Eh bien non.

La ville de Payson était à présent blanche à quatre-vingt-dix-neuf pour cent, à peu de choses près. Quant à Green Valley, Sun City et Prescott, elles étaient essentiellement peuplées de personnes âgées. Pour je ne sais quelle raison, Prescott avait été rebaptisée Vermeilletopia. Écolos et hippies avaient élu domicile à Flagstaff ; l'odeur d'encens omniprésente aurait dû me mettre la puce à l'oreille. Dans un quartier de Tucson désormais nommé Shopping City vivait un important groupe de ces filles qui ont toujours rêvé d'habiter dans un centre commercial – et qui habitaient à présent dans un centre commercial, donc.

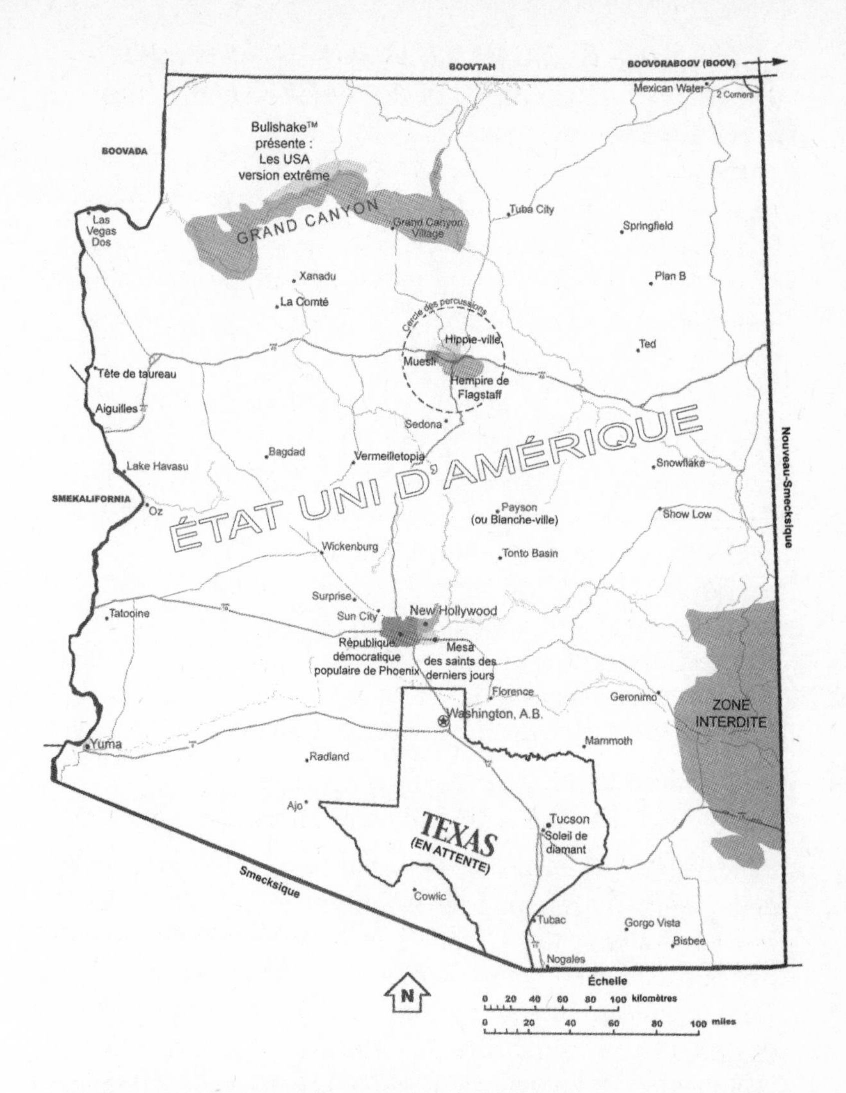

Beaucoup de communautés avaient déjà dû déménager en raison de feux de forêt. Il faut croire que l'Arizona prend feu de temps à autre. Tous les mormons d'Amérique avaient afflué de la frontière nord pour se regrouper dans une ville nommée Mesa, autour de laquelle ils étaient en train d'ériger une imposante muraille, afin d'empêcher les habitants de Phoenix de les envahir.

Phoenix, justement, était visiblement devenue une dictature militaire assez fragile dirigée par un seigneur de guerre qui se faisait appeler « Leader bien-aimé et Ange de la Mort Sir Magnífico Excellente ». Mais à mon avis, ce n'était pas son vrai nom.

Oh voulut savoir où nous nous trouvions et, quand je lui eus indiqué l'endroit sur la carte, ce qui était écrit à côté de mon doigt.

– Nous habitons… dans l'Hempire de Flag et de Staff ?

– En fait, c'est plutôt Hippietown.

– Hippietown.

– Ce qui explique qu'il y ait tant de gens tout nus.

La dernière page du journal était consacrée à des articles de la vie de tous les jours. Avoir été vaincus et parqués dans un unique État, où personne ne commandait vraiment, ne faisait manifestement pas ressortir le meilleur de la plupart des individus. Un nombre surprenant de conflits se réglaient par des défis que l'on avait jusqu'alors l'habitude de voir uniquement dans les émissions de télé-réalité. Il fallait dévorer plus de cafards que son adversaire pour prouver qu'on était le propriétaire d'un véhicule, par exemple. La taille des cafards variant sensiblement en fonction des régions, laissez-moi vous dire que ceux que l'on trouve en Arizona sont assez gros pour vous donner envie de partir en courant.

Enfin, bref.

Voici quelques autres choses que j'appris au cours de mes deux premières semaines en Arizona :

1) Généralement, les gens ne rechignent pas à voler s'ils peuvent échapper à toute forme de condamnation.

2) La plupart des gens ont envie de casser les possessions des autres et de rouler dessus en voiture, toutefois ils ne le font que si leur planète est envahie par des extraterrestres ou si leur équipe préférée remporte la finale du championnat de basket.

3) Environ une personne sur cent n'aime pas porter en permanence des vêtements.

4) Les invasions d'extraterrestres incitent les gens à planter des drapeaux sur n'importe quoi. Et pas seulement des drapeaux américains. Le pavillon noir des pirates fut très à la mode à cette époque.

– Assez de lecture pour aujourd'hui, décrétai-je. Nous avons rendez-vous au Bureau des personnes disparues.

***

Il faisait si chaud que l'asphalte fondait. Et ce n'est pas une figure de style. Il arrivait de sentir ses chaussures s'enfoncer comme dans de la pâte, quand on traversait le parking du campus. Oh disait que c'était le genre de chaleur qui donnait envie de rassembler un couple de chaque espèce animale et de les immerger dans un immense bocal rempli d'eau, avec des trous dans le couvercle. Il était en permanence contraint de garder son drap mouillé, pour éviter que sa peau ne s'assèche. Il se versa justement un seau d'eau sur la tête en gravissant les marches menant au Bureau des personnes disparues.

Je me préparais donc à livrer ma prestation quotidienne consistant à me lamenter – « Où est ma mère ? » – pour ensuite écouter Mitch me sermonner – « Il faut que tu fasses preuve de patience ! » – pendant que Oh dévorerait divers objets dans la pièce. Alors que nous abordions le perron, j'entendis Phil, le type de la Liste des perdus, m'appeler dans mon dos.

– Gratuity ! Gratuity !

Oh et moi-même fîmes demi-tour pour descendre à sa hauteur, ce qui ne l'empêcha pas de continuer à crier mon prénom. Il nous rejoignit, à bout de souffle ; les gens comme Phil ne sont pas faits pour courir, mais pour rester assis devant un poste de radio et se laisser pousser une barbe rousse bouclée à la Abraham Lincoln, ce qui, quand on les regarde en louchant, donne l'illusion que leur tête, avec leur crâne chauve, est à l'envers.

– Pourquoi… haleta-t-il. Pourquoi tu louches ?

– Pour rien. Qu'est-ce qui ne va pas ? lui demandai-je, avant de soudain comprendre. Vous avez retrouvé ma mère ?

Phil acquiesça violemment, comme s'il cherchait à chasser une mouche de son crâne, ce qui le contraignit à s'asseoir un moment, la tête entre les genoux.

– Elle est près de Tucson, dit-il au bout d'une minute. Elle habite dans un casino. Elle est ravie de te savoir ici ; elle te cherche depuis des semaines.

J'étreignis Oh, et même Phil, qui dégageait une odeur laiteuse. Puis nous entrâmes dans le Bureau pour leur dire d'interrompre leurs recherches.

– Vous devez vous tromper, non ? dit Mitch, chancelant.

Peut-être ses assistants, qui comme d'habitude se tenaient derrière lui, allaient-ils enfin servir à quelque chose.

– Non, assura Phil. Nous en sommes certains. Elle vit dans la région de Papago, au sud de Tucson, au casino du Soleil de diamant.

– Tucson ? fulmina Mitch. Tucson ? Je suis navré, mais nous avons entièrement fouillé cette zone, savez-vous ? Je m'en suis chargé moi-même. J'ai dit à Williams de m'en charger moi-même.

L'espoir en moi s'étiola quelque peu. Je n'avais pas trop confiance en Mitch, mais s'il disait vrai ? Je n'arrivais pas à m'emballer. Mitch ne s'arrêtait plus de parler :

– Certains de nos meilleurs recenseurs proviennent même de cette région. Michaels ! Quelle portion de la nouvelle population de Tucson avons-nous enregistrée ?

Michaels baissa les yeux sur son porte-bloc.

– Quarante-deux pour cent, monsieur.

– Quarante… quarante-deux pour cent ! s'enthousiasma Mitch. Eh bien, c'est vraiment remarquable ! Vous êtes d'accord, n'est-ce pas ? C'est une prouesse, si peu de temps après le jour du Déménagement, non ?

Cela semblait pas mal, en effet.

– Ah non, pardon, dit Michaels. Ce n'est pas un 4, c'est un signe négatif. Ce qui veut donc dire moins de deux pour cent. J'ai cru que c'était un 4.

Mitch souffla bruyamment, et Phil et moi échangeâmes un regard. Assis dans un coin, Oh léchait la colle d'un Post-it.

– Apportez-moi le dossier de Lucy Tucci, Michaels, voulez-vous ? dit Mitch.

Michaels hésita.

– Il y en aura sûrement plus d'une, dit-il.

– Elle a trente ans, précisai-je. Les cheveux noirs, et une fille prénommée Gratuity.

– Et elle est noire, ajouta Mitch.

Je toussotai :

– Noire ?

– Désolé. Tu préfères que je dise « afro-américaine » ?

– Euh… non, je préfère que vous disiez « blanche », en fait, vu qu'elle est blanche.

– Le dossier dit qu'elle est noire.

– Vous avez vraiment l'intention de me contredire là-dessus ?

– J'ai écrit « noire », se justifia Mitch, l'air las.

– Je ne vous ai jamais dit de le faire, dis-je, puis tout se précisa dans mon esprit. Depuis le début, vous dites à tout le monde que vous recherchez une Noire ?

Eh oui. Le Bureau avait envoyé ce qu'il estimait être la description de ma mère, tandis que la Liste des perdus faisait état d'une certaine Lucy Tucci, mère d'une fille nommée Gratuity.

Mitch fit de son mieux pour chasser ce détail embarrassant et se tourna vers Phil.

– Où avez-vous dit qu'elle se trouvait ?

– Apparemment, elle s'est installée au sein d'un groupe, dans un endroit qu'on appelle le casino du Soleil de diamant.

– Le Soleil de diamant… répéta Mitch, tout en faisant glisser son doigt sur une liste de lieux.

Je voyais bien qu'il fournissait de sérieux efforts pour se donner une allure officielle, mais sa liste était rédigée au dos d'une étiquette de conserve de raviolis.

– Diamant… Diamant… ah, voilà ! Le casino du Soleil de diamant. Tu as de la chance, il est situé dans le district de Daniel Landry !

– Daniel Landry ? Ce ne serait pas le type qui a donné ce discours, que je ne suis pas allée écouter ?

– C'est ça, c'est le superviseur de cette région.

– Le superviseur.

– Oui, comme un gouverneur, si tu veux. Ou un maire. Je ne sais pas comment il aime qu'on l'appelle. Le chef d'Ajo, par exemple, insiste pour que tout le monde l'appelle le Roi Merveilleux.

– Chaque ville a un genre de chef, alors ?

Tout s'était passé si vite.

– Bien sûr. La plupart sont d'anciens gouverneurs d'État, sénateurs ou autres. Le Président gère une petite ville du nom de Rye, par exemple.

– Seulement une petite ville ?

– Oui… dit Mitch. Il n'est plus très populaire, à cause de l'invasion. Les gens estiment qu'il en est plus ou moins responsable. Mais il nous faut un chef, il nous faut un gouvernement.

– Oui, je suppose.

– Le district de Daniel Landry se trouve loin d'ici, au sud, poursuivit-il. Sur d'anciennes terres indiennes.

– Des terres indiennes ? Une sorte de réserve ?

– Exactement.

– Ce Dan, c'est un Indien ?

– Je ne pense pas. Je suis à peu près certain que c'est un Blanc. Il n'était ni gouverneur ni quoi que ce soit, avant l'invasion, mais il est immensément riche. J'imagine que cela en fait un bon meneur.

– Hmm… Mais il est blanc. Les Indiens ont élu un Blanc ?

– Eh bien… je l'ignore. J'imagine qu'il a été élu grâce aux voix d'électeurs d'origine autre qu'indienne. Les gens qui vivent dans la réserve sont en grande majorité blancs, aujourd'hui.

– Et les Indiens l'acceptent ? m'étonnai-je.

– Que veux-tu dire ?

– Eh bien… c'est une réserve, justement. Une terre que nous avons promise aux Amérindiens. Pour toujours.

Mitch me considéra comme si le Saint-Esprit s'était exprimé à travers ma voix.

– Mais… nous en avions besoin ! dit-il.

Je courus consulter une carte murale. Peu importait, après tout, j'avais surtout envie de me mettre en route au plus vite.

– Aloors, je prends cette route… la 17 ? Et ensuite, je prends la 10 à Phoenix ?

– Hmm… Tu ne devrais pas passer par Phoenix. C'est une ville un peu… rude.

– Rude ?

– Anarchique, précisa Mitch. Il y a beaucoup de violence, de pillages, etc. Là-bas, le gouvernement est renversé tous les deux ou trois jours.

– D'accord, nous contournerons Phoenix. Nous passerons par le désert, ça ne me dérange pas. Merci, Phil ! Merci, Mitch ! Oh ! On y va !

– J'arrive, dit Oh, attrapant un flacon de correcteur pour la route.

– Oh ? dit Mitch. Attendez ? Vous ne pouvez pas y aller tout seuls !

Enfin, il me semble que c'est ce qu'il a dit. Nous étions déjà loin.

***

– Quelle joie de me dépouiller de ce drap ! dit Oh, pour la troisième fois. Quel plaisir !

– Tu ferais bien de t'y habituer, dis-je. À mon avis, tu vas devoir le porter un moment.

Il me rendait un peu nerveuse, car n'importe qui pouvait nous voir, sur la route. Par ailleurs, Mitch avait eu raison, à propos de Phoenix.

Je perçus des troubles dès la périphérie de la ville. Les coups de feu éclataient comme du pop-corn, des pneus crissaient dans le lointain et, quelque part dans les environs, quelqu'un écoutait Foghat à un volume assourdissant. Ayant été élevée dans la croyance que de telles villes recevaient la visite d'anges armés d'épées de feu, je fus ravie de l'éviter.

Il n'y avait pas grand-chose au sud de Phoenix. Nous traversâmes une ville du nom de Casa Grande, qui se révéla essentiellement constituée de magasins et de tentes. Plus loin, vers Dirt Farm, nous aperçûmes des autruches qui erraient de chaque côté de l'autoroute.

– Bêh ! bêla Oh. Les gros oiseaux !

– On ne s'arrête pas. Je me fiche que ce soient des autruches, je me fiche de ne pas comprendre pourquoi il y a des autruches. Quelqu'un me l'expliquera plus tard, on ne s'arrête pas.

Nous approchions de Tucson, et mon cœur commençait à s'emballer. Deux vaisseaux booviens passèrent en sifflant au-dessus de nous, puis une explosion aveuglante et sonore se produisit dans le désert, vers l'ouest. Ce qui me parut parfaitement cadrer avec l'ambiance ; j'étais en effet surexcitée et j'avais l'impression que tout mon corps s'agitait, comme l'orchestre avec les coups de canon, dans *L'Ouverture solennelle 1812*, de Tchaïkovski.

Je me dis également, en considérant les ordures compactées sur le côté de la route craquelée, que l'Arizona resterait pour toujours en nous. Cet État figurerait désormais sur la liste des choses que nous avons sans cesse en tête. N'avons-nous pas tous ce genre de liste, qui comprend tout ce qui nous est cher ? Comme sa couleur préférée, le printemps, ou une maison dans laquelle on n'habite plus. Nous avions tous découvert l'Arizona en nous installant ici, à l'exception de ceux qui y vivaient déjà, et pour qui nous ne pouvions que leur prendre quelque chose. J'espérais un jour retourner en Pennsylvanie, comme si tout cela n'avait été qu'un exercice incendie. La Pennsylvanie serait toujours mon État. Mais pour le moment, nous avions transformé l'Arizona en une chambre de motel géante. En un lit défait.

– Attention ! s'écria Oh.

Je braquai juste à temps pour éviter une file de Gorgs à pied, armés de fusils. L'un d'eux aboya quelque chose dans sa langue et se frappa la poitrine.

– *SEG FOY S'XAFFEF, LU F'GUBIQ YAZWI !*

– Qu'est-ce ça veut dire ? murmurai-je.

– Il a dit « Achète-toi des lunettes, stupide singe ».

– Non, je veux dire : pourquoi y a-t-il tant de Gorgs par ici ? Dans notre État ? Ils sont partout.

– Plus que sept kilomètres, dit Oh, qui avait aperçu un panneau indicateur. (Il savait enfin lire les chiffres, à présent, et maîtrisait les points cardinaux.) Beaucoup de bagarre au sud-ouest. Et les Boovs qui ont fini par triompher.

– Tu crois ?

– J'en suis sûr. C'est presque terminé, maintenant.

Je l'écoutais à peine. Je ne parlais que pour m'empêcher de penser. Je me sentis frissonner lorsque j'aperçus un panneau indiquant que la prochaine sortie, située à seulement trois kilomètres, était celle du casino du Soleil de diamant.

– Qu'est-ce qu'il y avait d'écrit ? me demanda Oh.

J'inspirai profondément.

L'aspect extérieur du casino du Soleil de diamant n'aurait pu être plus ordinaire. Bon, sa façade était peinte en rose, certes, mais j'avais toujours imaginé ce genre d'établissement surchargé d'ampoules clignotantes. Or celui-ci était bêtement posé le long de l'autoroute, comme un énorme carton à gâteau. Il y avait justement un gâteau à côté du bâtiment, un gâteau de mariage, qui était en réalité une immense tente dont l'intérieur brillait faiblement. Le panneau tape-à-l'œil planté près de l'autoroute n'était pas allumé. En revanche, plus bas, une ampoule oscillait d'avant en arrière, sous le menton d'une fille aux yeux ronds. J'immobilisai Fraîchissime à sa hauteur.

– Gratuity ? me lança-t-elle. C'est toi, n'est-ce pas ? (Je tentai de répondre mais elle ne m'en laissa pas le temps.) C'est ta voiture ? Elle flotte ? Tu la conduis toi-même ? Tu as quel âge ? C'est un fantôme ?

Elle se tut un instant ; je bondis sur l'occasion.

– Peux-tu me conduire auprès de ma mère ?

– De Mamère ?

– De ma mère.

– Ah oui, mais pas avant que le meeting soit terminé, ils ont dit. Le grand meeting, dans la tente de poker. Ta mère en est une des organisatrices, ou quelque chose comme ça.

C'était impossible.

– Tu as dit que ma mère…

– Pas avant la fin du meeting. Mais tu peux entrer dans la tente, si tu veux. Tu veux que quelqu'un gare ta voiture ?

J'étais déjà repartie. Je dus contourner beaucoup de véhicules pour parvenir à la tente.

– Quelqu'un a dû se tromper, dis-je à Oh.

– Pourquoiça ?

– Ce doit être une autre Lucy Tucci. Jamais ma mère n'aurait organisé un meeting. Elle ne… Elle ne l'aurait pas fait, c'est tout.

Oh resta silencieux.

– Je n'arrive pas à y croire, dis-je, les yeux piquants. On a fait tant d'efforts… Les choses… bon sang, les choses sont censées s'arranger quand on… quand on a été…

– Je pense que nous devrions nous infiltrer à l'intérieur, pour voir ce qui est vrai et ce qui ne l'est pas.

Je me mordis la lèvre et hochai la tête, puis je garai Fraîchissime. À l'entrée de la tente étaient postés deux hommes armés d'énormes pistolets-mitrailleurs noirs, comme dans les films. L'un d'eux avait un cou bien trop gros par rapport à sa tête, et était entièrement vêtu d'un treillis couleur vert camouflage. Si j'avais été moins nerveuse, je lui aurais sans doute suggéré de ne pas rester planté devant une tente blanche illuminée dressée en plein désert, s'il tenait à passer inaperçu, mais le moment me parut mal choisi. Son collègue portait un tee-shirt noir sur lequel était inscrit « Sale cabot ». Ils esquissèrent tout de même un sourire en nous voyant approcher.

– Hé, vous deux, dit le type en tenue de camouflage. Votre père ou votre mère est à l'intérieur ?

Justement. C'était bien là la question. Je tentai de répondre, sans succès, comme si j'avais oublié comment m'y prendre pour parler. Des secondes – trop – passèrent.

– OUI, répondit alors Oh, de sa voix de présentateur télé. NOTRE MAMAN EST SOUS LE DRAP GÉANT. MERCI.

– Pouvons-nous entrer, s'il vous plaît ? dis-je, ayant repris mes esprits.

Les deux gardes se consultèrent du regard.

– Je sais que ça va te paraître idiot, mais il faudrait que tu retires ton costume, dit l'homme en treillis. Juste pour être sûrs.

Je m'empressai de leur dire que Gigi était malade, et qu'il aboyait et faisait pipi sur les jambes des gens. Ils reculèrent aussitôt, sans pour autant donner l'impression de vouloir nous laisser passer.

– Je vous en prie, insistai-je. Je cherche ma mère. Elle s'appelle Lucy Tucci.

Les deux hommes affichèrent subitement un grand sourire.

– C'est ta mère ? dit Sale Cabot. C'est quelqu'un de merveilleux, elle nous a aidés à obtenir une dérivation d'eau sur notre camping, il y a trois jours.

– Elle est dans les petits papiers de Dan Landry, c'est certain, ajouta son collègue. (Il me fallut quelques instants pour comprendre que ce n'était qu'une métaphore.) J'ai entendu dire que tu étais en route pour la rejoindre, mais je te croyais seule.

– Ben non, on est deux, marmonnai-je.

Qu'en était-il en vérité ? La Lucy Tucci qui se trouvait là était peut-être mère de six enfants, pour ce que j'en savais, ou même douze. Elle pouvait tout aussi bien peser cent cinquante kilos et être d'origine chinoise.

– Dis-lui bonjour de la part de Bob Knowles.

– Et de celle de Peter Goldthwait ! ajouta Sale Cabot.

Les deux hommes soulevèrent un pan de la tente et nous nous glissâmes à l'intérieur.

– La prochaine fois, j'aimerais bien décider moi-même de quelle maladie je suis attaqué, merci, siffla Oh.

La tente, ornée de guirlandes lumineuses, était bondée ; les gens étaient tous tournés vers l'estrade dressée à une extrémité. Sur ce podium, un rouquin en débardeur, avec un Viking tatoué sur la poitrine, se faisait conspuer par l'assistance.

– Je ne sais pas qui est ce type qui mène ce meeting, mais même de loin, il ne ressemble pas à ma mère, soupirai-je.

– Fermez-la ! beugla le rouquin. C'est à mon tour de parler ! Tout ce que je dis, c'est que maintenant que nous avons tous dû quitter notre véritable foyer, nous avons enfin une chance de reconstruire ce pays comme il devrait l'être ! Avec une place pour les Blancs, une autre pour les gens de couleur, une autre pour les… Fermez-la !

Les huées s'intensifièrent, Dieu merci. Je fouillais comme je pouvais la foule du regard, malheureusement je suis assez petite pour mon âge, sans compter que le faible éclairage dispensé par les guirlandes de Noël ne permettait pas de voir grand-chose.

Agrippant Oh par le bras, je me faufilai entre les gens, en direction de l'estrade. Notre progression fut laborieuse et nous valut pas mal de regards noirs. Tout en avançant, j'observais les visages. Je crus apercevoir maman à deux reprises, mais chaque fois ce fut une erreur.

Pendant un moment, j'eus l'impression que tout le monde s'était tu. Je n'entendais plus que mes battements de cœur, qui résonnaient à mes oreilles. Et tant mieux, car, j'imagine, les deux dernières minutes du discours du rouquin s'étaient probablement résumées à un chapelet d'injures.

Et soudain, je la vis.

Ma mère prit la place de Rouquin quand il descendit de l'estrade. Les mains levées, elle hocha la tête en direction du public qui le conspuait toujours. Sous l'éclairage, elle ressemblait à une bougie.

– Je sais, je sais, dit-elle. Vous avez tout à fait le droit de réagir ainsi. Mais lui a le droit de s'exprimer, non ? Vous n'êtes pas obligés d'apprécier ce qu'il dit, mais le laisser parler fait de nous des Américains. Traiter les gens comme on aimerait être traité fait de nous des êtres humains, ne croyez-vous pas ? C'est ainsi que j'ai été élevée, en tout cas.

Stupéfaite, je vis le public cesser de huer et même certaines personnes acquiescer et, le croirez-vous, crier « Oui, c'est vrai ! ».

– Je pense que nous devrions saisir cette occasion pour discuter de tout ce qu'ont dit les orateurs ce soir. Quelqu'un veut-il venir s'exprimer ici ? (Maman balaya la pièce des yeux.) Levez la main. (Des mains se levèrent.) Qui veut… beaucoup de personnes, c'est bien. Hmm… pourquoi ne pas commenc…

Elle s'interrompit quand son regard se posa sur moi, et son visage s'illumina. Tout le monde se tourna vers moi. Certaines personnes, qui avaient dû deviner qui j'étais, se mirent également à sourire.

Elle était si belle. Je m'en voulais d'avoir les larmes aux yeux ; je voulais la voir nettement, pour me souvenir de tous les petits détails. J'ouvris la bouche pour dire bonjour mais je ne parvins qu'à lâcher un « b… » dans un souffle. Maman se couvrit le nez et la bouche des deux mains, mais on devinait qu'elle souriait.

– J'ai… j'ai toujours ta chaussette de Noël, dit-elle.

Je repris ma marche en avant, me glissant entre les gens. Ils essayèrent de s'écarter, il me semble, mais il n'y avait pas beaucoup de place. Maman descendit de l'estrade et nous nous retrouvâmes au pied des marches.

Bon, que voulez-vous savoir ? Qu'elle m'a serrée contre elle, au point que je ne touchais plus le sol que de la pointe des pieds, et que moi aussi, je l'ai serrée contre moi ? Si j'ai senti ses cils mouillés contre ma joue, si elle a ensuite reculé d'un pas pour me regarder, en me tenant le visage à deux mains et en riant ? Si moi aussi, j'ai ri ? Vous voulez savoir ce que j'ai ressenti ?

Ça ne vous regarde pas.

***

Le meeting se termina un peu plus tôt que prévu, comme vous pouvez l'imaginer. Les gens étaient ravis pour maman. Ils applaudissaient tous. En sortant de la tente, maman me prit par la main ; Oh nous rejoignit et lui prit sa main libre dans sa moufle.

– Hé ! Euh… bonjour, dit maman. Tu t'es échappé de ta…

– Tiens-le par la main jusqu'à chez toi, lui murmurai-je, tout en souriant à tous ceux que nous croisions. S'il te plaît. Je t'expliquerai tout, mais c'est vraiment important.

– D'accord…

– Salut, dit un homme à lunettes et aux cheveux noirs bouclés. Qui sont ces deux petits ?

– Bonjour, Joachim, répondit maman. Voici Gratuity, ma fille…

– Et Gigi, son fils et mon frère, conclus-je.

– Très joli déguisement de fantôme, apprécia Joachim.

Maman en profita pour me lancer son regard « j'essaie-de-lire-dans-ton-esprit ».

– Il n'est pas très bavard, on dirait, dit Joachim.

– Il… il est timide, dit maman. C'est pour ça qu'il porte ce costume, d'ailleurs.

– Ça passera avec l'âge. Comme toujours. Bonne nuit !

Maman et moi lui souhaitâmes également bonne nuit.

– Bonne idée de dire qu'il est timide, la félicitai-je, tandis que nous reprenions notre chemin. Bien meilleure que ce que j'avais en tête.

Nous entrâmes dans le bâtiment rose en forme de boîte à gâteau, l'ancien casino, qui était principalement constitué d'une unique et immense salle remplie de machines à sous et de plantes artificielles. Les machines à sous avaient été alignées de façon à former des murs, alors que d'autres parois étaient faites de tables pliantes, de draps suspendus, de planches et de ferraille. Seuls quelques plafonniers fonctionnaient. Ma vision s'ajustant peu à peu à la faible luminosité, je distinguai bientôt la moquette décorée de cartes à jouer et de jetons de poker.

D'autres personnes voulurent nous saluer, les présentations furent faites. En dehors du moment où maman appela Oh « Jojo » au lieu de « Gigi », tout se déroula parfaitement.

Nous parvînmes enfin à notre nouvelle demeure, une des nombreuses pièces aux murs faits de tables empilées et de machines à sous. Notre porte était une véritable porte, mais simplement posée sur une ouverture dans la paroi.

– Nous… nous aurons bientôt des gonds, me dit maman en y entrant. Alors… qu'en penses-tu, ma Tortourse ?

Je trouvais ça génial. C'était de toute façon mille fois plus grand que la voiture, dans laquelle je vivais depuis un bon moment. Il y avait deux matelas par terre, des piles de livres à côté d'une issue de secours, une vieille table avec deux chaises et, en dessous, un minuscule réfrigérateur qui n'était pas branché. Un buffet tenait lieu de plan de travail, avec même une cloche en verre pour protéger la nourriture, sous lequel deux plats métalliques servaient d'évier. Et au milieu de tout ça, ma mère. Et à côté d'elle, un extraterrestre recouvert d'un drap.

– Tu ferais mieux de t'asseoir, lui dis-je.

– À cause de ce que tu vas me dire à propos de ton ami ? me demanda-t-elle, gardant un œil sur Oh.

– Je te dirai tout quand tu seras assise.

Elle m'obéit, puis je m'approchai d'elle. Oh se plaça face à nous.

– Allez, vas-y, dis-je à ce dernier.

***

– Il m'a énormément aidée ! Je lui dois beaucoup ! Et vice versa, d'ailleurs. Quand j'ai voulu venir ici en voiture, elle est tombée en panne et il l'a réparée ! À propos, il faudrait aller la garer dans un endroit plus sûr. Et Porky est toujours dedans !

– P… Porky… Un Boov… dit maman. Attends ! Porky ? Porky est avec toi ?

Elle prononça « Porky » comme elle aurait prononcé « la rage ».

– Oui, et il va bien. Oh lui a même sauvé la vie.

Oh redressa un peu la tête, mais maman ne le regarda même pas.

– Je serais ravie de revoir Porky, mon bébé, mais…

– Je sais. Les Gorgs, c'est ça ?

– Tu es au courant ?

– Oui.

Nous récupérâmes Fraîchissime tard, ce soir-là, après que tout le monde fut allé se coucher, pour la garer non loin de l'issue de secours située près de notre studio. Quand maman me fit part de son inquiétude qu'on la vole, je lui répondis que si quelqu'un réussissait à deviner comment la conduire, c'est qu'il méritait de l'avoir. Maman prit Porky, qui ronronnait, dans ses bras, l'embrassa sur la tête, frotta son nez sur son ventre et éternua. Puis, tout en le caressant, elle reprit :

– Les Gorgs sont réputés adorer chasser les chats. Avec leurs armes qui désintègrent tout.

Oh porta ses mains à sa bouche.

– Des pistolets booviens ? s'étonna-t-il, car je ne lui avais pas fait part de ce détail.

Maman lui accorda un regard en coin ; il était clair que, jusqu'à présent, elle avait évité de poser les yeux sur lui.

– Je ne sais pas, répondit-elle. Les Gorgs ne possèdent-ils pas eux aussi ce genre d'armes ?

– Non, non. Les Gorgs aiment les pistolets qui fabriquent du bruit et de la douleur. Pour l'effrayage. Ils méprisent ceux des Boovs.

– Dans ce cas, ils ont peut-être récupéré des pistolets booviens pour chasser les chats, dit maman, de nouveau tournée vers moi. Ils ont décrété qu'il était illégal de posséder un chat en Arizona ; c'est ce qu'ils m'ont dit quand je les ai rencontrés.

– Waouh ! Tu as rencontré les Gorgs ? Quand ? Pourquoi ?

– Il y a environ une semaine. Daniel Landry a organisé cette entrevue. C'est une sorte de chef local, mais il a tout l'État derrière lui, à présent. Beaucoup de sommités sont venues, comme des membres du congrès et le Président ; j'étais assise à côté de Chelsea Clinton.

J'ignorais qui était cette personne, mais n'en fis pas la remarque car maman en était visiblement fière.

– Daniel m'a demandé de l'accompagner et de prendre des notes, expliqua-t-elle. Attends, je vais te les montrer.

Porky dans une main, elle attrapa de l'autre un bloc-notes posé sur une pile de livres. Ce détail était surprenant : dans notre ancienne vie, maman ne lisait jamais rien en dehors de magazines.

– Voyons… Les Gorgs ont dit qu'ils allaient très bientôt chasser les Boovs… Il ne restera donc plus qu'eux et nous sur cette planète… Il ne faudra pas que nous tentions de leur résister… Nous n'aurons pas d'ennuis si nous acceptons leurs exigences…

– Leurs exigences ?

– Oui… Ils nous laissent l'Arizona, le Nevada et l'Utah – Daniel a dû sacrément négocier pour nous obtenir l'Utah –, mais s'ils nous trouvent autre part, ils nous tirent dessus. Si nous complotons contre eux, ils nous tirent dessus. Et nous ne sommes pas autorisés à utiliser le moindre véhicule aérien. Sinon, ils nous tirent dessus. Et pas de chat.

– J'ai entendu parler de l'interdiction des chats au Nouveau-Mexique. C'est vraiment… n'importe quoi.

– Je sais. Les Gorgs disent qu'ils veulent récupérer tous les chats, qu'ils les adorent en tant qu'animaux de compagnie, mais aussi pour tirer dessus. Ils ont dit qu'ils tueraient tout humain en possédant encore un après le 31 juillet.

– Que s'est-il passé, le 31 juillet ?

– Les Gorgs ont envoyé ces affreux robots portant une cage dans le dos, poursuivit maman, le visage sombre. Et partout, les gens leur ont donné leur chat. C'était… affreux. J'ai vu les cages s'envoler, remplies de chats entassés les uns sur les autres…

Sa voix s'estompa, puis elle serra Porky contre sa poitrine. Celui-ci laissa échapper un miaulement plaintif.

– Chut ! Tais-toi, mon bébé, murmura maman. Ne fais pas de bruit. Pauvre bébé Porky, tu ne pourras plus jamais miauler.

Me mettre au lit, ce soir-là, fut un peu gênant. Je compris que maman avait installé le second matelas à mon intention, ce qui ne laissait aucune place pour Oh. Quand elle avait entendu dire que j'étais accompagnée par un certain Gigi, elle avait imaginé que c'était un adulte qui m'avait conduit jusqu'en Arizona, un adulte qui, ici, rejoindrait sa famille ou ses amis. Comme je vivais depuis si longtemps dans un espace confiné avec Oh, partager mon nouveau matelas avec lui ne me posait aucun problème. Mais maman me proposa de dormir avec elle, si bien que Oh eut le second matelas pour lui tout seul. Elle fut quelque peu déçue, à mon avis, quand Porky, qu'elle appela en faisant de petits bruits de bisous au moment de se coucher, alla malgré tout se rouler en boule entre les jambes de Oh.

– Il est fiable, lui murmurai-je dans le noir. Il est parfois un peu pénible, mais il a bon cœur. Enfin, si les Boovs ont un cœur.

– Il ne peut pas rester avec nous. Avoir un chat est déjà assez risqué. Nous faisons courir un danger à tout le casino.

– On ne va quand même pas… On ne peut pas le livrer aux extraterrestres. Ce n'est pas un animal domestique.

– Nous en discuterons demain.

– Mais…

– Demain, ma Tortourse.

Le lendemain, maman nous quitta vers midi.

– Je dois régler un conflit, me précisa-t-elle.

Deux familles se disputaient le droit de loger dans un camion de glaces, et maman faisait partie du jury chargé de rendre un verdict.

– Reste ici, je ne serai pas longue, me dit-elle. En rentrant, je frapperai à la porte en utilisant notre code secret.

Nous avions toujours eu un code secret, qui consistait à frapper à la porte sur le rythme d'*Une souris verte*.

– Ne laisse entrer personne, ajouta-t-elle. Et ne va nulle part.

– Promifié, dit Oh, à qui maman jeta un bref coup d'œil avant de s'en aller.

Oh et moi nous regardâmes.

– Ta maman est gentille, dit-il. Et très grande.

– Elle s'habituera à toi. Il lui faut seulement un peu de temps.

– Nous avons tous besoin de temps. Notre maison est toute nouvelle.

J'étais bien d'accord avec lui. Habiter dans un casino avait quelque chose d'étrange. Ce bâtiment n'étant pourvu d'aucune fenêtre, le plafond et les murs étaient constellés de petits trous, percés par ses occupants pour faire entrer un peu de lumière du jour. Ce qui laissait également entrer les insectes, raison pour laquelle ces ouvertures étaient couvertes de tissu ou de grillage. Ces nombreux rais de lumière très fins ne créaient qu'une vague brume à l'intérieur. Le peu d'électricité qui circulait encore dans le casino servait à faire tourner les ventilateurs. Mais il faisait tout de même chaud.

Des coups sur la porte – sans le code secret – me firent sursauter.

– Euh… oui ? répondis-je, tout en faisant signe à Oh de se cacher derrière le réfrigérateur.

– C'est Katherine Hoegaarden, ma chérie, dit une voix. Nous nous sommes vues hier soir. Ta maman est là ?

J'avais rencontré beaucoup de personnes la veille. J'ignorais totalement qui pouvait être cette femme.

– Elle a dû aller aider des gens, à propos d'une histoire de camion de glaces, dis-je, en tendant Porky à Oh. Elle sera de retour un peu plus tard.

– Je lui apporte des livres qu'elle m'a demandés. Je me suis dit que je pourrais vous faire visiter les lieux, à tous les deux.

– Euh… ah oui ? Mais en fait, ma mère m'a dit de ne laisser entrer personne et de ne pas sortir avant son retour.

– Tu peux faire exception pour moi, ma chérie. Ta maman et moi sommes de bonnes amies.

Je sentais qu'elle poussait doucement sur la porte.

– Qu'est-ce qu'on fait ? me chuchota Oh.

– Hmm… On pourrait courir en quatrième vitesse jusqu'à la voiture pour y cacher Porky, puis couvrir Fraîchissime d'un drap, pour que personne ne la voie.

– C'est ta réponse à tous les problèmes, ça : couvrir les choses d'un drap.

Soudain, Porky poussa un miaulement, qui nous pétrifia, Oh et moi.

– C'était un chat, ça, ma chérie ? dit Mme Hoegaarden.

– Bon, enfile ton déguisement et suis-moi, dis-je à Oh.

En une seconde, nous nous glissâmes par l'ouverture de la porte, que je bloquai aussitôt. Je pris les livres à notre visiteuse et les lançai dans la chambre, effrayant suffisamment Porky au passage pour m'assurer qu'il ne s'approche plus de la porte pour au moins le reste de la journée.

– Bonjour, vous deux, dit Mme Hoegaarden.

– Bonjour, répondis-je. Nous sommes prêts.

– J'ai cru entendre un chat.

– Non, c'était Gigi. Il miaule.

Mme Hoegaarden regarda curieusement Oh, qui, après avoir lâché un soupir de Boov, poussa un petit miaulement.

– Ah oui, en effet. Il miaule vraiment comme un chat.

Et c'était vrai, par chance pour nous.

– Oui, il fait ça depuis qu'il a entendu parler du massacre des chats, en hommage à ces petites bêtes, nos cousins disparus. Il le refera certainement, n'importe quand, il vous suffit de tendre l'oreille.

Oh tourna sa tête de fantôme vers moi et me lança un regard appuyé, puis il se mit à miauler, tandis que nous suivions Katherine Hoegaarden dans le casino.

– Je ne suis pas étonnée que ta mère soit partie faire quelque chose, dit-elle. Elle est toujours occupée.

– Des messieurs que j'ai croisés m'ont parlé d'elle… comme si c'était une sorte d'héroïne locale, dis-je, me demandant si j'avais employé le bon mot.

– Eh bien oui, j'imagine ! Pourquoi pas ? Elle aide tellement tout le monde, tu sais. Je parie qu'elle connaît tous les habitants du district de l'aéroport. C'est le nom de notre quartier, ma chérie.

– Moui…

À l'extérieur, le soleil matinal nous agressa les pupilles, nous obligeant à cligner des yeux quelques instants avant de nous remettre en route. Je constatai que le bâtiment rose était entouré de petites tentes et cabanes, ainsi que de pick-up. On aurait dit un pique-nique géant permanent.

– Les gens ont l'habitude de dire qu'il faut aller voir Lucy Tucci si on a besoin d'un coup de main, reprit notre guide. C'était la même chose pour moi chez nous, à Richmond. « Demandez à Chérie Hoegaarden », disaient nos voisins. On me surnomme « Chérie », ma chérie. Cela dit, je pense que ta maman va se calmer, maintenant, c'est presque nécessaire pour elle. Elle a creusé des fossés, livré de la nourriture aux personnes âgées et isolées, elle a aidé à monter un cercle de troc de vêtements et de couture à l'usage des mères de famille et, bien sûr, elle est manifestement l'adjointe préférée de Daniel Landry. Elle prend toujours des notes pour lui, et elle lui fait part de nos besoins.

– Elle n'était pas si… si active, à la maison, fis-je remarquer.

– M. Landry a dû un peu déteindre sur elle, je pense.

– Déteindre ?

– Pas au sens propre, ma chérie. Je voulais seulement dire qu'elle commence à lui ressembler. De toute façon, il fallait bien qu'elle s'occupe, pendant que les gens de la Liste des perdus te cherchaient. Sans ça, elle serait devenue folle à force de se faire du souci. Tiens, voici notre cloneur. Vous savez faire fonctionner ces appareils, tous les deux ?

Nous laissâmes Mme Hoegaarden nous expliquer comment nous servir d'un télécloneur, après quoi elle nous montra les douches et les toilettes. Enfin, elle fila, appelée par un de ses enfants.

– Vous saurez retrouver le chemin jusqu'à chez vous ? nous lança-t-elle par-dessus son épaule.

– Pas de problème, répondis-je. Merci !

– Je dois miauler, là ? siffla Oh. Et ensuite, qu'est-ce que je fais ? Je jongle avec du feu ?

– Je suis désolée, Oh, mais c'est plutôt une bonne chose. Mme Hoegaarden va probablement dire à tout le monde que tu miaules, et nous aussi nous répandrons cette rumeur.

Comme ça, si quelqu'un entend Porky miauler, il croira que c'est toi.

– Super ! ironisa Oh, les mains levées. Un plan infaillible ! Le dieu de l'Océan soit loué, tu ne mets pas ton génie au service du mal.

– Bon, ça va, j'ai compris.

– Je voudrais retourner à la maison rose et travailler sur le récepteur de télécloneur. J'ai quelques idées.

– D'accord. Et moi, il faudrait que je rencontre d'autres personnes. Nous ne savons toujours pas à qui nous allons en parler. Nous ne pouvons faire confiance à personne, pour l'instant.

– Faire confiance à personne ? intervint quelqu'un. Quelles sinistres paroles dans la bouche d'une petite fille !

Cette voix aurait pu appartenir à un super-héros. En nous retournant, nous vîmes maman accompagnée d'un homme qui ressemblait à Clark Kent.

Elle avait un sourire un peu plus grand que d'habitude.

– Ma Tortourse, euh… Gigi, je vous présente Daniel Landry. C'est le gouverneur du district de l'aéroport.

– Ah d'accord, bonjour, dis-je en lui serrant la main.

Oh miaula.

– Je suis ravi de faire votre connaissance, dit Landry, qui surveillait d'un œil les gens qui nous croisaient, comme le font ceux qui veulent savoir qui les regarde.

– Nous étions avec de nouveaux arrivants, qui se sont installés près de l'aéroport, me dit maman, qui coinça d'un doigt une mèche de cheveux derrière son oreille. Des familles mexicaines. Daniel, enfin, M. Landry, a besoin de moi pour la traduction.

– Mais tu ne parles pas espagnol.

– Je me débrouille. Enfin, à peu près. Ça ressemble beaucoup à l'italien.

– Entre ton mauvais espagnol et mon mauvais anglais, nous formons le couple parfait, déclara Landry.

Ils se mirent tous deux à rire, maman un peu trop fort, puis elle se repassa la main dans les cheveux, alors qu'aucune mèche n'était désordonnée. J'émis un petit gloussement et haussai discrètement les épaules quand Oh m'interrogea du regard.

– Que puis-je faire pour les enfants du district de l'aéroport ? dit Landry, comme s'il était interviewé à la télévision. Nous avons pour projet de bâtir des terrains de sport et des aires de jeux dans le quartier. Et ce soir, nous aurons un grand feu d'artifice.

– Pour être franche, je me demande surtout ce que font les gens pour nous débarrasser des Gorgs, dis-je, ravie qu'on s'intéresse à mes envies. Nous pouvons apporter notre aide.

Maman parut étonnée. Landry, lui, se fendit d'un rire sonore.

– Vous êtes impayable, mademoiselle Tucci, dit-il.

– C'est le nom de ma mère, dis-je, appréciant peu ce « mademoiselle Tucci ». Appelez-moi… (Je me tus un instant, clignant des yeux, comme si mon cerveau et ma bouche n'arrivaient pas à se mettre d'accord.) Appelez-moi Gratuity.

– Eh bien, Gratuity, j'ai entendu vanter ton courage, dit Landry.

Ma mère sourit et se passa de nouveau la main dans les cheveux. *Cette mèche ne va pas reculer plus loin derrière ton oreille, maman…* me dis-je.

– Apparemment, tu es venue seule jusqu'ici en voiture, poursuivit Landry. Tu as été pourchassée par les Boovs, et les Gorgs t'ont prise pour cible. Ça fait assez d'aventures pour toute une vie, jeune fille. Pour le moment, je pense que la meilleure façon pour toi de combattre les extraterrestres serait de rester en bonne santé et de bien étudier. Lis un maximum, car nous allons bientôt rouvrir les écoles.

Je soupirai.

– D'accord, grommelai-je.

Merveilleux plan ; les Gorgs seront anéantis si j'apprends mes leçons d'algèbre.

– D'autre part, les Boovs, qui constituaient notre principal souci, repartent le jour de la fête du Travail.

Je sentis Oh sursauter. Il avait vu juste. Le séjour des Boovs sur notre planète était presque terminé, et je ne savais toujours pas s'il comptait rester ou repartir. Je lui jetai un regard. *Ne pars pas*. Mais d'où avait surgi cette pensée soudaine ?

– En fait, ils ont rebaptisé le jour de la fête du Travail, qui est devenu le jour de l'Excellence, dit Landry, dont la voix avait quelque peu perdu de sa vigueur. Enfin, pour l'instant. J'ai proposé le jour de la Gorganisation, mais ils ne sont pas très amateurs de jeux de mots.

Oh sautillait sur place et se tordait les mains dans ses moufles ; je compris qu'il voulait me dire quelque chose mais que c'était impossible, car il était censé ne pas parler.

– Nous allons tous nous rassembler à l'aéroport, tous les habitants du district. Là-bas, les Gorgs vont prononcer un discours et, je pense, nous distribuer de la nourriture. Ce sera amusant ! (Landry afficha un grand sourire télégénique.) Notez bien la date, le 2 septembre, sur vos calendriers ! Parfait, et maintenant, tenez-vous tous les deux à l'écart des ennuis !

Maman ayant encore à discuter à propos de leur travail avec Landry, Oh et moi regagnâmes seuls le casino.

– C'est une super mauvaise nouvelle, non ? lui dis-je.

– Oui, super pas bonne. Les Boovs vont partir, et ensuite les Gorgs rassembleront tous les humains. Ils ont sûrement déjà prévu des tas d'endroits de réunionage dans tout l'Arizona. Quand ce sera fait, ils prendront des gens pour en faire des esclaves et des meubles, et ils tueront tous les autres.

– Aussi simplement que ça ? dis-je en frissonnant.

– Eh oui. Comme ils ont fait avec les Voorts.

– Les Voorts ?

– Oui, c'est une jeune espèce, comme les humains. Ils n'étaient jamais entrés en contact avec d'autres planètes. Ils ont eux aussi eu un jour de l'Excellence pas si excellent que ça. Et maintenant, ils n'existent plus.

Nous marchions en silence. De retour au Soleil de diamant, nous retrouvâmes notre studio, où Oh se mit aussitôt à remonter la cabine de téléclonage. Quant à moi, je pris Porky sur mes genoux et le caressai tout en réfléchissant.

– Bon, il faut que nous parlions de notre télécloneur à quelqu'un, finis-je par décider. Et vite.

– À Maman-Tif ?

– Je… je ne sais pas. J'en ai envie, bien sûr, mais on dirait qu'elle est complètement subjuguée par ce Dan Landry. Et lui me donne l'impression d'être favorable aux Gorgs. Non, je vais d'abord aller le trouver. Si j'arrive à le convaincre que les Gorgs ne sont pas une bonne chose pour nous, il sera bon pour nous d'être de son côté. Tout l'État parle de lui.

Maman frappa à la porte, sur le rythme d'*Une souris verte*, et entra.

– Je croyais t'avoir dit de rester ici, me dit-elle. Tu comptes me désobéir souvent ? Tu sais, je suis beaucoup plus occupée, ici, ma Tortourse.

– C'était inévitable, je te le jure. Mme Hoegaarden allait de toute façon ouvrir la porte. Et elle aurait vu Porky. Il faut que nous trouvions un verrou. Et des gonds.

– Bon… je vais dire un mot à Mme Hoegaarden. Elle aurait d'abord dû venir me voir. Mais quand M. Landry et moi t'avons trouvée, tu étais seule.

– J'étais avec Oh, rectifiai-je. C'est un adulte ; il a trente-six ans.

– Et demi, précisa Oh.

– Il ne s'occupe pas de toi, contrairement à moi. Et je dois aussi le surveiller ; ce matin, j'ai dû l'empêcher de boire l'eau de la batterie d'une voiture.

– C'est délicieux, l'eau un peu acidulée.

Je fis taire Oh d'un coup de coude.

– C'est juste que… tu ne devrais pas trop sortir avec… avec lui, dit ma mère en faisant un geste en direction du Boov.

– Avec Oh, précisa ce dernier.

– Oui, avec lui. Et qu'est-ce qu'il fabrique ?

– Il construit une sorte de douche boovienne. Écoute, maman, Oh ne posera pas le moindre problème. Il a réussi à tromper toutes sortes de personnes.

– Il faut seulement que je construise d'autres petites cartes pour expliquer pourquoiça je suis déguisé en fantôme et je ne parle pas. Pour les donner aux gens. Aide-moi à les écrire.

– D'accord.

Maman regarda sans un mot Oh sauter de sa chaise et se mettre à la recherche d'une feuille de papier. Elle se pencha vers moi et me prit par le bras.

– Nous devons être prudentes. Très prudentes.

– C'est promis.

– Non, je sais. Écoute-moi…

Son souffle, sur mon visage, était chaud et sentait le baume à lèvres à la cerise. Tandis que j'attendais qu'elle parle, je vis dans ses yeux un air complice que je ne me rappelai pas lui avoir connu.

– Il faut absolument éviter d'être séparées l'une de l'autre, dit-elle. À tout prix. Ces Preneurs peuvent me voler ce qu'ils veulent, mais pas toi. N'importe quoi, mais pas toi.

Je hochai la tête, puis pris soudain conscience de la présence de Oh, juste à côté de moi. Il avait apporté des crayons et du papier.

– Hem… Moi aussi, je ferai attention, dit-il. Je promets. Je ne veux pas que Tif perde une nouvelle fois Maman-Tif, car je sais ce qu'est une famille, je sais que LucyTucci a fabriqué Tif et s'en est occupée ; elle n'a pas seulement pondu un œuf pour l'abandonner dans la rue pour que d'autres le ramassent.

Maman me regarda droit dans les yeux, comme dans un état second. Je lui répondis par un léger sourire.

– Et Tif, d'après moi, a aussi été remplie de courage ; à seulement onze ans, elle voulait tellement retrouver sa maman qu'elle a conduit la voiture et s'est fait tirer dessus. Elle m'a même frappé, une fois, mais c'était inévitable.

– Tu as répété ce discours ? demandai-je à Oh.

– Oui, un peu, avoua-t-il.

Au prix de ce qui me parut être un effort titanesque, maman se tourna vers Oh et le regarda en face, peut-être pour la première fois depuis qu'il avait ôté son drap. Ils s'observèrent un petit moment. Un jour, j'ai entendu dire que lorsque deux personnes se regardent dans les yeux plus de cinq secondes, elles vont soit se battre, soit s'embrasser. Je ne tenais pas vraiment à assister à l'une ou l'autre de ces options. Maman reprit la parole :

– C'est une bonne chose qu'elle n'ait pas été seule. Je suis… contente qu'elle ait eu quelqu'un avec elle quand nous étions séparées. (Le visage de Oh prit une légère teinte orangée.) Si je comprends bien, tu vas rester un moment avec nous ?

– Oui, s'il vous plaît.

Maman se redressa et hocha la tête, puis elle se dirigea vers la cuisine.

– *La nostra casa è la vostra casa*, conclut-elle.

– Je veux venir, dit Oh. Maman-Tif nous a donné la permission à tous les deux.

Cela faisait quelques jours que nous avions fait la connaissance de Dan Landry, et maman m'avait dit qu'il serait toute la journée à son bureau.

– Je sais, répondis-je. Je suis désolée, mais le bureau de Landry est en réalité un hôtel situé près de l'aéroport. D'après ce qu'on dit, cette zone grouille de Gorgs. Il ne faudrait pas qu'ils te repèrent à l'odeur.

– Ah… oui, tu as raison. Tu sais, j'avais de toute façon l'intention de nettoyer mon drap ; quelqu'un l'a sali avec des poils de chat et du milk-shake.

Je me rendis donc en voiture à l'aéroport, en repensant à l'air qu'il avait pris après avoir prononcé cette phrase. Il avait simplement hoché la tête et s'était allongé sur le lit. Il passait de plus en plus de temps au lit, à vrai dire.

Un peu plus loin, après avoir dépassé une station-service, j'aperçus le bâtiment élevé d'où Landry surveillait son district. Je me garai sur le parking, près d'un grand cactus saguaro. Je n'étais pas encore tout à fait habituée à ces plantes, qui faisaient ressembler les rochers et broussailles du désert au fond d'un océan impitoyable. Je passai sous une imposante marquise suspendue à l'entrée de l'hôtel, esquivant nombre de personnes qui allaient et venaient. En ouvrant la porte vitrée qui donnait sur le lobby, j'aperçus dans le reflet une silhouette verte et massive penchée sur ma voiture.

Ce n'était pas un cactus. Je me retournai, devinant ce que j'allais découvrir. Un Gorg tournait autour de Fraîchissime, qu'il examinait attentivement, une de ses mains couvertes d'excroissances passée sous la sangle de ce qui était soit un énorme fusil, soit une petite cheminée.

– Hum… dis-je, revenant lentement vers la voiture.

Le Gorg ne bougea pas mais leva ses yeux injectés de sang dans ma direction ; j'avais presque l'impression de sentir les cercles d'une cible peints sur mon visage.

– C'est un Boov qui l'a bricolée, expliquai-je. En Pennsylvanie. Très loin d'ici.

Gorg se dressa de toute sa taille, dépliant son corps tel

un mille-pattes. Il me fit penser à la chenille d'*Alice au pays des merveilles*, au détail près que sa vue ne calma en rien mes battements de cœur.

– QUI ES-TU ? me demanda-t-il, comme s'il avait lui aussi lu ce livre.

– Euh… Gratuity. Je suppose… je suppose qu'il est inutile de vous demander votre…

– LES GORGS CONNAISSENT CE VÉHICULE. LES GORGS ONT TENTÉ DE DÉTRUIRE CE VÉHICULE.

– Oh… ah oui. Hé, euh… c'était vous ? Le monde est petit.

Gorg s'approcha de moi, montagne de muscles sur pattes couverte d'une peau de scarabée. En bordure du parking, d'autres humains suivaient la scène, tandis que plus loin trois Gorgs marchaient en rang, leur arme brandie devant eux comme un drapeau. Je ne vis bientôt plus que l'estomac de Gorg, lorsqu'il s'immobilisa tout près de moi. Beaucoup d'étrangers, dit-on, n'ont pas la même notion d'espace vital personnel que les Américains. Ce doit être vrai.

– NE VOLE PAS PLUS HAUT QUE TROIS GORGS AVEC CE VÉHICULE, SINON ON TE TIRERA ENCORE DESSUS.

Il voulait sans doute dire quelque chose comme quatre ou cinq mètres.

– Ne… ne vous en faites pas, je ne peux pas aller si haut. Cette voiture monte seulement à… à un Gorg et demi, tout au plus.

– TRÈS BIEN, apprécia Gorg.

Il ne criait pas vraiment ; à mon avis, sa voix était naturellement sonore, du fait de son énorme tête. Alors qu'il s'apprêtait à partir, j'entendis un bruit familier : le son d'une tondeuse à gazon passée sur un coussin péteur que produisait un Gorg lorsqu'il éternuait. Il retourna vivement la tête vers moi, les yeux plus rouges que jamais.

– OÙ… EST-CE-QUE…

Je fis un violent effort pour soutenir son regard. Ces Gorgs semblaient toujours entrer dans une colère noire chaque fois qu'ils éternuaient, ce qui me faisait me sentir coupable même quand je n'avais rien à me reprocher.

Il avait le visage aussi cramoisi qu'une cerise et quelque chose coulait de ses yeux et de son nez. En l'observant de plus près, je me fis la réflexion que ce n'était pas le Gorg auquel j'avais eu affaire précédemment. Le visage de celui-ci était différent. Plus ridé, en tout cas.

– TU… TU ES UNE HUMAINE JEUNE. UNE ENFANT.

– Oui, confirmai-je, me demandant si ce détail lui donnerait plus ou moins envie de me tuer.

– LES NIMROGS AVAIENT DES ENFANTS, AUTREFOIS.

Comme je ne savais pas quoi dire, je restai muette. Gorg étouffa un nouvel éternuement du poing.

– ALLEZ, CIRCULE, MAINTENANT, dit-il, avant de s'en aller en s'essuyant le nez.

Alors qu'il s'éloignait, les humains qui se trouvaient là se mirent à regarder dans diverses directions et se hâtèrent d'en faire autant, désireux de ne pas attirer son attention. Cette rencontre avec un Gorg avait été nettement plus positive que la précédente, songeai-je. Peut-être fallait-il simplement s'habituer à eux.

En entrant dans l'hôtel, je dus dire mon nom à un garde posté là et lui indiquer les raisons de ma venue. Il me répondit que je n'étais pas autorisée à rencontrer Landry. S'ensuivit une conversation aussi intéressante que sonore à ce propos. Il finit par me demander si j'étais de la famille de Lucy Tucci et me laissa passer quand je lui eus répondu. Je pris aussitôt la décision de me faire dès que possible des tee-shirts floqués de « Fille de Lucy » et de les porter en permanence. Je grimpai les neuf volées de marches, me traitai d'andouille lorsque je me rendis compte que les ascenseurs fonctionnaient et trouvai la porte que je cherchais. Sur le battant de bois sombre orné d'une poignée de cuivre était inscrit en lettres d'or DANIEL P. LANDRY, GOUVERNEUR DU DISTRICT. Sur la poignée, on avait accroché un avertissement NE PAS DÉRANGER, ce qui ne m'empêcha pas de frapper.

Pas de réponse.

Je frappai de nouveau, cette fois en reproduisant le rythme d'un vieux solo de batterie de Gene Krupa. La porte s'ouvrit brusquement.

Le visage de Landry exprimait autant de rage qu'une airelle séchée. Baissant les yeux, il vit à qui il avait affaire et s'adoucit immédiatement, évoquant plutôt une pêche, le teint rose-orange et un peu flouté. Si ce n'est pas trop exagéré en matière de métaphore fruitière.

– Gratuity Tucci ! Quelle surprise ! Comment vas-tu ? Entre, entre ! Comment va ta maman ?

Je découvris alors la plus spacieuse chambre d'hôtel que j'aie jamais vue. Ce qui ne veut pas dire grand-chose, je vous l'accorde, car maman et moi étions toujours descendues dans le genre d'établissement qui annonce ses prix sur un panneau visible depuis l'autoroute. Mais bon, on aurait facilement pu y jouer au tennis.

– Bonjour, monsieur Landry…

– Dan.

– Bonjour, Dan, me repris-je, faisant de mon mieux pour paraître naturelle. Navré si je vous dérange, je n'en ai pas pour longtemps.

– Non, non, pas de souci. Je ferais n'importe quoi pour la fille de Lucy.

Sa réaction me fit de nouveau penser à mon idée de tee-shirt.

S'il y avait eu un lit dans cette chambre, il avait été enlevé. Il n'y avait plus sur l'épaisse moquette verte que des chaises en tissu et un bureau de bois noir sur lequel Landry aurait pu ranimer la créature de Frankenstein et encore avoir de la place pour ses stylos et un calendrier de golf. Je fus cependant surtout impressionnée par les innombrables étagères remplies d'ouvrages suffisamment lourds pour assommer quelqu'un, en frappant assez fort.

– Je vois que tu es une amoureuse des livres ! dit Landry, qui s'approcha d'un rayonnage. Tu as devant toi certaines des œuvres littéraires les plus réputées. Tolstoï, Pynchon, Ellison, Hemingway. Et beaucoup d'éditions originales. J'ai lu tous ces livres, absolument tous. Je les lis, puis je les range là. Tu veux connaître mon secret ? Je suis un lecteur ultra rapide. Officiellement. Il existe un test pour ça ; mon certificat est là-bas.

Je jetai un œil sur le document.

– Et tu vois celui-là ? poursuivit-il, sortant un volume. *Les Raisins de la colère*. Sacrément épais, pas vrai ? Je l'ai dévoré d'une traite.

Dan Landry

Je commençais à me dire que ce type aimait exhiber ses livres comme d'autres leurs trophées de chasse. Les murs couverts d'ouvrages m'évoquaient des parois surchargées de têtes d'animaux, le point important n'étant pas tant la bête que la façon dont elle avait été tuée. « Voici la tête d'un tigre de Sibérie, aurait-il pu dire. Une des bêtes les plus féroces de la planète ! Elle pesait plus de deux cent cinquante kilos mais je l'ai abattue d'un seul coup de fusil, après deux jours de traque. »

– Et voici *Ulysse*, de James Joyce, considéré par certains comme le roman de langue anglaise le plus difficile à aborder. J'en ai lu les huit cent seize pages en un jour et demi !

– Impressionnant, dis-je.

J'entendais son nez siffler quand il respirait.

– Eh bien… dit-il.

Il y eut un silence, uniquement troublé par le ronronnement monocorde de l'air conditionné. Me reprochant subitement de ne pas avoir montré davantage d'intérêt pour son hobby, je le gratifiai d'un sourire, qui me parut si peu naturel que je le chassai aussitôt.

– Que puis-je faire pour t'aider, Gratuity ? Tu n'es pas venue ici pour m'écouter radoter sur mes livres ?

– Non, non, c'est formidable, dis-je, avant de m'éclaircir la gorge. En fait, Dan…

– « Monsieur Landry ». Tu avais raison.

– Oh… Dites-moi, monsieur Landry, avez-vous entendu parler d'un groupe, quel qu'il soit, décidé à résister aux Gorgs ?

Landry croisa les bras.

– Tu sais, ta mère m'a dit que tu t'agitais beaucoup à ce propos.

– Elle a dit ça ?

– Il faut que tu fasses confiance à tes dirigeants, Gratuity. Je sais que vous autres, les enfants, vous ne trouvez pas ça très « cool », mais les Gorgs ont beaucoup à nous offrir.

– Rien que nous n'avions déjà, marmonnai-je.

– Pas du tout. Ils vont chasser les Boovs, pour commencer. Les Boovs, qui pensaient entasser tout un pays dans un seul de nos États. Les Gorgs nous laisseront tout le Sud-Ouest, et nous sommes tout près d'obtenir également la Californie. Le savais-tu ?

– Mais…

– Et ce n'est pas tout. Ils nous réservent une grosse surprise pour le jour de l'Excellence, dans le cadre du festival Sans-Souci. Mais je ne peux pas t'en dire plus pour le moment.

Tu m'étonnes, qu'ils nous préparent une surprise, me dis-je.

– Ça ne vous gêne pas, qu'ils nous demandent de tous nous rassembler en un unique lieu, comme ça ? N'est-ce pas un peu dangereux ?

– Fais preuve d'un peu de foi, Gratuity, dit Landry, dont le sourire s'effaçait. Je les ai rencontrés. Je les comprends peut-être mieux que quiconque sur la Terre. Ils sont un peu rudes sur les bords, c'est vrai, mais…

– Mais moi aussi, je les connais. Je sais beaucoup de choses sur les Gorgs, que personne d'autre que moi ne sait. En Floride, un Boov m'a parlé d'eux. (C'était à peu près la vérité.) Par exemple, ce sont des clones du même individu.

– Oui, je suis au courant.

– Oh… et leur vaisseau ? Croyez-le ou non, il est couvert de peau de Gorg !

– Je te crois car je le sais, ça aussi.

– Vraiment ? m'étonnai-je, les sourcils froncés.

Landry fit le tour de son bureau et s'assit sur son fauteuil. Il semblait dire la vérité, ne pas être le moins du monde surpris par mes révélations.

– Il existe des gens qui résistent aux Gorgs, dit-il. Des gens qui se battent contre les Boovs, des humains qui œuvrent ensemble contre tous les extraterrestres. Oui. Et ce sont de bons Américains, de courageux citoyens. Cela étant, le meilleure chose à faire pour le moment, et pour tout le monde, est de jouer le jeu. De nous montrer bons et obéissants vis-à-vis des Gorgs. Ils repartiront bientôt, de toute façon.

– Vraiment ? Ils l'ont dit ? Quand vont-ils s'en aller ?

Landry se releva et fit quelques pas, regardant un peu partout sauf vers moi et s'arrêtant de temps à autre pour toucher un presse-papier ou une statuette.

– Ils ne l'ont pas dit, évidemment, dit-il. Que tu es naïve. Mais je le sais.

– Qu'est-ce qui vous rend si sûr de vous ?

– Leur plan, toute cette opération… ça ne marchera pas, c'est intenable. C'est un système de Ponzi à l'échelle galactique.

Je ne comprenais rien.

– Un système de Fonzie ?

– De Ponzi, dit-il, levant les yeux au plafond. Un système de Ponzi, en référence à… à… à quelqu'un qui s'appelait Ponzi. Le principe est le même que celui de la vente pyramidale.

Je dois avouer que j'avais surtout des images d'Égypte en tête.

– Et donc… ?

– Leur société est entièrement basée sur le fait de payer et de nourrir d'anciens Gorgs pour en faire de nouveaux et conquérir de nouveaux mondes. Ils doivent en produire toujours plus, et les envoyer dans toutes les directions de l'espace. Mais ils se sont trop étendus. Tôt ou tard, il y aura trop de Gorgs et pas assez de ressources ; toute l'opération implosera.

– Implosera ?

– C'est le contraire d'exploser.

– Et ce n'est pas une bonne chose, le contraire d'exploser ?

– Le fait d'attendre notre heure en leur obéissant nous permet de limiter le nombre de victimes. Au bout du compte, les Gorgs s'en iront, ou au moins ils devront faire marche arrière. Et c'est à ce moment que nous les combattrons, si nous devons les combattre.

Je me levai à mon tour.

– Je me disais juste que… Et s'il existait un moyen de les vaincre dès maintenant…

– Il faut que je me remette au travail, m'interrompit Landry. Tu peux sortir.

Je soupirai et m'éloignai du bureau, quelque peu hébétée.

– Hmm… pas par là, dit Landry. C'est le placard à balai, ça. La porte par laquelle tu es entrée est là-bas.

Je fis demi-tour et sortis au pas de course de la pièce, mortifiée.

De retour dans notre chambre, je fis part à Oh de ce qui s'était passé, à l'exception de l'épisode du placard à balai. Cela ne lui plut guère.

– Ce… ce type, Ann Landers…

– Landry. Dan Landry.

– Ce Dan Landry n'a rien compris. Les Gorgs ne se sont pas « trop étendus ». Jamais ils ne manqueront de ressources, puisqu'ils peuvent télécloner de la nourriture. Ils ne seront jamais à sec.

– Oui… mais alors, pourquoi envahissent-ils d'autres planètes ? Pourquoi consacrent-ils tant de temps pour voler ce qui appartient à d'autres espèces, s'ils peuvent créer ce qu'ils veulent ?

– Pff… parce que ce sont des abrutis ! s'exclama Oh, les bras levés. Des poomps ! Des caquenaqueurs !

Il les traita de beaucoup d'autres mots booviens, qu'il me faudrait remplacer par des « bip » si je les traduisais ici.

– Je suis complètement d'accord, dis-je. Je dis seulement que nous ne savons peut-être pas tout d'eux, après tout.

D'après toi, ils ne peuvent pas tomber malades, pourtant j'en ai vu deux éternuer. Ou alors le même éternuer deux fois.

– Ce n'était pas un éternuement, c'est impossible.

– Ils avaient le nez qui coulait ; quelque chose les gênait. Tu vas peut-être me dire que les Gorgs font couler leur nez pour s'amuser ?

– Oui ! dit Oh, qui faisait les cent pas. Pour s'amuser ! Pourquoi pas ? Qui n'aimerait pas avoir le nez qui coule ?

Il était d'aussi mauvaise foi que moi ; il était capable de dire n'importe quoi quand il était à ce point bouleversé. J'attendis qu'il se calme en me nettoyant les ongles. Enfin, il s'arrêta de tourner en rond et considéra le mur, puis il prit une longue inspiration.

– Peut-être… c'était peut-être plus confortable pour nous… plus confortable de nous dire que les Gorgs étaient inarrêtables. Ce n'est pas si grave d'être vaincu quand l'ennemi est une armée de monstres sans point faible.

– J'sais pas. J'ai l'impression que quelque chose a changé. Vous auriez sûrement remarqué ces nez qui coulent. Le dernier, on aurait dit un moteur qui perdait son huile.

Oh se remit à arpenter la pièce. Quelque part dans le casino, quelqu'un avait mis de la musique.

– Tu sais, quand l'autoradio de Fraîchissime lisait encore des cassettes, maman et moi, on copiait nos CD et MP3 sur des cassettes pour les écouter dans la voiture.

Oh ne répondit pas, mais se figea.

– Mais le son des copies n'était jamais aussi bon que l'original. Et si on devait faire une copie d'une copie ? Alors là, c'était encore pire. Imagine un peu que les Gorgs n'aient jamais réussi à maîtriser le clonage parfait ? Ils auraient dans ce cas fait des clones de clones de clones, et ainsi de suite, de plus en plus faibles, non ?

C'est à cet instant précis que maman rentra.

– Bonjour, ma Tortourse. Bonjour, Oh.

– Tu as rencontré les Gorgs, maman, pas vrai ? lui demandai-je. Juste avant que Oh et moi, nous te rejoignions ?

– Oui, quelques-uns.

– En as-tu vu éternuer ?

– Éternuer ? Non, ou alors je ne l'ai pas remarqué.

– Tu l'aurais forcément remarqué.
– Alors non.
– En as-tu vu s'essuyer le nez, avoir les yeux larmoyants, ce genre de choses ?
– Non, rien de tout ça.
– Tu en es sûre ?
– Je suis restée tout près d'eux tout le temps.
– Ce Landry prétend que les Gorgs nous réservent une grosse surprise.
– Tu as parlé à Daniel ?
– Oui. Il a dit qu'il y aurait une surprise pendant le... euh... le festival. J'ai oublié son nom.
– Le festival Sans-Souci ? dit maman. C'est bien, non ? Aucun souci...
– Cette surprise sera une terriblement mauvaise nouvelle, maman, je te le promets. Demande à Oh.
– Oui, demandez-moi.
– Ma Tortourse... dit maman, visiblement exaspérée. Bon, ne le dis à personne, parce que c'est vraiment censé être une surprise, mais les Gorgs vont nous offrir un remède contre le cancer.
– Quoi ? m'écriai-je.
– Quoi ? dit Oh.
– Oui, je sais ! C'est stupéfiant, non ? Ils tiennent sincèrement à gagner notre confiance.
– Il me semble qu'ils l'ont déjà, dis-je, en croisant les bras.
Oh eut alors un hoquet de stupeur. Me tournant vers lui, je le vis qui tendait une main vers moi, l'autre étant plaquée sur sa bouche.
– Tu... glapit-il, agitant les doigts. Tu... ta main !
Je levai la main devant mes yeux, puis la retournai une ou deux fois.
– Quoi ? Qu'est-ce qu'elle a ?
– Tu portes la marque ! La marque de la prédiction ! Tu es l'Élue... l'Élue qui rapportera la paix dans la galaxie !
– Quoi, ça ? Non, c'est de la sauce barbecue, dis-je, nettoyant la paume de ma main.
Oh l'examina un moment, puis il retourna près du mur.
– Bon, tant pis, dit-il.
On frappa à la porte, deux coups secs, très fonctionnels.

Une intense agitation régna dans la pièce durant quelques secondes : le Boov enfila son déguisement de fantôme et Porky fut rapatrié dans la voiture (cette phrase sonnerait bien dans une chanson country, maintenant que j'y pense). Oh ayant bricolé des gonds et un verrou d'allure bizarre, je fis tourner ce dernier et entrouvris la porte.

– C'est l'Indien ! m'écriai-je.

Sa casquette rouge dans la main et ses cheveux poivre et sel peignés, il avait meilleure mine.

– Bonjour, Chef ! dis-je. Entrez donc !

– Merci beaucoup, Jambes Stupides.

Ces mots firent tiquer maman, qui le débarrassa tout de même de sa casquette. C'est ensuite avec une certaine perplexité qu'elle vit Oh retirer son drap, tandis que j'allais chercher Porky.

– Excusez-moi, mais qui… ? dit-elle.

Je ne lui avais pas encore parlé de l'Indien. Je ne lui avais pas raconté grand-chose à propos de notre voyage, à vrai dire, car chaque fois que je lui livrais tel ou tel détail, elle pâlissait et se fâchait.

– Il s'appelle Frank, dis-je. Il est dans les déchets.

– Ce n'est pas gentil de dire ça, dit maman.

– Oh non, je voulais dire que…

– J'troquais et vendais des objets mis au rebut, expliqua l'Indien.

Je débitai un résumé de son histoire. Sans mentionner la cabine de téléclonage, je réussis à décrire l'agression qu'il avait subie de la part d'un Gorg.

– Mon Dieu… souffla maman, très contrariée. Merci d'avoir protégé ma fille.

– J'vous en prie, dit l'Indien, qui parut sentir une odeur. Vous avez d'la véritable nourriture, on dirait.

– Un peu. Nous n'avalons principalement que du milk-shake, mais j'ai des pommes de terre et des oignons. Et cloner de l'huile d'olive n'est pas difficile. Voulez-vous rester à dîner avec nous ?

– J'en serais très honoré, dit-il. (Il aperçut alors le télécloneur.) Comment va ma cabine ?

– Votre cabine de douche boovienne ? me hâtai-je d'ajouter. Très bien.

Il me regarda avec un drôle d'air.

– C'est bien, dit-il, avant de s'asseoir à notre table avec mille craquements et autres bruits.

Après le dîner, Oh aida maman à faire la vaisselle, pendant que je raccompagnais l'Indien à son pick-up.

– J'ai des amis et des cousins d'la réserve qui vont arriver, dit-il. Ils devraient être là d'ici deux jours. J'partirai d'main pour en rassembler d'autres. Des amis d'amis, des gars d'l'armée d'l'air. Des gens en qui on peut avoir confiance.

– Connaissez-vous certains des Indiens papagos de la région ?

– Tohono O'Odham, rectifia le Chef. La nation Tohono O'Odham. Papago est péjoratif. Ça veut dire « mangeurs de haricots ». Sinon, oui, j'en connais quelques-uns. Au fait, qu'est-ce que c'est qu'cette histoire d'douche boovienne ?

– Ah oui. Ma mère travaille avec ce type, Daniel Landry, qui me semble assez pro-Gorg. Alors, j'ai peur que maman le soit elle aussi.

– J'ai beaucoup entendu parler d'lui. Il m'fait l'effet d'un serpent.

– J'ai l'impression qu'elle l'aime bien. Il est plutôt beau, j'imagine, mais bon, un bol de céréales peut être beau, aussi. Et il aime bien ma mère, je crois. Il apprécie qu'elle soit souvent à ses côtés, en tout cas. C'est vrai, il ne trouve pas de meilleur interprète parlant l'espagnol qu'elle, alors que nous sommes à seulement cent cinquante kilomètres de la frontière mexicaine !

– Fais attention à lui, il a quelques cadavres dans son placard.

– Ah non, il y a seulement des balais.

– Quoi ?

– Il a un placard à balai dans son bureau ; j'ai failli y entrer par erreur.

– C'est bizarre.

Je vis quelque chose s'agiter du coin de l'œil.

– Hé ! Lincoln ! m'écriai-je.

Je courus jusqu'au chien, qui tirait sur sa laisse au point de menacer de briser le pick-up en deux. Je le fis s'asseoir en le caressant, tandis qu'il s'assurait que mon visage était à son goût à grands coups de langue bien collante.

– Avez-vous besoin d'un endroit où vous installer ?

– Vous n'avez pas assez d'place pour m'héberger, ta mère et toi. Lincoln et moi, on sera très bien sur notre matelas. Mais tu pourrais p't-être m'garder quelques cartons, pour qu'on soit un peu plus à l'aise.

Je retournai au casino chargée de deux cartons remplis de souvenirs de guerre de l'Indien, que je déposai dans Fraîchissime. Il m'avait promis qu'il serait de retour d'ici deux ou trois jours.

Le matin venu, une rumeur commença à se répandre : le festival Sans-Souci avait été avancé. Le jour de l'Excellence ne remplaçait plus la fête du Travail, mais se tiendrait dès le lendemain.

– C'est impossible, dit maman. Pourquoi feraient-ils une chose pareille ?

Je courus retrouver l'Indien à son pick-up, malheureusement il était déjà parti. En regagnant notre chambre, j'aperçus un véritable essaim de vaisseaux booviens à l'est. Ils volaient à allure réduire, en formation serrée et non pour lancer une attaque. Ils allaient officiellement se rendre aux Gorgs.

Six fois, ce matin-là, je vis Oh poser les yeux sur notre vieux téléphone mobile.

– L'Indien est parti, annonçai-je.

– Les personnes âgées se lèvent très tôt, dit maman. Il est sans doute parti il y a déjà plusieurs heures. Ne t'inquiète pas, il y a toujours beaucoup de bruits qui courent, par ici.

Pourtant, en début d'après-midi, les robots-crabes gorgs firent irruption, répandant la nouvelle que répétaient des visages gorgs sur leurs écrans tremblotants :

– EN RAISON D'UNE EXCELLENCE IMPRÉVUE, LES FESTIVITÉS DU JOUR DE L'EXCELLENCE SE TIENDRONT DEMAIN MATIN AU LEVER DU SOLEIL. LES HUMAINS DU DISTRICT DE L'AÉROPORT DOIVENT SE RASSEMBLER SUR LE TARMAC DE L'AÉROPORT, POUR ASSISTER AU DÉPART DES BOOVS. PRÉSENCE OBLIGATOIRE ! OBLIGATOIRE ! FIN DU MESSAGE.

– C'est ridicule ! se plaignit maman. Ce doit être une erreur. Je vais voir Daniel. Reste ici en attendant que je revienne. Obéis-moi, cette fois.

Elle sortit en courant de la chambre, une chaussure encore à la main.

Sans un mot, Oh se remit à faire la vaisselle. Quant à moi, je restai immobile, une main posée sur la table. Je m'assis, pour me relever aussitôt. Les yeux baissés sur mes chaussures, je me mis à piétiner sur place.

La moquette était ornée de dix types de cartes à jouer différents. Il y en avait des centaines, bien entendu, mais on retrouvait toujours les dix mêmes cartes. Il y avait également seize jetons de poker, huit rouges et huit bleus.

– Les Hoegaarden ont des dés sur leur moquette, fis-je remarquer.

– Ah oui ? dit Oh.

– Oui, des paires de dés, un peu partout, et toutes ces paires donnent un total de sept.

– Je vois.

– Ils habitent à l'endroit où se trouvaient les jeux de dés.

Le silence s'installa de nouveau, tandis que les mains de Oh s'agitaient dans l'eau.

– Il faut vraiment qu'on parle, dis-je, enfin. Tu ne crois pas ?

Oh attrapa un bol et le plongea dans l'évier.

– Si tu veux. De quoi veux-tu qu'on discute ?

Je ne m'étais même pas rendu compte que je retenais ma respiration ; je vidai d'un coup mes poumons.

– Tu le sais bien…

– Ahh… Des Boovs ? De mon départ de la Terre ?

– Tu ne m'as jamais vraiment dit ce que tu comptais faire.

– Pour les Boovs, je suis un criminel, dit-il en frottant le bol. Le pire empoté de notre histoire. J'ai fait venir les Gorgs à notre porte.

– Iraient-ils jusqu'à… te tuer ?

– Non. Les Boovs n'appliquent plus la peine en capitales. Ils me jetteraient en prison. Ou alors ils me donneraient un travail affreux.

– Comme quoi ?

– Goûteur de jambes, peut-être. Ou porteur de crottes. Ce serait moche, mais bon, pas si terrible que ça. Ces métiers ne sont pas dépourvus d'une certaine dignité tranquille.

– Hmm…

Nous nous dévisageâmes un moment, puis Oh rinça le bol et se saisit d'une assiette.

– Dooooonc… faut-il que je m'en aille, alors ? Que je retourne parmi les Boovs ?

– Je ne peux pas te le dire, c'est à toi de voir. D'accord ?

Oh baissa les yeux sur l'évier et hocha légèrement la tête. J'eus l'impression de le voir prendre sa décision, comme si j'assistais à la chute au ralenti d'un ballon menaçant d'exploser si personne ne le rattrapait.

– Mais si tu… enfin, ce serait plus pénible pour tout le monde, ici, si tu t'en allais, évidemment. Ça nous donnerait d'autant plus de corvées à nous partager, c'est tout.

– C'est vrai.

– Sans compter que ce serait difficile d'expliquer à tout le monde l'absence de Gigi. Si tu pars. Mais fais ce qui te semble le mieux pour toi.

– Oui.

– Je dis seulement que ce serait plus dur pour nous. Vu tes connaissances, tu pourrais nous donner un sérieux coup de main pour nous débarrasser des Gorgs.

Oh s'immobilisa un instant, les mains plongées dans l'eau. Je me sentis très gauche, d'un coup, ce qui m'incita à porter mon poids sur l'autre jambe, ce qui n'arrangea rien. Il faisait chaud, je le sentais sur mon visage.

– Il vaudrait mieux, je pense, que je reste. Il y a des choses à faire ici. Je peux aider ma famille.

Il me donna l'impression de vouloir ajouter autre chose, puis il hocha la tête et attrapa quelques cuillers, qu'il plongea dans l'eau. Je vins me placer à côté de lui, face au plan de travail, et me mis à essuyer la vaisselle qu'il nettoyait.

– C'est donc comme un cloneur de milk-shake, mais pour les gens, dit maman.

Elle était rentrée furieuse, car il lui avait été impossible de voir Landry, ni même d'approcher de son hôtel, à cause des patrouilles gorgs qui l'encerclaient. Sachant que nous ne pourrions plus joindre l'Indien et qu'il ne nous restait plus que très peu de temps, nous lui avions alors révélé la véritable nature du télécloneur.

– Il ne se contente pas de cloner, dis-je. Il peut également téléporter.

– C'est-à-dire ?

– Il peut envoyer une personne ou une chose dans une autre cabine située n'importe où sur la Terre ou dans le vaisseau gorg, expliqua Oh. Peut-être même sur des cabines installées sur d'autres planètes.

– Comme si on envoyait quelqu'un par e-mail, dit maman.

– C'est ça.

– Vous avez bien fait de m'en parler, mais il faut mettre d'autres personnes au courant.

J'acquiesçai.

– M. Hoegaarden est un ancien agent de police, dit maman. Il connaît des gens très bien. Va donc rendre ces livres à Mme Hoegaarden et vois s'il y a du monde chez eux.

Je me saisis des ouvrages, sortis par le coin-cuisine et traversai le casino jusqu'à l'endroit où vivaient les Hoegaarden. C'était une pièce plus modeste que la grande salle des machines à sous où nous étions installés, avec seulement deux appartements et un unique ventilateur branlant qui semblait vouloir se détacher pour s'enfuir en volant. Les deux appartements se ressemblaient beaucoup, mais les occupants avaient punaisé sur leur porte un ticket de Keno avec leur nom inscrit dessus. Je frappai sur le battant.

Ce qui produisit peut-être le troisième plus fort bruit que j'aie jamais entendu. Ces mots ne traduisent pas comme je l'aimerais l'intensité de ce fracas, car je dois rappeler que j'avais eu ma dose de déflagrations sonores au cours de l'année écoulée.

Mme Hoegaarden ouvrit la porte.

– Ce n'est pas moi qui ai fait ça ! dis-je. Je vous le jure !

Et c'était la vérité. Le bruit assourdissant s'était en fait produit dans la grande salle. Et son écho résonnait encore.

Nous nous précipitâmes à l'angle du couloir pour jeter un coup d'œil à la dérobée. Un Gorg portait un distributeur de monnaie au-dessus de sa tête.

Des gens terrifiés se plaquaient contre les parois, s'éloignant autant que possible du Gorg. Derrière lui, j'aperçus la porte par laquelle il était entré et qui ressemblait à présent à une chips tordue, suspendue à un unique gond.

– HUMAINS ! cracha Gorg. OÙ EST CELLE QUI S'APPELLE GRATUITUCCI !

Oh mon Dieu. Pourquoi toujours moi ?

– Euh… qui donc ? dit Joachim.

– GRATUITUCCI ! GRATUCCITY ! OU QUELQUE CHOSE COMME ÇA ! dit Gorg, qui projeta la machine à terre.

L'appareil cracha ses pièces sur la moquette.

Nos voisins ne disaient pas un mot, mais avaient certainement compris à qui Gorg faisait allusion. Concernant Mme Hoegaarden, c'était une certitude.

– Écoute-moi bien, ma chérie, me dit-elle. File par ce couloir, puis prends la première porte, traverse le bureau et sauve-toi par la porte du fond. Tu te retrouveras dans le couloir des toilettes, qui mène au quai de déchargement. Dépêche-toi !

Je suivis son conseil et m'élançai à travers le casino, tandis que derrière moi résonnait la puissante voix du Gorg :

– ON M'A DIT DE ME RENDRE AU GROS BÂTIMENT AUX COULEURS AGRESSIVES, LE BÂTIMENT OÙ LES HUMAINS QUI NE SONT PAS FORTS EN MATHS VIENNENT PERDRE DE L'ARGENT ! C'EST ICI ! LIVREZ-MOI GRATUITUCCI !

Après m'être glissée par la dernière porte et avoir retrouvé la clarté aveuglante du jour, je trébuchai sur le quai de déchargement et courus jusqu'à l'issue de secours où était garée Fraîchissime. Oh s'y trouvait déjà, en tenue de fantôme et en train de fixer le télécloneur sur le toit de la voiture.

– J'ai pris Porky, murmura-t-il. Il faut partir, Gorg risque de me sentir.

– D'accord. Où est ma mère ?

Oh me regarda un instant, puis se tourna vers le casino.

Je l'avais encore laissée derrière moi.

– Il faut l'aider.

– Il faut cacher le télécloneur ! siffla Oh. Il va chercher par ici !

Pivotant sur moi-même, j'aperçus la grande tente blanche de poker défaite et froissée, à terre.

– On dirait qu'il a déjà fouillé par là-bas. Allez, viens !

Nous conduisîmes Fraîchissime jusqu'à la tente, dont je soulevai la toile étonnamment lourde, afin que Oh glisse la voiture dessous. Oh n'avait pas encore émergé de la toile de tente lorsque je me ruai vers l'issue de secours, dont la porte avait été arrachée.

– Non… non, non, non !

Je trouvai notre studio dévasté. L'évier avait été retourné et des pages de romans brûlés voletaient dans l'air. Et maman avait disparu.

J'ouvris d'un coup d'épaule la porte principale et découvris des personnes rassemblées, qui observaient ce qui se passait devant le casino.

– Gratuity ! dit Joachim quand il me vit les rejoindre. Attends…

Sans tenir compte de son avertissement, je me frayai un chemin parmi la foule et en sortis juste à temps pour voir deux Gorgs enfiler leurs fusées dorsales. L'un deux portait ma mère sur son épaule.

– QU LU EHED SEG FIP'W AR NI'IZS IHEX ? dit ce dernier, tout en giflant son congénère.

– FUD, répondit celui-ci, qui repoussa puis frappa le premier sur le bras.

– NAG IG'F TAD'Q GU VEF'G FGAB, LU W'ZO ?

– Ta mère… s'est fait passer pour toi, m'expliqua Joachim.

Se produisit alors quelque chose d'extraordinaire. Le Gorg qui portait ma mère émit un curieux bruit.

– Ce n'était pas un éternuement, ça ? lança quelqu'un.

Oh arriva juste à temps pour voir l'autre Gorg éternuer à son tour. Ils furent tous deux très vite en proie à une véritable crise, tandis qu'ils ajustaient leurs fusées dorsales.

Maman leva la tête et me regarda droit dans les yeux. Puis les fusées s'allumèrent. Enfin, ils disparurent tous les trois dans le ciel qui s'obscurcissait.

J'avais du mal à respirer. Autour de moi, tout le monde essayait de me consoler, de poser la main sur mon épaule, mais je n'avais qu'une envie : qu'ils s'en aillent tous.

– Dis, tu as remarqué qu'ils éternuent dès qu'ils approchent quelqu'un qui a passé beaucoup de temps en compagnie d'un Boov ? me chuchota Oh. Pourtant… les Boovs ne les ont jamais rendu malades, jusqu'à présent.

– Pas les Boovs, en effet, convins-je, avec soudain un plan à l'esprit.

– Qu'est-ce qu'ils vont prendre ! dis-je, alors que nous filions à travers le désert. Je vais les détruire. On ne peut pas enlever ma mère et ne pas s'attendre à être détruit. J'aurais exterminé les Boovs si vous ne me l'aviez pas rendue juste à temps.

– Ouf… dit Oh. Mais répète-moi ton idée, à propos des chats, s'il te plaît.

– Les Gorgs sont allergiques aux chats ! Extrêmement allergiques ! Tu as vu de quelle façon ils ont réagi en s'approchant de maman.

– Mais Maman-Tif n'est pas un chat.

– On a plein de poils de chat sur nous ! C'est inévitable, quand on en possède un, crois-moi. Pourquoi les Gorgs se donneraient-ils tant de mal pour s'en débarrasser, si ce n'était pas ça le problème ? Maman m'a aussi dit qu'elle était restée un moment assise à côté de quelques Gorgs, avant notre arrivée, mais qu'ils n'avaient pas une fois éternué. En revanche, après notre arrivée au casino, avec Porky, ça a été une explosion ! Boum !

– Boum ! cria Oh. Boum !

– Heureusement que nous n'avons pas perdu Porky, cette nuit-là, et que nous l'avons gardé à l'abri.

– Mais oùdonc allons-nous ?

– Dans un endroit secret, répondis-je, tandis que nous traversions divers campements de tentes éparpillées. Quelque part où nous pourrons mettre notre plan à exécution.

– C'est grisant ! Nous sommes deux agents secrets rusés, comme Bond James Bond.

– Je me demande bien où tu as pêché ça.

Les dernières traces de la ville étaient déjà loin derrière nous lorsque nous approchâmes d'un vieux panneau annonçant le parc de loisirs Old Tucson Studios.

– Parfait, appréciai-je.

Je glissai Fraîchissime au centre d'une ville fantôme de Far West cernée par les montagnes. Il y avait là, alignés le long de la rue poussiéreuse, d'authentiques saloons et épiceries et une église espagnole.

– Ça devrait faire l'affaire, estimai-je.

– Maintenant, nous pouvons nous téléporter sur la base ou le vaisseau des Gorgs, trouver Maman-Tif et la rapporter à la maison.

– Nous allons faire bien mieux que ça.

– Ah oui ? Et quoi donc ?

– Rétroaction en boucle, dis-je, un grand sourire aux lèvres.

– Rétroaction en boucle ?

– Rétroaction en boucle.

Je me trouvais au milieu de la rue, et Oh me surveillait d'un regard nerveux. Si j'avais eu un six-coups dans la main, j'aurais ressemblé à Clint Eastwood, mais je n'avais qu'une cabine de téléclonage face à moi. J'étais par ailleurs coiffée d'un casque de la Seconde Guerre mondiale ; le cliché ne tenait pas.

Le casque était beaucoup trop grand pour moi, mais avait l'avantage de maintenir mes cheveux en place. Je disposais d'une poignée de cachets d'aspirine – ceux qui font jaillir de la mousse – en cas d'urgence. Le téléclonneur gorg les avait clonés à partir du dernier comprimé restant dans la boîte à outils de Oh. Et ça avait fonctionné. Ces cachets étaient des objets trop complexes pour être reproduits par un cloneur boovien, pourtant nous avions accompli cet exploit.

Au cours des vingt dernières minutes, Oh avait remonté la machine, qu'il avait ensuite inspectée à de multiples reprises. Tout en caressant Porky, j'avais farfouillé dans les cartons de l'Indien.

– J'ai un signal, avait fini par déclarer Oh, près de l'appareil qui émettait un léger bourdonnement. Nous sommes connectés à l'ordinateur gorg.

Après l'avoir testée avec de l'aspirine, donc, j'avais les yeux rivés sur notre machine. Et je me demandais comment j'en étais arrivée là.

– Je capte également des signaux émis par beaucoup d'autres cabines de téléclonage installées sur des bases gorgs, avait dit Oh. Douze en Arizona, et d'autres ailleurs.

– Il faudrait commencer par essayer avec la plus proche, j'imagine.

– C'est à moi d'y aller, de la tester, car ce sera ma faute si ça ne fonctionne pas.

– Si ça rate, tu seras le seul à pouvoir la réparer, alors c'est à moi d'y aller, avais-je objecté.

Dans mon autre main, j'avais un caillou. Si je réussissais à me téléporter quelque part sans être transformée en milk-shake, je le renverrais à Oh, qui saurait alors qu'il pouvait me rejoindre avec Porky.

– Bon… bon… dis-je en secouant les mains.

Je respirais violemment et à toute allure ; je faisais probablement de l'hyperventilation. Soudain, je me dis que j'allais peut-être m'évanouir. Je n'aurais alors pas à me téléporter. Personne ne peut vous demander de vous téléporter juste après que vous avez perdu connaissance, c'est comme une règle tacite, tout le monde sait qu'il ne faut pas demander à quelqu'un de se téléporter après qu'il…

– Bon… répétai-je. Bon… tu n'as rien d'autre à me dire ?

– Hmm… ce serait mieux si tu étais un chewing-gum, car tes oreilles vont sans doute un peu claquer…

– AHHH ! hurlai-je, avant de me précipiter vers la cage et de sauter dedans en croisant les doigts.

Je perçus un éclat aveuglant dans le crâne.

Ainsi qu'un bruit sec très sonore.

Et mes oreilles claquèrent.

L'obscurité était totale. Je n'y voyais rien du tout. Je ne sentais même pas mon propre corps. *Génial*, soupirai-je. *Je suis morte… alors que j'étais très occupée.*

Je ne sentais plus mon corps parce que la téléportation a tendance à vous engourdir, ce que je ne découvrirais que quelques secondes plus tard, avec l'apparition de fourmillements un peu partout en moi, qui me donneraient l'impression de pétiller comme de l'eau gazeuse. Mais avant cela, j'ouvris grande la mâchoire, afin de me déboucher les oreilles, car j'entendais des voix.

L'une d'elles m'était familière ; elle m'évoquait ce ton de présentateur de télévision mais me paraissait à l'arrière-plan, comme une star qui réclame des donuts depuis sa loge.

Songeant que j'étais équipée d'une lampe de poche, je la sortis et l'allumai contre la paume de ma main, quelque peu nerveuse. La lueur rouge qui traversa mes doigts me dévoila un rideau tiré devant moi. En jetant un coup d'œil de l'autre côté, je découvris que je me trouvais dans une toute petite pièce, où étaient rangés une serpillière, un seau et une pelle à poussière. Je reconnus la porte en bois sombre, avec sa poignée en cuivre, ce qui me confirma ce que je venais seulement de deviner.

J'avais été téléportée dans le placard à balai de Daniel Landry.

Cinq minutes plus tard, je sautai dans le téléclonneur, vis le flash, entendis le grand bruit et me rematérialisai avec les oreilles qui claquaient dans la ville fantôme. M'attendant à trouver Oh devant moi, je me mis à paniquer lorsque je me rendis compte qu'il avait disparu.

– Oh non… oh non… Oh ! OOOHHH ! Comment est-ce qu'on arrête ce truc… ? Comment ça…

Oh sortit la tête de la voiture.

– Il faut éteindre cette machine ! lui criai-je. Comment fait-on ?

– Tu es vivante ! chantonna Oh.

– Réponds-moi, Oh ! Comment je fais pour l'éteindre ?

– Quoi ? Ah oui, le truc vert.

Par bonheur, il y avait bel et bien un « truc vert », de la forme d'une balle de tennis posée sur un tee de golf. Je le pris en main, me demandant s'il fallait le serrer, le tirer, le pousser ou je ne sais quoi, mais il émit aussitôt un bruit de fuite de gaz et se dégonfla. La cabine cessa de bourdonner. Je m'adossai contre l'engin et respirai enfin, débarrassée des visions d'armées gorgs lancées à ma poursuite et surgissant de la cabine dans cette petite rue baignée par le clair de lune. Porky vint se frotter contre mes jambes. Je pris alors conscience de la présence de Oh, à hauteur d'épaule.

– Où est passé le caillou ? cria-t-il. Qu'as-tu fabriqué du caillou ?

J'expliquai à Oh que, trop occupée à écouter ce qui se passait dans le bureau de Landry, je ne lui avais pas renvoyé le caillou pour lui signifier que le téléclonneur avait fonctionné.

– Je croyais que Tif était morte ! Ou qu'elle avait des ennuis ! Et je ne pouvais rien faire ! Rien du tout !

– Que faisais-tu dans la voiture ?

– J'allais partir. J'étais sur le point de partir à ta recherche.

– Merci.

– Mais alors, la cabine a marché ? Pourquoi l'as-tu éteinte ?

– J'ai trouvé des Gorgs sur mon chemin, j'ai eu peur qu'ils se téléportent ici.

– Ils t'ont vue ?

– Non. Quand je suis ressortie de l'autre côté, il faisait noir et j'entendais des voix. C'est à ce moment que j'ai compris que j'avais été téléportée dans le placard à balai de Dan Landry.

– Non !

– Si.

– Arrête !

– Si, je te jure ! Landry criait sur quelqu'un, il lui disait « Nous avions conclu un accord ! » et « Ce n'étaient que des questions, je ne vous accusais pas de quoi que ce soit ! ».

– Quelles questions ?

– Attends, tu vas voir, ça ne s'arrange pas ensuite. Une voix gorg lui a répondu…

Oh lâcha un hoquet de surprise.

– Une voix gorg lui répond « LE FESTIVAL SE DÉROULERA AU LEVER DU SOLEIL. LES HUMAINS SERONT COMPTÉS ET TRIÉS », ce à quoi Landry rétorque « Ce n'est qu'une enfant ; les enfants se fâchent facilement. Et vous me dites que vous l'avez enlevée ? ». Le Gorg avoue ensuite qu'ils se sont trompés, qu'ils ont kidnappée maman à ma place, mais qu'ils veulent toujours me mettre la main dessus, parce que je corresponds à la description d'une jeune fille qui leur a volé quelque chose.

Oh marmonna en boovien.

– Mais c'est là que ça se corse ; le Gorg dit : « NOUS HONORERONS NOTRE PROMESSE, VOUS DÉTIENDREZ LE POUVOIR, NOUS NOUS ASSURERONS QUE VOUS DEVENIEZ LE CHEF DE VOTRE PLANÈTE. » À ce moment, un autre Gorg se met à glousser, puis le premier poursuit : « NOUS LIBÉRERONS LA MÈRE DE GRATUITUCCI APRÈS LE FESTIVAL. » L'autre Gorg s'est carrément mis à rire, là, parce qu'il n'y aura pas d'« après le festival », évidemment. C'est à ce moment que je suis rentrée en sautant dans la cabine.

Oh secoua la tête.

– Il voulait seulement devenir le chef. Il voulait être le roi de la Terre et l'appeler Danland.

– Oui, peut-être, mais pourquoi m'a-t-il dit que les Gorgs allaient bientôt s'en aller ? Il le pensait vraiment, à ton avis ? Il croyait peut-être sincèrement qu'en coopérant il limiterait le nombre de victimes, en attendant que les Gorgs partent d'eux-mêmes.

– Ou alors c'est simplement un poomp, pardon pour mon langage.

– Peut-être. En tout cas, je n'ai pas été téléportée dans une base gorg. Juste avant que je reparte, il m'a semblé que les Gorgs étaient sur le point d'entrer dans le placard à balai pour partir. C'est pour ça que j'ai eu peur qu'ils surgissent ici, juste après moi.

– Bon, nous allons en essayer une autre, alors.

– La cabine la plus proche après celle de Landry, tu veux dire ?

– Hmm… Et pourquoi ne viserait-on pas le signal le plus puissant, plutôt que le plus proche ? Nous aurions plus de chances de chuter sur une base importante.

Oh régla la cabine, puis nous rassemblâmes nos affaires. Nous étions chacun muni d'assez d'aspirines pour recouvrir le mont Everest de mousse. Oh mit son casque en place, je n'avais pas retiré le mien. Mon sac à dos était rempli de friandises pour chat et je n'avais pas non plus oublié mon appareil photo. Oh, lui, était équipé de sa boîte à outils, comme toujours.

– Regardeça, dit-il. Les talkies-walkies. Je les ai réparés et je leur ai mis des piles plus puissantes ; maintenant, on peut talkie-walker. « Oh pour Tif, Oh pour… »

Comme il ne les tenait qu'à trente centimètres l'un de l'autre, son message criard se répercuta, jusqu'à donner le pire son de l'univers. Et j'avais entendu un Gorg éternuer. Je glissai mon talkie-walkie dans mon treillis, ce qui me fit l'effet d'avoir une jambe de bois, si bien que je finis par le ranger dans mon sac. L'antenne, longue de plus d'un mètre, sortait par un trou à hauteur de la fermeture Éclair et oscillait quand je marchais.

– Je n'arrive pas à croire que des soldats couraient avec ça sur le dos pendant qu'on leur tirait dessus, dis-je, loin de me douter que je ferais de même une demi-heure plus tard.

– Tu as l'air cool, dit Oh, après avoir considéré l'antenne.

– Je ressemble à une voiture radioguidée.

– Oui. Enfin, je ne sais pas ce que c'est que ce truc.

Porky dans mes bras, nous nous plaçâmes devant la cabine de téléclonage, que Oh ralluma.

– Peut-on y sauter tous ensemble ? lui demandai-je. Ou alors on risque de ressortir tout mélangés ?

– Je suis sûr qu'on peut tous y entrer ensemble. Presque sûr.

Personne ne bougea d'un centimètre.

– Il y aura peut-être beaucoup de Gorgs de l'autre côté.

– Oui, dit Oh, en caressant Porky. Ça m'a fait plaisir d'être ton frère.

– C'est chouette d'avoir un frère.

Nous entrâmes dans la cabine…

… et sortîmes de l'autre côté. Je me sentis de nouveau étourdie, et Porky lâcha un bruit sourd. L'endroit était cette fois illuminé, et aucun Gorg n'était en vue. On n'apercevait rien, à vrai dire, en dehors d'un carrelage blanc et de deux rangées d'urinoirs. Nous avions été téléportés dans des toilettes pour hommes.

– Sortons de la cabine, suggéra Oh. Je vais l'éteindre ; des Gorgs risquent d'arriver.

Comme pour lui donner raison, des bruits de pas pesants se firent entendre, se rapprochant de nous. Puis un Gorg apparut à l'angle du couloir, armé d'un fusil qui ressemblait à un moteur de hors-bord pourvu d'un pot d'échappement de voiture.

– LU ! F'GAB ! ÉLOIGNEZ-VOUS DE ÇA ! beugla Gorg.

Nous avançâmes d'un pas, légèrement sur le côté, frôlant les urinoirs. Porky se tortillait et sifflait, dans mes bras. Oh lança un cachet d'aspirine, puis un autre, mais la mousse glacée ne freina pas vraiment Gorg, qui l'écarta en brandissant son arme. Soudain, il aperçut Porky.

– RRRR. C'EST UN... dit-il en cherchant ses mots. REMETTEZ-MOI CET ANIMAL ! (Il pointa son fusil sur ma tête.) REMETTEZ-MOI CET ANIMAL !

– D'accord, dis-je d'une petite voix. Désolée, Porky.

Je lançai mon chat droit sur l'estomac de Gorg. Porky poussa un hurlement et planta ses griffes dans Gorg. Un nuage de poils s'éleva au-dessus de lui. Gorg baissa les yeux, horrifié, et lâcha son arme d'une main pour se débarrasser de son agresseur. Je choisis ce moment pour lui lancer une autre aspirine, avant de lui décocher un coup de pied dans le tibia, ce qui me fit foutrement mal aux orteils. (Pardon pour mon langage.) Le tibia, lui, ne fut absolument pas touché. Les mains couvertes de mousse, Gorg n'était pas en mesure de faire du mal à Porky, qui s'échappa d'un bond et se réfugia derrière la cabine.

Se produisit ensuite la pire réaction allergique que j'aie jamais vue. Sur l'estomac – qui était devenu tout rouge – de Gorg se formèrent des bulles, un peu comme à la surface d'une soupe à la tomate en ébullition. Le phénomène se propagea rapidement au cou et à la tête de Gorg, qui fut bientôt en proie à des spasmes, la bouche grande ouverte et multipliant les éternuements. Je crois qu'il tenta de tirer, mais hélas pour lui ses doigts gonflés ne lui permirent pas de presser la détente. Je me plaçai dans son dos.

– Prépare la cabine ! criai-je à Oh.

Quand celui-ci me fit signe que c'était fait, j'y poussai Gorg, de toutes mes forces, ce qui ne représentait pas grand-chose. Un éternuement malvenu de sa part m'aida à le forcer à entrer dans la cage, et hop, en voiture Simone.

– Où l'as-tu envoyé ? demandai-je à Oh.

– En Ouidaho, je crois.

– En Idaho.

– Oui, c'est ça, dit-il, éteignant l'appareil.

Il s'intéressa ensuite à une sorte d'ordinateur relié au télécloneur et que recouvrait une masse de substance caoutchouteuse. Il se mit à la pétrir, comme s'il avait affaire à de l'argile. Des formes et des symboles apparurent au-dessus de la chose, lui révélant ce qu'il voulait savoir. Pendant ce temps, je fis sortir Porky de sa cachette et lui donnai quelques croquettes.

– Je ne recommencerai pas, lui promis-je. Enfin, il y a peu de chances.

– Cet ordinateur dit qu'il y a d'autres cabines de téléclonage tout près d'ici, dans une zone de un kilomètre carré, à peu près. Si je continue à chercher, il me dira peut-être où est emprisonnée Maman-Tif.

– Parfait. Fais ça et surveille Porky. Moi, je vais voir où nous sommes.

– Sois prudente. Et appelle-moi par le talkie-walkie si tu es en danger.

Au-delà de l'angle du couloir, j'en découvris un autre, rempli de lavabos et de cabines, au bout duquel se trouvait la porte de sortie. Juste à côté de celle-ci, il y en avait une autre, plus petite, comme si l'une était réservée aux adultes et l'autre aux enfants. La plus petite portait l'inscription SOURIS, et l'autre, MESSIEURS. Il n'y a qu'un endroit, à ma connaissance, où l'on trouve ce genre de fantaisie. Et c'est l'endroit le plus chouette de la Terre.

– Non, impossible… balbutiai-je, en sortant avec hésitation.

J'aperçus le Vocabutrain et la Grande Roue du Nain Tracassin. Un peu plus haut, je vis les voies ferrées jumelles du Duorail, ainsi que les cimes d'épais palmiers. Et, juste devant moi, se dressait le château de la Reine des Neiges.

Prenant soudain conscience que j'étais à découvert, je courus aussi discrètement que possible vers un alignement de boutiques, où je m'accroupis sur un pas de porte. Il faisait nuit, au moins.

– Nous sommes au Royaume de la Souris joyeuse ! dis-je dans le talkie-walkie. Nous sommes revenus à Orlando. À toi.

– *Shhhh*… impossible, me répondit la voix de Oh, aussi perçante et grésillante qu'un interphone de fast-food. À toi.

– Si, je te jure ! Le puissant signal que tu as repéré est émis depuis le Royaume de la Souris joyeuse. J'ai le château juste devant moi. À toi.

– *Chhhh…* C'est logique, finalement. Les Boovs aimaient la Floride. Après les avoir chassés, les Gorgs se sont installés ici, ne serait-ce que pour faire les poomps.

Il n'y avait pourtant pas le moindre Gorg en vue, ni vers le château, ni du côté du kiosque à journaux ou de la Calfétéria du président Moo. J'entrai dans la Calfétéria, en me demandant où l'on pouvait retenir un prisonnier dans un parc à thème. Je ne savais même pas ce que je cherchais. Des cages ? Des filets géants ? Des pots avec des trous percés dans le couvercle ?

J'avais bien avancé sur Broadway lorsque je perçus des bruits. Jetant un coup d'œil à l'angle du Bar à lait, j'aperçus quatre Gorgs sortant d'autres toilettes, pour dames cette fois, et qui marchèrent dans ma direction. *Une autre cabine de téléclonage*, me dis-je. *Ou alors les Gorgs vont toujours aux toilettes par groupes.*

Je me réfugiai derrière le bar, où le sol était couvert de tapis de caoutchouc noirs collants pourris qui empestaient le lait renversé et l'odeur de pieds.

Les voix des Gorgs approchaient. Ils discutaient dans leur langue, se donnant régulièrement des tapes sur les épaules et dans les côtes. Je me levai un instant, le temps d'immobiliser mon antenne, qui oscillait et tapotait l'armoire des produits laitiers.

Ils n'allaient même pas me remarquer. Il est vrai qu'il n'y avait aucune raison à cela, à moins de se rendre derrière le bar pour y chercher du lait avarié. C'est alors qu'une question qui me trottait vaguement dans la tête depuis un moment se précisa subitement dans mon esprit. Pourquoi ce groupe de Gorgs s'était-il téléporté dans ces toilettes, là-bas, pour ensuite venir jusqu'ici ?

Parce qu'ils ont essayé la cabine éteinte par Oh et qu'elle ne fonctionne pas, espèce d'idiote. Et ils comptent découvrir pourquoi.

Quand ils furent passés devant moi, j'attrapai une bouteille de lait vide et, alors qu'ils n'étaient plus qu'à quelques mètres de nos toilettes, je la lançai dans la rue. Elle se fracassa et répandit mille éclats de verre dans une de ces boutiques qui vendent des tondeuses à poils de nez électriques ou des aspirateurs solaires. Le bruit ou le choc – ou peut-être les deux – mit en marche deux Père Noël dansants et un chien robot. Les Gorgs firent volte-face et se ruèrent aussitôt dans la boutique, afin de déterminer qui aboyait et chantait *Feliz Navidad*.

Maintenant mon antenne en place d'une main, je filai en vitesse vers les toilettes pour hommes. Je fus aussitôt interrompue dans ma course par des grésillements émis dans mon sac à dos, comme une minuscule locomotive. Le talkie-walkie. Après être un instant restée clouée sur place, je me réfugiai dans une boutique de souvenirs – du genre que l'on achète uniquement quand on est en vacances. Dissimulée derrière une rangée de Souris joyeuses vêtues de tee-shirts portant l'inscription SOUVENIR OFFICIEL, je sortis le talkie-walkie de mon sac.

– Quoi ! sifflai-je.

– *Shhhhhkkk*... ai réussi ! me répondit mon interlocuteur.

– Pas si fort ! chuchotai-je, tout en jetant un regard de l'autre côté du rayon. Qu'est-ce que tu as réussi ?

– *Chuuuk*... Maman-Tif ! J'ai trouvé Maman-Tif ! Elle est ici !

– Elle va bien ?

– *Shckuk*... je ne sais pas.

– Eh bien demande-lui ! dis-je, tâchant de me faire toute petite, car j'entendais des bruits de pas approcher.

– *Chhhhrk*... non, non. Elle est dans l'ordinateur. Les Gorgs l'ont téléportée, mais pas complètement. Elle est rangée dans les données de l'ordinateur !

Farfouillant dans mon sac à dos, je sortis mon appareil photo.

– Oh mon Dieu ! Tu peux la faire sortir ?

– *Shhhsh*... oui ! Je vais la faire venir ici, saine et chauve !

– Attends une seconde.

Remisant le talkie-walkie dans mon sac, je levai la tête vers le cercle de Gorgs penchés vers moi.

– Salut ! Un sourire pour la photo !

Je déclenchai le flash de mon appareil. Les quatre Gorgs reculèrent légèrement, ce qui me permit de lancer environ soixante cachets d'aspirine dans les airs. Deux Gorgs se remirent suffisamment vite de leur surprise pour tenter de se lancer à ma poursuite lorsque je me glissai entre les jambes des autres, pour aussitôt sentir les aspirines leur retomber sur le dos. J'eus la chance de rester en bordure de la planète de neige qui se forma alors dans la boutique. La mousse glacée me propulsa comme un gant de boxe géant dans la rue. Jetant un regard par-dessus mon épaule, je vis une boule de neige de la taille d'une montgolfière qui gagnait encore en volume, avec des morceaux de Gorgs et de souris en carton émergeant ici ou là à sa surface. La voyant déjà perdre de sa substance, je descendis la rue en courant, dépassant les toilettes où se trouvait Oh, puis j'attrapai le talkie-walkie par l'antenne.

– Allô ? Oh ?

– *Chhhk*... où es-tu ? Que se passe-t-il ?

– Rien de spécial, je me suis arrêtée pour prendre une photo. Maman est là ?

– *Chuk*... non, tu as dit de...

Je n'entendis pas la fin de sa phrase, que couvrirent des bruits de pas pressés. Je me ruai vers une bouche d'égout à l'aspect familier. Des fusils aboyèrent dans mon dos, faisant sauter le sommet d'un stand de churros. J'ouvris de force la trappe et m'engageai sur une échelle qui descendait sous terre.

– *Shch...* c'était quoi, ça ?

– Juste un truc. Ne fais pas venir maman tant qu'il y a des explosions, d'accord ?

– *Chch...* d'accord.

Une pluie de feu se déclencha au sommet de l'échelle.

– Parfait ! Dès que tu en as terminé, lance l'opération Chatastrophe !

Les Gorgs tentèrent de me suivre sur l'échelle, en vain, car leur corpulence leur interdisait de se glisser par la bouche d'égout.

– *Chk...* je croyais qu'on avait décidé de l'appeler l'Opération Rétro-Porky.

– On verra ça plus tard, je suis occupée, là !

Je courais déjà dans le couloir sombre, tandis que les Gorgs détruisaient la chaussée de la rue, à la surface, afin d'élargir le trou, c'était certain, même si je ne les voyais pas.

– *Shhhk...* tu ne veux jamais parler de mes idées. Quand est-ce qu'on écoutera enfin Oh ?

Le boyau déboucha sur un autre qui, j'en étais sûre, menait sous le château de la Reine des Neiges. De là, je pourrais atteindre le Manège des Macareux anglais et retrouver la surface, comme nous l'avions déjà fait, Oh et moi.

– Je n'ai jamais donné mon accord pour l'Opération Rétro-Porky, dis-je dans le micro. C'est idiot, comme nom.

– *Chh...* tu ne comprends pas, c'est tout. Tu vois, dans cette expression, il y a le mot « rétro », comme dans « rétroaction en boucle », et le mot « Porky », comme dans « Porky ».

J'aperçus le contour orangé d'une porte, devant moi.

– Si tu dois m'expliquer ce nom, c'est qu'il n'est pas bon ! criai-je. Et, s'il te plaît, dis-moi que tu fais des chats, pendant qu'on est en train de parler de ça !

– *Chhh...* bien sûr. Écoute, j'ai appris quelque chose d'intéressant en étudiant l'ordinateur.

Soudain, je sentis quelque chose résister à hauteur de ma cheville, puis un bruit de boîtes de conserve et de cuillers s'entrechoquant se produisit.

– Quelle idiote, soupirai-je.
– *Ssssk*… tu es là ?
– Une minute, Oh.
La porte ne s'ouvrit pas à la volée, cette fois, pas plus que je n'aspergeai un garçon de nettoyant pour vitres. Non, j'ouvris la porte moi-même et jetai un regard de l'autre côté. À cinq mètres de moi, les membres du NÉNÉ, visiblement terrifiés, me braquaient avec des pistolets, un château suspendu à l'envers dans leur dos.
– Halte au feu ! lança Bouclettes.
Je me détendis quelque peu et me précipitai vers eux.
– Il faut filer d'ici ! dis-je. Les Gorgs…
J'entendis alors un petit bruit, un genre de « bouac bouac », puis sentis comme une piqûre sur la poitrine.
– *Bip*, Alberto, grogna Bouclettes. J'ai dit « Halte au feu » !
– Il ne l'a pas fait exprès, dit Christian. Regarde, il a les mains qui tremblent.
Baissant les yeux sur mon tee-shirt, je me rendis compte qu'il était taché de rouge à l'endroit où j'avais été touchée.
– Qu'est-ce que… Qu'est-ce que c'est ?
– T'en fais pas, ce ne sont que des pistolets à peinture, m'expliqua Bouclettes.
– Ah, d'accord, dis-je, me sentant un peu bête.
J'entendis alors des bruits dans le couloir, derrière moi.
– Qu'est-ce qui se passe, là-bas, *bip* ?
– Il faut partir, les Gorgs seront là d'une seconde à l'autre !
Mes mots déclenchèrent une véritable pagaille. Les piaillements de ces garçons m'indiquèrent avec certitude qu'ils ne savaient même pas précisément qui étaient les Gorgs, mais cela n'avait pas grande importance.
– Fermez-la ! cria Bouclettes.
– Qu'est-ce qu'on fait, alors ? s'enquit Yosuan.
Ils se tournèrent tous vers Bouclettes, qui interrogea Christian du regard.
– On s'en va par-derrière, décida ce dernier. À la queue leu leu. Allez, on y va !
Nous nous précipitâmes tous vers une porte située dans le fond de la salle. Dernier à en sortir, Christian éteignit les lumières et tira sur deux leviers ; le château commença à se retourner.

– Des pistolets à peinture ? m'étonnai-je.

– Ça ralentit les gros extraterrestres, si on les vise dans les yeux, dit Christian. C'est toi qui nous as donné l'idée.

Je rougis certainement un peu. Un orchestre de coups et de cris se déchaînait derrière nous. Les Gorgs progressaient dans la salle du château qui basculait.

– Il faut trouver une cabine de téléclonage, dis-je, en entrant dans une salle où était suspendue à l'envers une montagne en sucre entourée de sucres d'orge géants.

– Une quoi ?

– Oh... euh... une sorte de cage.

– Ah oui, ces trucs-là. Il y en a une dans les toilettes du Motorama. On prend à gauche, les gars !

– HALTE, BANDE DE SINGES ! cria une voix gorg, derrière nous, suivie de quelques tirs de comètes.

– *Ssch*... Tif ?

Je sortis une nouvelle fois le talkie-walkie de mon sac.

– Je t'écoute, mais fais vite, dis-je à Oh, alors que je courais sous une maquette du Système solaire suspendue à l'envers. Qu'as-tu découvert en fouillant dans l'ordinateur ?

– *CHHshh*... avais raison ! Les Gorgs ne maîtrisent pas tout à fait le clonage complexe ! Il y a des erreurs !

– Des erreurs ?

Au sommet d'un couloir en pente, Christian dit aux autres de lâcher toutes leurs billes de peinture derrière nous. Je ne comprendrais pourquoi qu'un peu plus tard, en entendant les Gorg glisser dessus et chuter.

– *Shh*... oui ! Quand on clone – arrête de me mordre, Porky –, quand on clone un objet compliqué, il y a des défauts dans la copie. Des erreurs. Et quand on clone un clone, ça empire. Et encore plus pour un clone de clone de clone.

Nous parvînmes au pied d'une échelle ; les plus petits d'entre nous y grimpèrent les premiers. Et croyez-moi, le fait d'être pourchassés par des extraterrestres de cinq cents kilos armés jusqu'aux dents ne les aidait pas à monter plus vite.

– *Chh*... tous les Gorgs sont maintenant des clones de clones, ou des clones de clones de clones. Certains sont même des clones de clones de clones de clones ! C'est pour ça qu'ils tombent malades ! Et ils ne peuvent pas trop cloner la nourriture, sinon ça devient du poison !

L'espace d'un instant, il y eut presque un affrontement entre Christian et moi, pour décider lequel de nous deux s'élancerait le dernier sur l'échelle, jusqu'à ce que je l'attrape par le bras et le pousse vers les barreaux.

– Oh ?

– *Chh*... oui ?

– Je reviens. C'était quoi, ta dernière phrase ?

– *Chhhk*... cloner de la nourriture la transforme en – couché, Porky ! – en poison.

Je me mis à grimper à mon tour, transpirant et respirant bruyamment. J'aurais vraiment dû ranger le talkie-walkie.

– Attends... nous ne mangeons rien d'autre que du milkshake depuis six mois, et c'est... du poison ?

– *Chukk*... non, non. Le clonage simple – arrête, petit chat – fonctionne bien. Même la téléportation marche bien. Mais pas le clonage d'objets complexes. J'ai dit : « Arrête, petit chat ! »

Tout s'expliquait. C'était donc pour ça que les Gorgs pillaient des planètes pour se fournir en nourriture, c'était pour ça qu'ils ne voulaient pas seulement les envahir avec leurs clones.

Bien entendu, sur ma planète, il y avait encore bon nombre de Gorgs en bonne santé. Deux d'entre eux apparurent au coin du couloir et se mirent à tirer, alors que je me trouvais encore sur l'échelle. Je lançai le talkie-walkie par la trappe, au-dessus de moi, et me hâtai de sortir à mon tour, tandis que les balles crépitaient tout autour de moi. Je ne fus même pas touchée, pourtant je hurlai de douleur. Les épaules trempées et brûlantes sous mon tee-shirt, je sentis les garçons me tirer pour me faire passer la trappe. Je la refermai ensuite d'un coup de pied et lançai des cachets d'aspirine jusqu'à la couvrir de neige.

Et j'entendis des miaulements. Beaucoup de miaulements. Un chœur de chats. Il commençait à faire jour, dehors ; je découvris des centaines de chats qui s'affairaient ici ou là. Et chacun était Porky. Des centaines de têtes se tournèrent vers moi, deux mille yeux me regardèrent.

– Bonjour, Porkys, dis-je.

– Miaou miaou miaou miaou miaou miaou miaou miaou
miaou miaou miaou miaou miaou miaou miaou miaou
miaou miaou miaou miaou miaou miaou miaou miaou
miaou miaou miaou miaou miaou miaou miaou miaou
miaou miaou miaou miaou miaou miaou miaou miaou
miaou miaou miaou miaou miaou miaou miaou miaou
miaou miaou miaou miaou miaou miaou miaou miaou
miaou miaou miaou miaou miaou miaou miaou miaou
miaou miaou miaou miaou miaou miaou miaou miaou
miaou miaou miaou miaou miaou miaou miaou miaou
miaou miaou miaou miaou miaou miaou miaou miaou
miaou miaou miaou miaou miaou miaou miaou miaou
miaou miaou miaou miaou miaou miaou miaou miaou
miaou miaou miaou miaou miaou miaou miaou miaou
miaou miaou miaou miaou miaou miaou miaou miaou
miaou miaou miaou miaou miaou miaou miaou miaou
miaou miaou miaou miaou miaou miaou miaou miaou
miaou miaou miaou miaou miaou miaou miaou miaou
miaou miaou miaou miaou miaou miaou miaou miaou
miaou miaou miaou miaou miaou miaou miaou miaou
miaou miaou miaou miaou miaou miaou miaou miaou
miaou miaou miaou miaou miaou miaou miaou miaou
miaou miaou miaou miaou miaou miaou miaou miaou
miaou miaou miaou miaou miaou miaou miaou miaou
miaou miaou miaou miaou miaou miaou miaou miaou
miaou miaou miaou miaou miaou miaou miaou miaou
miaou miaou miaou miaou miaou miaou miaou miaou
miaou miaou miaou miaou miaou miaou miaou miaou
miaou miaou miaou miaou miaou miaou miaou miaou
miaou miaou miaou miaou miaou miaou miaou miaou
miaou miaou miaou miaou miaou miaou miaou miaou
miaou miaou miaou miaou miaou miaou miaou miaou
miaou miaou miaou miaou miaou miaou miaou miaou
miaou miaou miaou miaou miaou miaou miaou miaou
miaou miaou miaou miaou miaou miaou miaou miaou
miaou miaou miaou miaou miaou miaou miaou miaou
miaou miaou miaou miaou miaou miaou miaou miaou
miaou miaou miaou miaou miaou miaou miaou miaou
miaou miaou miaou miaou miaou miaou miaou miaou
miaou miaou miaou miaou miaou miaou miaou miaou

miaou miaou miaou miaou miaou miaou miaou miaou
miaou miaou miaou miaou miaou miaou miaou miaou
miaou miaou miaou miaou miaou miaou miaou miaou
miaou miaou miaou miaou miaou miaou miaou miaou
miaou miaou miaou miaou miaou miaou miaou miaou
miaou miaou miaou miaou miaou miaou miaou miaou
miaou miaou miaou miaou miaou miaou miaou miaou
miaou miaou miaou miaou miaou miaou miaou miaou
miaou miaou miaou miaou miaou miaou miaou miaou
miaou miaou miaou miaou miaou miaou miaou miaou
miaou miaou miaou miaou miaou miaou miaou miaou
miaou miaou miaou miaou miaou miaou miaou miaou
miaou miaou miaou miaou miaou miaou miaou miaou
miaou miaou miaou miaou miaou miaou miaou miaou
miaou miaou miaou miaou miaou miaou miaou miaou
miaou miaou miaou miaou miaou miaou miaou miaou
miaou miaou miaou miaou miaou miaou miaou miaou
miaou miaou miaou miaou miaou miaou miaou miaou
miaou miaou miaou miaou miaou miaou miaou miaou
miaou miaou miaou miaou miaou miaou miaou miaou
miaou miaou miaou miaou miaou miaou miaou miaou
miaou miaou miaou miaou miaou miaou miaou miaou
miaou miaou miaou miaou miaou miaou miaou miaou
miaou miaou miaou miaou miaou miaou miaou miaou
miaou miaou miaou miaou miaou miaou miaou miaou
miaou miaou miaou miaou miaou miaou miaou miaou
miaou miaou miaou miaou miaou miaou miaou miaou
miaou miaou miaou miaou miaou miaou miaou miaou
miaou miaou miaou miaou miaou miaou miaou miaou
miaou miaou miaou miaou miaou miaou miaou miaou
miaou miaou miaou miaou miaou miaou miaou miaou
miaou miaou miaou miaou miaou miaou miaou miaou
miaou miaou miaou miaou miaou miaou miaou miaou
miaou miaou miaou miaou miaou miaou miaou miaou
miaou miaou miaou miaou miaou miaou miaou miaou
miaou miaou miaou miaou miaou miaou miaou miaou
miaou miaou miaou miaou miaou miaou miaou miaou
miaou miaou miaou miaou miaou miaou miaou miaou
miaou miaou miaou miaou miaou miaou miaou miaou
miaou miaou miaou miaou miaou miaou miaou miaou

miaou miaou miaou miaou miaou miaou miaou miaou
miaou miaou miaou miaou miaou miaou miaou miaou
miaou miaou miaou miaou miaou miaou miaou miaou
miaou miaou miaou miaou miaou miaou miaou miaou
miaou miaou miaou miaou miaou miaou miaou miaou
miaou miaou miaou miaou miaou miaou miaou miaou
miaou miaou miaou miaou miaou miaou miaou miaou
miaou miaou miaou miaou miaou miaou miaou miaou
miaou miaou miaou miaou miaou miaou miaou miaou
miaou miaou miaou miaou miaou miaou miaou miaou
miaou miaou miaou miaou miaou miaou miaou miaou
miaou miaou miaou miaou miaou miaou miaou miaou
miaou miaou miaou miaou miaou miaou miaou miaou
miaou miaou miaou miaou miaou miaou miaou miaou
miaou miaou miaou miaou miaou miaou miaou miaou
miaou miaou miaou miaou miaou miaou miaou miaou
miaou miaou miaou miaou miaou miaou miaou miaou
miaou miaou miaou miaou miaou miaou miaou miaou
miaou miaou miaou miaou miaou miaou miaou miaou
miaou miaou miaou miaou miaou miaou miaou miaou
miaou miaou miaou miaou miaou miaou miaou miaou
miaou miaou miaou miaou miaou miaou miaou miaou
miaou miaou miaou miaou miaou miaou miaou miaou
miaou miaou miaou miaou miaou miaou miaou miaou
miaou miaou miaou miaou miaou miaou miaou miaou
miaou miaou miaou miaou miaou miaou miaou miaou
miaou miaou miaou miaou miaou miaou miaou miaou
miaou miaou miaou miaou miaou miaou miaou miaou
miaou miaou miaou miaou miaou miaou miaou miaou
miaou miaou miaou miaou miaou miaou miaou miaou
miaou miaou miaou miaou miaou miaou miaou miaou
miaou miaou miaou miaou miaou miaou miaou miaou
miaou miaou miaou miaou miaou miaou miaou miaou
miaou miaou miaou miaou miaou miaou miaou miaou
miaou miaou miaou miaou miaou miaou miaou miaou
miaou miaou miaou miaou miaou miaou miaou miaou
miaou miaou miaou miaou miaou miaou miaou miaou
miaou miaou miaou miaou miaou miaou miaou miaou
miaou miaou miaou miaou miaou miaou miaou miaou
miaou miaou miaou miaou miaou miaou miaou miaou

miaou miaou miaou miaou miaou miaou miaou miaou
miaou miaou miaou miaou miaou miaou miaou miaou
miaou miaou miaou miaou miaou miaou miaou miaou
miaou miaou miaou miaou miaou miaou miaou miaou
miaou miaou miaou miaou miaou miaou miaou miaou
miaou miaou miaou miaou miaou miaou miaou miaou
miaou miaou miaou miaou miaou miaou miaou miaou
miaou miaou miaou miaou miaou miaou miaou miaou
miaou miaou miaou miaou miaou miaou miaou miaou
miaou miaou miaou miaou miaou miaou miaou miaou
miaou miaou miaou miaou miaou miaou miaou miaou
miaou miaou miaou miaou miaou miaou miaou miaou
miaou miaou miaou miaou miaou miaou miaou miaou
miaou miaou miaou miaou miaou miaou miaou miaou
miaou miaou miaou miaou miaou miaou miaou miaou
miaou miaou miaou miaou miaou miaou miaou miaou
miaou miaou miaou miaou miaou miaou miaou miaou
miaou miaou miaou miaou miaou miaou miaou miaou
miaou miaou miaou miaou miaou miaou miaou miaou
miaou miaou miaou miaou miaou miaou miaou miaou
miaou miaou miaou miaou miaou miaou miaou miaou
miaou miaou miaou miaou miaou miaou miaou miaou
miaou miaou miaou miaou miaou miaou miaou miaou
miaou miaou miaou miaou miaou miaou miaou miaou
miaou miaou miaou miaou miaou miaou miaou miaou
miaou miaou miaou miaou miaou miaou miaou miaou
miaou miaou miaou miaou miaou miaou miaou miaou
miaou miaou miaou miaou miaou miaou miaou miaou
miaou miaou miaou miaou miaou miaou miaou miaou
miaou miaou miaou miaou miaou miaou miaou miaou
miaou miaou miaou miaou miaou miaou miaou miaou
miaou miaou miaou miaou miaou miaou miaou miaou
miaou miaou miaou miaou miaou miaou miaou miaou
miaou miaou miaou miaou miaou miaou miaou miaou
miaou miaou miaou miaou miaou miaou miaou miaou
miaou miaou miaou miaou miaou miaou miaou miaou
miaou miaou miaou miaou miaou miaou miaou miaou
miaou miaou miaou miaou miaou miaou miaou miaou
miaou miaou miaou miaou miaou miaou miaou miaou
miaou miaou miaou miaou miaou miaou miaou miaou

miaou miaou miaou miaou miaou miaou miaou miaou
miaou miaou miaou miaou miaou miaou miaou miaou
miaou miaou miaou miaou miaou miaou miaou miaou
miaou miaou miaou miaou miaou miaou miaou miaou
miaou miaou miaou miaou miaou miaou miaou miaou
miaou miaou miaou miaou miaou miaou miaou miaou
miaou miaou miaou miaou miaou miaou miaou miaou
miaou miaou miaou miaou miaou miaou miaou miaou
miaou miaou miaou miaou miaou miaou miaou miaou
miaou miaou miaou miaou miaou miaou miaou miaou
miaou miaou miaou miaou miaou miaou miaou miaou
miaou miaou miaou miaou miaou miaou miaou miaou
miaou miaou miaou miaou miaou miaou miaou miaou
miaou miaou miaou miaou miaou miaou miaou miaou
miaou miaou miaou miaou miaou miaou miaou miaou
miaou miaou miaou miaou miaou miaou miaou miaou
miaou miaou miaou miaou miaou miaou miaou miaou
miaou miaou miaou miaou miaou miaou miaou miaou
miaou miaou miaou miaou miaou miaou miaou miaou
miaou miaou miaou miaou, répondirent les Porkys.

Mille chats à nos pieds.

Porkys

Ils ronronnaient, tel un essaim d'énormes abeilles ou de minuscules mobylettes. Je dus me frayer un passage parmi cette masse miauleuse pour retrouver les garçons.

– Qu'est-ce que... dit Christian. Qu'est-ce que...

– *Bip*, dit Bouclettes.

– Je vous expliquerai plus tard, leur promis-je. Enfin, peut-être. Où est la cabine ?

Nous courûmes jusqu'au Motorama, vision de l'avenir motorisée et d'un blanc étincelant, avec des tapis roulants apportant les toasts au lit et des robots pour brosser les dents. En résumé, le futur consistait à ne pas avoir à se servir de ses bras. Mais j'imagine que vous le savez déjà, vous qui me lisez après avoir déterré ce texte de la capsule. Et ça marche bien ?

Les Gorgs luttaient pour s'extraire de la mousse, alors que nous approchions des toilettes automatisées. Des Porkys ne cessaient d'en sortir, ce à quoi je m'étais attendue. Si tout se déroulait conformément à notre plan, des Porkys étaient en ce moment même en train d'apparaître partout sur la Terre, d'immenses troupeaux faisant de petits bruits de piétinement surgissant de chaque cabine de téléclonage que les Gorgs avaient eu le culot d'installer sur ma planète.

– Oh ! criai-je dans mon micro. Nous sommes près d'un télécloneur, à l'autre bout du parc ! Peux-tu nous faire revenir auprès de toi ?

– *Sch*... attends. Est-ce que ta cabine a arrêté de cloner des Porkys ?

– Non.

– *Kkc*... et maintenant ?

– Oui, c'est bon, c'est cette cabine-là !

Le bourdonnement de l'appareil s'estompa et fut remplacé par un bruit qui faisait « whiiiiiii ».

– *Shh*... est prêt.

– Toi, entre dans la cabine ! ordonnai-je à l'un des plus jeunes garçons.

Ne pouvant deviner ce qui allait lui arriver, il obtempéra. Une étincelle, puis un craquement, et il disparut.

– Au suivant, vite !

– *Bip* ! Qu'est-ce que t'as fichu de Tanner ! s'emporta Bouclettes.

– Va le découvrir par toi-même, lui répondis-je en le poussant dans la cabine.

Le voyant se volatiliser à son tour, les autres garçons commencèrent à s'éloigner de moi.

– Faites ce qu'elle dit, leur dit Christian, qui, pour donner l'exemple, passa le suivant.

Je fus la dernière à me téléporter. De l'autre côté, les toilettes étaient bondées : une cinquantaine de chats, neuf garçons et maman, qui avaient tous le même air stupéfait. Je me jetai dans les bras de maman. Après notre passage, la production de Porkys reprit.

Assis sur un urinoir, les jambes repliées, Oh grignotait.

– *Chchk*… tu as une mine affreuse, dit-il.

– Tu n'es plus obligé de te servir du talkie-walkie, Oh. Et qu'est-ce que tu manges ?

– Des gâteaux, dit-il, en attrapant un autre désodorisant de toilettes dans l'urinoir voisin.

– Nous devrions peut-être éteindre les cabines, au bout d'un moment, dis-je. Avec un peu de chance, les Gorgs voudront s'en servir pour s'en aller.

– OUI, intervint une voix, derrière moi. LAISSEZ-NOUS PARTIR, S'IL VOUS PLAÎT.

La chose qui s'était exprimée ressemblait à peine à un Gorg. Il y en avait d'autres un peu plus loin, on aurait dit d'énormes framboises sur pattes. Leurs armes pendouillaient, inutiles, au bout de leurs doigts enflés, et ils ne cessaient de secouer la tête en éternuant.

Les garçons étant pris de panique, je demandai à Christian et à Bouclettes de les faire sortir dans la rue, ce qu'ils firent, non sans garder le dos collé au mur des toilettes.

– NOUS NE POUVONS PAS SUPPORTER ÇA, dit un Gorg au milieu de ses congénères, les paupières gonflées comme des saucisses cuites au four à micro-ondes. S'IL VOUS PLAÎT. LAISSEZ-NOUS PARTIR. NOUS SOMMES VAINCUS. LA TERRE N'EST PAS FAITE POUR LES GORGS.

Ses mots résonnaient sur le carrelage.

– LA TERRE APPARTIENT **AUX CHATS** !

– Éteins la moitié des cabines, dis-je à Oh. Et au bout de quelques minutes, rallume-les et éteins l'autre moitié.

Oh se mit à presser et pousser des manettes, ce qui fit cesser le torrent de Porkys. Je pris quelques croquettes dans mon sac à dos.

– Bonbons ? chantonnai-je. Des bonbons pour les Porkys ?

Je me frayai un chemin parmi la masse d'humains et d'animaux, semant au passage des croquettes. Les Porkys me suivirent dehors, puis de nombreux Gorgs se précipitèrent en file indienne vers le téléclοneur. Quelques craquements et claquements plus tard, ils avaient tous disparu.

À court de croquettes, je vis maman et Oh me rejoindre dans la rue. Les Gorgs avaient dû bloquer le mécanisme de bascule du château de la Reine des Neiges alors que le côté intact était à l'endroit. Maman le contempla un moment, les yeux humides.

– Tu vois ? me dit-elle. Tu vois ce que je veux dire ? Il est toujours aussi magnifique.

– Oui, dis-je, en la serrant contre moi.

– Les Gorgs ne vont pas apprécier notre manœuvre, sur leur vaisseau, dit Oh. Regardez.

On apercevait en effet l'immense sphère dans le ciel matinal, mais il y avait quelque chose qui clochait. Elle gonflait et rougissait. Quand je compris à quoi j'assistais, je vis des volcans écarlates entrer en éruption à la surface de ce globe qui semblait trembler et transpirer. Plus que d'habitude, en tout cas.

– Il y a dix mille cloneurs sur ce vaisseau – non, descendez, Porkys, dit Oh. Des cloneurs destinés à fabriquer sa peau. J'ai envoyé une bonne poignée de poils de Porky dans chacun d'entre eux.

– Le vaisseau a le rhume des foins ! m'esclaffai-je.

Autour de nous, les garçons étaient pour la plupart occupés à caresser les chats. Alberto parlait même d'en adopter un et se disputait presque avec Cole pour savoir quel Porky était le mieux.

Soudain, je fus saisie d'une angoisse.

Où est Porky ?

C'était une question ridicule, bien sûr, car nous étions entourés de Porkys. Mais je ne voulais pas d'une copie. Je voulais Porky.

Dans mon dos, sans plus de croquettes pour les occuper, quelque cinq cents chats s'intéressaient à Oh, se faufilaient entre ses jambes et lui léchaient les pieds. Puis ils se mirent à planter leurs griffes dans ses vêtements et à lui mordiller les genoux.

– Bêê-ê-ê ! Regardez, ils... non, les petits chats ! Non ! Gentils, petits chats !

Je m'écartai un peu, afin d'observer le vaisseau, qui commençait à s'éloigner.

– Tif ! Non, non, petits chats ! Tif ? Maman-Tif ! Ausecours ! TIIIIF !

Je sentis alors quelque chose se frotter contre ma jambe. Je baissai les yeux et découvris un chat qui ronronnait et se frottait la tête contre mon mollet. Le seul et unique chat.

– Te voilà, toi, lui dis-je en le prenant dans mes bras. Je croyais t'avoir perdu.

Nous nous téléportâmes tous, plus Porky, au parc Old Tucson Studios, où nous nous entassâmes dans la voiture. Maman et Oh durent se partager le siège passager. Maman était si heureuse qu'elle l'embrassa sur le sommet du crâne, pour ensuite tout de même s'essuyer la bouche du dos de la main. Nous retournâmes au casino, où nous retrouvâmes l'Indien assis sur son pick-up en compagnie de Lincoln, suivant du regard la grosse boule rouge qui s'éloignait peu à peu à l'horizon sud.

– Ha ! l'entendis-je crier. Ça vous apprendra, bande de crétins !

***

Les gens retrouvèrent leurs maisons et tirèrent des coups de feu en l'air pour fêter l'événement. La rumeur se propagea très vite : les Gorgs avaient été vaincus par Dan Landry.

Ils s'apprêtaient à massacrer et réduire en esclavage la race humaine quand Landry, suivant une tradition gorg ancestrale – dont les détails sont un peu flous –, défia le chef des Gorgs en duel de force et d'intelligence.

Vue d'artiste du grand défi traditionnel gorg, tel que décrit par Daniel Landry (à gauche)

Il en sortit vainqueur et chassa les Gorgs de la Terre. On pouvait d'ailleurs voir leur vaisseau qui s'éloignait, rouge de honte. Enfin, vous connaissez les détails, vous avez sans doute lu son livre.

Enfin, bref.

Voilà. J'ai sauvé le monde. Et Oh m'a aidée.

Nous ne sommes pas les seuls à avoir lutté. En effet, des mois après le départ des Gorgs, des récits firent leur apparition un peu partout sur la planète, à propos d'humains entrés en résistance. Je ne peux pas tous les évoquer ici, mais disons que les Gorgs n'étaient pas préparés pour affronter les Chinois. Même chose pour les Israéliens et les Palestiniens qui, pour une fois, ont réussi à combattre côte à côte. Et d'après ce que j'ai entendu, les Gorgs n'ont même pas posé les pieds en Australie. L'histoire du groupe de garçons perdus vivant sous le Royaume de la Souris joyeuse et ayant rendu la vie infernale aux Gorgs établis dans leur région se répandit également. Enfin, rien n'aurait été possible sans l'Indien.

Frank José, alias Chef, est mort au printemps dernier. Il avait quatre-vingt-quatorze ans. Son heure était venue, a-t-il alors dit, mais je regrette que nos deux époques ne se soient pas davantage chevauchées. Nous avons fait don de certains de ses souvenirs de guerre à un musée et distribué le reste ici ou là. Sauf Lincoln. Nous avons gardé Lincoln.

Les Boovs se trouvaient désormais dans une position très affaiblie, par rapport à précédemment, et nous étaient redevables, à nous les humains, de les avoir débarrassés des Gorgs, même s'ils ne savaient pas vraiment comment nous nous y étions pris. Un peu partout dans le monde, ils aidèrent des gens à se reloger et signèrent de nombreux traités. Enfin, ils quittèrent pour de bon la Terre le jour de Smekday, soit exactement un an après leur arrivée. Certaines rumeurs prétendent qu'ils songent à s'installer sur une lune de Saturne, mais ils auront beaucoup à faire pour la rendre habitable.

Maman, Oh, Porky, Lincoln et moi, nous retournâmes à la maison, pour très vite déménager. Nous nous étions mis d'accord pour prendre tout notre temps et les précautions nécessaires pour révéler la présence de Oh au monde, ce qui ne serait pas possible dans une grande ville. General Motors nous ayant acheté le brevet de la voiture flottante, l'argent ne constituait pas un problème et nous nous offrîmes une belle maison au bord d'un lac.

Jusqu'à présent, nous n'avons présenté Oh qu'à des amis proches et à notre famille, et tout s'est bien passé. Je le surprends régulièrement à scruter le ciel, et je crois deviner à quoi il pense. Mais alors, il m'aperçoit et me dit qu'il réfléchit à la construction d'un escalier qui monterait jusqu'à la lune, pour des excursions d'une journée, ce qui fait que je ne sais plus quoi penser.

Un jour, il découvrit que son nom n'était pas si répandu qu'il l'imaginait. Cela le décida à en changer ; il s'appela un temps Opossum en Soupe, puis Dr Henry Jacob Weinstein, puis, pendant deux jours, l'Infâme B.B. Shaq Chewy, avant de reprendre Oh, que je n'avais pour ma part jamais cessé d'employer pour l'appeler.

En parlant de ces gens célèbres qui se marient tant qu'ils changent sans arrêt de nom, vous vous demandez probablement pourquoi je n'ai jamais révélé à quiconque ce que Oh et moi avons fait. Peut-être même me soupçonnez-vous de mentir. Il faudrait être fou pour rejeter la célébrité et les flashes. Je suis peut-être folle, alors. Mais j'ai gagné le droit de l'être. Laissez-moi vous dire quelque chose à propos du célèbre Dan Landry.

Il n'a pas connu un instant de paix depuis le départ des Gorgs. Pas un seul. Tous ses faits et gestes ont systématiquement été commentés, chacun de ses mots, enregistré, son plus petit faux pas, sa moindre idée bancale ont été capturés pour toujours sur la pellicule. Pour tout dire, au cours de la seule année dernière, il s'est marié deux fois (avec une pop star, puis une présentatrice de télévision) et a divorcé trois fois (erreur administrative). Il a également souffert d'une dépression nerveuse extrêmement médiatisée (avec notamment une scène de lutte dans un restaurant chinois). Aujourd'hui, d'après ce que j'ai compris, il se remet de son « épuisement » dans un hôpital californien.

Si cela ne suffit pas à vous convaincre que garder le silence était la bonne chose à faire pour nous, méditez ceci : j'ai sauvé le monde. J'ai sauvé la race humaine. Pour le restant de mes jours, même si je vis jusqu'à cent dix ans, jamais je n'accomplirai d'exploit aussi fantastique, aussi important que celui que j'ai accompli à l'âge de onze ans. Je pourrais remporter un oscar, réparer la couche d'ozone et trouver des remèdes à toutes les maladies recensées, mais malgré cela me sentir comme mon oncle Roy, ancien joueur de football très populaire qui aujourd'hui se contente de vendre des Jacuzzi. Il va me falloir trouver comment vivre avec ça, et je suis certaine de ne pas avoir besoin que chaque personne que je rencontre m'en parle systématiquement.

Donc voilà.

Vous m'avez demandé quelle était la morale de mon histoire. Je ne suis pas sûre que les histoires vécues aient une morale. Ou peut-être en ont-elles tant qu'il est impossible d'en choisir une. Mais en voici une : on récolte toujours ce que l'on a semé. Et, concernant les animaux de compagnie, avoir un chat, c'est super chouette.

eau chlorée des piscines des habitants. Les agents de la Société américaine des poissons et de la vie sauvage ont déclaré qu'il faudrait dès le printemps prochain prendre des mesures pour contrôler la population de koobishs du Nouveau-Mexique.

Décès d'une femme de 113 ans lors de l'ouverture de la Capsule temporelle

WASHINGTON, D.C. – Gratuity Tucci, personnalité locale qui, toute jeune fille, avait écrit une rédaction dans le cadre du projet de la Capsule temporelle nationale, est décédée d'une crise cardiaque au cours de la cérémonie d'ouverture de la capsule, qui s'est tenue ce matin à Washington.

Intitulée « La véritable signification de Smekday », la rédaction de Gratuity Tucci n'était qu'un des nombreux objets retrouvés dans la capsule, parmi lesquels une mèche de cheveux de Daniel Landry et un enregistrement de « Hit the Road, Smeck » (remix Bouge, Boov !), de DJ Max Dare.

On a demandé à Gratuity Tucci de commenter les rumeurs selon lesquelles il existerait une version longue de sa rédaction décrivant sa vie durant les derniers temps de l'occupation gorg.

– Je ne sais pas de quoi vous parlez, a-t-elle répondu samedi dernier. Et si vous voulez mon avis, on devrait laisser cette capsule enterrée. J'étais censée mourir avant ce jour.

Selon les personnes présentes à l'ouverture de la capsule, Gratuity Tucci s'est effondrée et a marmonné quelque chose d'inintelligible, puis « Pardon pour mon langage ». Ce furent ses derniers mots. Elle fut conduite en urgence à l'hôpital Saint-Landry, où son décès fut prononcé à 10 h 23.

Gratuity Tucci laisse derrière elle un mari, deux enfants, cinq petits-enfants, huit arrière-petits-enfants et un Boov.

Nous, été 2015

LE VOYAGE SMEKTASTIQUE ! AVEC OH !

Oui.
J'ai une idée !
Je vais aller à la cérémonie en voiture, grâce à un rayon rétrécisseur !
Un rayon rétrécisseur ?
Je m'approcherai du nez de Jennifer Lopez...
Ses pores sont minuscules !
... et dès qu'on la prend en photo
HOP je plonge dans sa narine !
Comme ça, elle me conduira sans le savoir à la cérémonie, jusque sur l'estrade.
Euh non, pas par là.
Et quand elle remettra le prix du meilleur je-sais-pas-quoi, le rayon rétrécisseur ne fera plus effet. Je ressortirai...
HÉ !
Qu'est-ce que...
... de son nez.
Et tout le monde m'aimera parce que je suis sorti d'une très jolie dame.
Ça a marché ! Incroyable...
FIN

Imprimé au Canada
Dépôt légal : mars 2015
ISBN : 978-2-7499-2518-9
LAF2000